Le **Pays** de la

Terre perdue

Tome I- Le réveil

Suzie Pelletier

Le **Pays** de la

Terre perdue

Tome I- Le réveil

Éditions **V**éritas Québec

Catalogage avant publication de Bibliothèque et Archives nationales du Québec et Bibliothèque et Archives Canada

Pelletier, Suzie, 1954-

Le pays de la Terre perdue

L'ouvrage complet comprendra 6 v.

Sommaire: 1. Le réveil.

ISBN 978-2-89571-054-7 (v. 1)

I. Titre. II. Titre: Le réveil.

PS8631.E466P39 2013C843'.6   C2012-942845-0

PS9631.E466P39 2013

Révision : Odette Pelletier et Thérèse Trudel

Infographie de la couverture : Monique Moisan

Infographie de l'intérieur: Marie-Eve Guillot

Photographie de l'auteure : Sylvie Poirier

Éditeurs :   Les Éditions Véritas Québec
              2555, avenue Havre-des-Îles, suite 118
              Laval, (QC) H7W 4R4
              450-687-3826
              www.leseditionsveritasquebec.com

Dépôt légal :   Bibliothèque et Archives nationales du Québec
                 Bibliothèque et Archives Canada

ISBN :   978-2-89571-054-7 version imprimée
          978-2-89571-055-4 version numérique

À mes parents, Claire et Robert,

qui m'ont appris à laisser vivre mes rêves

pour avancer dans la vie.

Le Réveil

La civilisation actuelle sécurisée par une technologie enveloppante fait perdre, aux humains que nous sommes, leurs repères de la vie en nature...

Comment retrouver ce que nos ancêtres nous ont légué avec nos gènes pour faire ce retour aux sources avec rien... et seul ?

Suzie Pelletier

Chapitre 1

Jour 1 — 15 juillet

Une sorte de douceur dans l'air, comme une onde chaude qui vient caresser sa peau et Nadine remue un bras, s'étire, puis ouvre un œil. La présence du soleil perce la toile, devenue translucide, de la petite tente. Non, mais… comme un ressort, la dormeuse se redresse. Sa tête vient heurter la lampe de camping accrochée au plafond. Aïe ! Nadine porte la main à son front où ses doigts découvrent une bosse douloureuse qui la fait crier à nouveau « Aïe ! » Elle se laisse retomber sur l'oreiller. Cette lampe ultra légère ne peut lui avoir fait cette bosse quand même !

« Ce doit être une sorte de faux réveil qui fait partie de son rêve. Attendre que le cadran sonne… comme chaque matin, puis se lever. Retrouver le calme de la maison, humer l'odeur du café… », se dit-elle en souriant.

Elle respire quelque chose d'étrange. Une odeur de campagne en été. Les oiseaux ? Ils chantent d'un arbre à l'autre, se répondant allègrement. Les rayons orange passent à travers ses paupières. Elle ouvre un œil. C'est la tente de trekking, qui n'était que rarement sortie de son sac de transport depuis au moins dix ans, qui forme un cocon au-dessus de Nadine. Elle retrouve cette sensation de chaleur matinale presque suffocante quand les fermetures éclair sont fermées. Le petit habitacle se transformera en serre si elle ne laisse pas entrer un peu d'air frais. En surveillant son redressement pour ne pas frapper à nouveau la lampe, Nadine se dirige à quatre pattes vers la porte.

Il y a au moins dix ans qu'Alex et elle n'ont pas fait de camping avec cette tente. Ils la traînent avec eux lors de leurs expéditions de trekking, une simple question de sécurité, sans l'installer. Normalement, ils préfèrent les gîtes de montagne disponibles le long des sentiers. Ces derniers offrent un certain confort et surtout, ils permettent de vivre au sec le temps que dure leur arrêt. Alors, la tente, insérée dans sa housse avec le tapis de sol, reste généralement accrochée au sac de montagne d'Alex. Étrange que son fidèle compagnon ne soit pas encore endormi à ses côtés. Est-il déjà en train de préparer le petit-déjeuner ? Quel amour !

Nadine tente de reprendre le fil de ses souvenirs. Hier soir ? Elle regarde autour d'elle. Avec une sorte d'incompréhension, elle reconnaît la petite lampe-chandelle accrochée au plafond de la tente. Délicatement, elle touche à nouveau la bosse sur son front. A-t-elle fait une commotion ? Perdu la mémoire ? Le choc sur une tempe fragile... Nadine a la tête dure ! Il se passe quelque chose d'inhabituel. Il doit bien y avoir une explication. « Réveille-toi ! », lance-t-elle en se pinçant le bras. Elle secoue la tête, se frotte les yeux comme lorsqu'elle était enfant. Sa vigilance se réveille. Il y a des points d'interrogation énormes sur chacun des objets qui l'entourent. Il lui faut trouver le lien entre ce qu'elle voit et ce qu'elle vit. Nadine s'est endormie dans son lit moelleux, collée contre Alex, dans la maison familiale. Elle se souvient de ces matinées bruyantes, autant qu'animées, lorsque leurs deux enfants y chahutaient. Lève-tôt, Nadine a toujours su se donner un moment de calme et de quiétude avant le réveil des autres.

C'est à n'y rien comprendre. Elle reconnaît son sac de couchage, mais celui de son mari n'y est pas. Il n'y a qu'un seul matelas, une seule paire de bottes, une paire de bas, un ensemble de vêtements.

« Mais où est Alex ? Ses effets n'y sont pas... »

Nadine s'étonne sans comprendre : « Qu'est-ce que je fais là ? Comment ai-je quitté Montréal ? Est-ce que nous avions planifié une expédition dont je ne me souviens pas ? Ils sont où les autres ? Je perds la tête, tout simplement ! »

Évitant le vertige qui la gagne, Nadine sent son cerveau entrer en ébullition. Et ce bruit ? Dehors, elle entend les oiseaux. Il y a aussi un autre animal. Plus gros qu'un écureuil. Qu'est-ce que c'est ? Elle s'habille en vitesse, puis elle sort en douce. Une sorte d'intuition la retient de se précipiter. Tout doux ! Un danger… « Wow ! Incroyable… où est ma caméra ? » Il y a un caribou impressionnant qui gruge les plantes de son petit-déjeuner à deux mètres à peine de la tente. Il tourne la tête, redresse les oreilles. Même si Nadine ne bouge plus, son arrivée inopinée l'a surpris et il prend la fuite. « Zut pour la photo. Peureux ! Maintenant, personne ne me croira… »

Nadine regarde l'animal d'un air perplexe. Elle a bien vu un gros mâle avec des bois énormes se faufiler entre les arbres. C'est plutôt curieux ? Les caribous perdent leur panache au début de l'hiver et leurs bois repoussent lentement pour atteindre leur grosseur maximum pour la période du rut, en septembre. Le cervidé qu'elle vient d'observer porte une ramure typique du milieu de l'été et non pas les excroissances du printemps. En avril, ses bois devraient être plus petits. On est bien le 24 avril aujourd'hui ? Sa montre le lui confirmera. Il suffit d'aller la chercher dans la tente.

Avant de rentrer, Nadine essaie de se situer. Les plantes autour de la tente lui sont familières. Elle a une impression de déjà-vu; cela lui rappelle les décors verdoyants du parc de la Gaspésie, qu'elle a exploré si souvent avec Alex. Si la cabane aménagée pour les météorologues se trouve à proximité, elle doit être à coup sûr sur le mont Logan. Elle ne la détecte pas, même en faisant un 360 degrés. La petite tente orange est la seule chose familière des environs. La température estivale est suspecte. Le printemps gaspésien n'est jamais si hâtif. Voilà un début de journée pour le moins étrange.

Nadine se sent un peu confuse. Le soleil lui tape sur la tête sans ménagement et elle doit placer sa main devant ses yeux en raison de la force de ses rayons qui l'éblouissent. Une sensation d'étourdissement l'envahit. Il y a cet élancement sur ses tempes. Elle a soif et sa gorge se noue de plus en plus. Elle ne rêve pas. A-t-elle perdu la mémoire ? A-t-elle simplement perdu la tête ? Elle lance un cri perçant : « OHÉ ! » Quelques oiseaux s'envolent, puis le silence retombe. Tout cela doit avoir un sens. Chaque situation s'explique. Rester logique. Respirer. « La Gaspésie, c'est à 800 kilomètres de Montréal ! Comment suis-je arrivée ici sans m'en rendre compte ? »

Un frisson, malgré la chaleur ambiante, la secoue. La date aussi est suspecte. Sans parler de l'absence d'Alex. Une étrange sensation de malaise s'installe sous sa peau. Où peut-il être, son compagnon qui ne la quitte jamais en randonnée ? Rien n'indique qu'il soit venu avec elle, cette fois.

Nadine est seule dans ce paysage inconnu. Elle a dormi sous la tente orange sans savoir comment elle a atterri ici, dans une clairière isolée. Ce doit être une attaque de folie, une sorte de dédoublement dans sa tête, une dérive toute douce qui ne fait pas mal. Non… Nadine se frotte les yeux. Elle fait des bonds à cloche-pied comme une enfant pour voir si elle rebondira. « Merde ! » Pour se rassurer, elle veut entendre sa propre voix. « Hou ! hou ! Il y a quelqu'un ? » Faiblement, l'écho lui répond, puis le lourd silence retombe sur ses épaules.

Elle revient vers sa tente en se demandant si elle est tombée sur la tête, a subi une commotion cérébrale qui lui aurait fait perdre la mémoire. Un accident durant son sommeil et elle se retrouve dans le coma. « Le décor est parfait. Bien choisi. Je l'adore. Il y a tout ici pour que je me sente bien dans ma bulle et que je n'aie plus envie de revenir parmi les miens », se dit-elle. Cette idée séduisante ne la satisfait pas. Ce genre d'oasis parfait n'est pas pour lui plaire maintenant. « Non, quitter Alex, oublier ses enfants, renoncer à ses petits amours, jamais ! Pourquoi Alex m'a-t-il laissée partir seule dans ces conditions ? »

Voulant déjouer la quiétude ambiante, Nadine fait le tour de la tente, elle court un peu partout, dans toutes les directions, elle observe le ciel, regarde par terre, puis au loin. Elle crie, chahute, tente de faire peur aux oiseaux. Elle appelle Alex. Personne ne répond. Des traces humaines ou animales… Elle se penche, là où le sol est plus meuble, il n'y a aucune empreinte sauf les siennes et celles du caribou.

Et plus loin, qu'est-ce qu'il y a ? Un parc, un village, une route ? Au bout de l'horizon, côté nord, elle voit le bleu de l'eau, une grande étendue d'eau. Elle pense à la mer comme on l'aperçoit en Gaspésie. Est-ce bien la mer ? Elle n'en est pas certaine, mais cette idée la rassure. Cela lui ferait un point de repère. Elle ose à peine s'accrocher à cette certitude. Nadine n'est plus certaine de rien. Elle se sent déstabilisée. Malgré la chaleur du jour, elle frissonne et la soif brûle sa gorge. Sournoisement, une onde de panique est en mouvement, oscillant entre le réel et l'irréel. Un doute s'installe. Qu'est-ce qu'elle fait là ? Pourquoi est-elle seule ? Où est-elle ? Alex va-t-il surgir de derrière un rocher ?

« De toute évidence, je ne suis pas en train de dormir. À moins que… il y a tellement de farceurs dans mon entourage. Il faut que ce soit une blague ! » C'est la plus mauvaise blague qu'on puisse imaginer, d'après elle… tout de même. Du genre qui exige une équipe immense et invisible, comme dans « Surprise sur prise » où la victime se laissait vraiment prendre au jeu. En tant que spectateur, c'est hilarant… mais en tant que souris de laboratoire, les sensations sont plutôt désagréables. Exactement comme elle le ressent maintenant. Le dindon refuse la farce !

« Je déteste ce jeu ! », crie Nadine en mettant ses mains en porte-voix. Même sans parvenir à détecter les caméras, sans doute camouflées dans les arbres, elle rejette ce rôle de la petite bête affolée qu'on observe. Alors il lui faudrait, pour les déjouer, passer à l'action, les surprendre en se comportant comme si rien ne la dérangeait. « Ces maudits blagueurs ne m'auront pas aussi facilement ! Ils ont gagné la première manche. Oui, je suis perdue, frustrée, fâchée. » Nadine voit ressurgir son caractère orgueilleux. « Je ne leur ferai pas gagner la partie sans leur donner un peu de fil à retordre », se dit-elle en chassant sa peur. Au jeu de la survie en forêt, elle a déjà une longueur d'avance sur eux…

« Bien ! Le soleil est déjà haut. Je vais aller chercher ma montre pour vérifier et me faire tout simplement un bon petit-déjeuner… Vous allez bien voir de quel bois je me chauffe ! »

Elle se réfugie sous la tente et cherche parmi tout le matériel sans succès. Il n'y a pas de montre. Décontenancée, Nadine constate qu'aucun gadget moderne ne figure dans l'attirail. Après avoir vidé la tente de tout son contenu, elle reste debout un bon moment, les bras le long du corps, médusée. Elle regarde autour d'elle et respire profondément; histoire de calmer le tourbillon dans sa tête et les battements assourdissants de son cœur. Ses tempes résonnent à chaque pulsation. La migraine se pointe. Il faut manger quelque chose et vite.

— Allez, les gars… Qui de vous résistera à l'odeur du café ? Bien, allons-y une tentation à la fois.

Évidemment, où que l'on soit, certaines choses ne changent pas dans la vie, comme la faim par exemple. Elle se promet depuis des années de perdre les 20 kilos qu'elle a en trop. Plus facile à dire qu'à faire. Elle a beau être très active, elle demeure gourmande; c'est donc très difficile pour elle de suivre un régime. Ce jeu de cache-cache qu'on lui impose lui en donnera l'occasion. Car elle peut en dépenser de l'énergie pour arriver à déjouer les plans de ses blagueurs. Son attitude positive lui permet de regarder maintenant les évènements d'un autre œil.

Qu'est-ce qu'il y a au menu du petit-déjeuner ? L'une des choses essentielles pour survivre en forêt s'appelle l'alimentation. Elle fouille dans le sac de montagne et trouve de la nourriture sèche, le petit poêle et la bonbonne de gaz, un chaudron, des ustensiles de cuisine, dont une fourchette, une cuillère, une assiette et une tasse en métal. Étonnamment, il y a des ustensiles pour une seule personne.

D'abord, préparer l'eau pour le café. Elle a grand besoin de caféine. Il n'y a pas de lait. Nadine murmure quelques mots impolis à l'attention des auteurs de cette mauvaise blague qui ont oublié de mettre du lait en poudre dans son sac, pour accompagner son café !

Elle soupçonne son ami Bernard d'être dans le coup. Il boit son café sans lait. De plus, il est bien capable d'inventer une blague de si mauvais goût. C'est quand même surprenant que Claudine, sa conjointe, l'ait laissé faire. Elle ne doit pas savoir, sinon elle se serait interposée, c'est certain.

Elle doit maintenant allumer le petit poêle; c'est toujours Alex qui s'occupe de cela d'habitude. Bon, il n'est pas là ! Au moins, les blagueurs n'ont pas oublié de mettre le briquet dans ses bagages. Nadine y va par déduction : attacher la bonbonne de gaz au petit poêle, ouvrir le gaz un peu puis, avec le briquet, allumer le feu. Bingo ! Vive la technologie !

Elle place le chaudron, rempli de l'eau qui provient de sa gourde, sur le feu. Puis elle sort sa tasse en métal et y place un sachet de café. Ce sera moins fort et moins goûteux que le café maison, mais il faudra qu'elle s'en accommode jusqu'à la fin du jeu.

En attendant son café, Nadine choisit son menu qu'elle fait cuire dans ce qui reste d'eau. En montagne, on ne gaspille pas une goutte, surtout quand il s'agit d'eau potable.

Pendant qu'elle avale un peu de travers le repas fade composé d'œufs séchés et son café sans lait, Nadine observe son environnement. Le soleil réchauffe lentement la terre encore gorgée d'eau. Comme il s'était levé depuis déjà un bout de temps, Nadine en déduit qu'il y a eu récemment une pluie très abondante. Vers le sud, elle pouvait voir le sommet du mont, à environ 800 mètres. De sa position, le sommet représente quelques centaines de mètres de dénivelé. Sa tente est placée à cinquante mètres d'un ruisseau qui s'est creusé un lit entre les cailloux avant de tomber en cascade dans un petit lac. Tout autour, le terrain est dégagé en son centre. Bien sûr… comme c'est souvent le cas sur les montagnes en Gaspésie, il y a plus de roches que de végétation. Mais elle remarque le lichen abondant accroché un peu partout à l'ombre des rochers. La forêt de conifères devient plus drue à deux cents mètres, direction nord, vers le bas de la montagne.

Oubliant sa frustration, Nadine découvre un décor qui lui semble tout à coup magnifique, émouvant même. L'air purifié vivifie ses poumons. Elle apprécie les échos de la nature environnante : le chant des oiseaux, le clapotis de l'eau dans la cascade, le vent léger qui murmure à ses oreilles, les écureuils qui l'observent curieusement. Pour un moment, la paix se glisse en elle. Le contact avec cet environnement inspirant lui fait du bien. On dirait que le temps s'est arrêté. Elle soupire en pensant à toutes ces années de course contre la montre où un moment comme celui-ci aurait été un véritable bonheur. La paix dans toute sa simplicité.

Après son déjeuner, Nadine décide d'organiser son séjour. Pas question de se laisser abattre. Réfléchir à ce qu'il faut faire. La première règle qui lui revient est d'assurer sa sécurité. En montagne, il faut toujours savoir ce qu'il y a à la disposition des marcheurs. Beau temps, mauvais temps, cet inventaire peut assurer la juste répartition des vivres afin de les faire durer au besoin. Elle vide le sac de montagne directement sur le sol rocailleux pour vérifier son capital de survie.

En plus des articles de cuisine, elle compte des repas secs pour cinq jours. Cinq jours ! OK... la blague devient de plus en plus vraisemblable, tout en demeurant déplaisante. On veut la laisser ici cinq jours ?

Il y a des vêtements de rechange, deux paires de bas supplémentaires. Au moins, les auteurs de la blague savent à quel point c'est important de garder les pieds secs. Il y a aussi deux camisoles à manches courtes qu'elle utilise pour dormir lors des longues randonnées en montagne.

Observant le contenu de son bagage, Nadine s'est demandé si Alex n'avait pas participé à cette mauvaise blague. Si c'est le cas, il ne perd rien pour attendre, lui !

Dans le sac, il y a aussi un imperméable, un pantalon de pluie, son chapeau de brousse préféré, ses lunettes de soleil, un chandail chaud, une boussole, un filtre à eau et une gourde. De plus, elle a une petite machette dans sa gaine, qui se porte au mollet. Sans oublier son couteau tout usage, de marque Laguiole, avec une lame de 20 cm et son étui qui s'ajuste à la ceinture.

Tout pour rester au chaud et au sec, garantir l'accès à l'eau potable et trouver son chemin. Parfait ! Elle les étonnera tous… et survivra à cette mauvaise blague. Heureusement, elle n'a pas peur de cette forêt qui l'entoure. Ses nombreuses expéditions de trekking au fil des années lui ont appris à respecter cette nature sauvage sans craindre ses habitants. La prudence et l'expérience, elle les porte en elle.

Nadine reste perplexe malgré son côté rationnel et inventif. Elle réalise que le contenu de son bagage correspond à ce qu'elle porterait normalement dans son sac de montagne lors de n'importe quelle expédition en nature. Elle y aurait certainement glissé une trousse de produits d'hygiène et du matériel pour les premiers soins. La tente, le tapis de sol et la machette font partie du matériel qu'Alex transporte normalement. D'habitude ils ajouteraient aussi au sac d'Alex les articles plus lourds comme les lampes de poche, des fruits et des légumes frais.

Si Alex l'observait en ce moment, la chose devait aussi lui sembler bizarre… Elle sans lui, lui sans elle, eux toujours si friands de la présence de l'autre. Comme c'était étrange de se sentir seule. Nadine aime marcher derrière lui dans les sentiers étroits, voir son ombre se mouvoir en silence puis, réagir à une découverte soudaine, l'entendre murmurer : tu as vu ça ! Avec un air d'enfant émerveillé. Elle s'extirpe de cette impression de nostalgie. La solitude ne fait pas mourir ! Poursuivre son inventaire lui sera plus utile… car son plan se précise.

Dans la tente, il y a un matelas, un sac de couchage et la lampe-chandelle accrochée au plafond. Oui, celle qui lui a peut-être laissé cette ecchymose violacée sur la tempe droite. Elle passe sa main sur la zone encore sensible : « ça va disparaître dans quelques jours… »

Devant elle se trouvent les objets qu'elle emporte d'habitude dans son sac de montagne. Elle ne trouve pas sa montre, ses iPhone, iPad et GPS, pas de livre, pas de crayon, pas de papier. Un peu découragée, elle crie sa frustration.

— C'est quoi l'idée ? Je fais quoi moi ? Je retourne à l'époque des cavernes ? Vous allez me le payer !

Une fois que sa voix s'est égrenée dans le décor, le caractère bouillant de Nadine se ravive. Les déjouer, leur faire payer cette mauvaise farce. Sa témérité prend le dessus.

Elle leur donnera des sueurs froides à ces joueurs de tours ! Ils la croient patiente, souhaitant sans doute qu'elle reste là à les attendre; alors, elle va partir ! C'est certain qu'elle trouvera un village au bord de l'eau et probablement même une petite auberge. Elle n'a pas sa carte de crédit ni argent, pas plus que sa carte d'identité, son passeport ou un permis de conduire. Elle verra à régler ce problème dès qu'elle sera arrivée au village. Il y aura une banque, un poste de police, des gens qui l'écouteront.

Voilà le plan : tout ramasser et partir vers la mer. Il y a une bonne distance à parcourir d'ici jusqu'à cette belle nappe bleue, mais Nadine a de la nourriture pour cinq jours. De plus, elle est habituée à marcher en montagne pendant plusieurs jours d'affilée. Malgré la chaleur ambiante, en trente minutes à peine, la tente et tout le matériel se retrouvent emballés. En hissant le sac sur son dos, c'est une véritable décharge d'adrénaline qui la stimule. « On verra bien si vous arriverez à me suivre… »

Chapitre 2

Jour 1 — 15 juillet

Nadine hisse le sac de montagne sur son dos. « Ouf ! C'est lourd tout ça ! »

En redressant la tête, fixant bien les sangles afin de stabiliser le poids, elle note du coin de l'œil l'angle du soleil.

Merde, l'heure du midi est déjà passée ! Plus que quelques heures de marche sont possibles aujourd'hui.

Nadine fait des pas en direction de la forêt.

Elle réalise qu'il lui faut rester perspicace et évaluer les observations qui lui permettront d'adopter les mouvements appropriés. Par exemple, utiliser la course du soleil pour évaluer les étapes à franchir. Nadine sent revenir en elle le réflexe de la coureuse des bois expérimentée, mais en cet instant, ce n'est pas de la fierté qu'elle ressent; une sorte de vague à l'âme l'envahit. Elle s'ennuie des siens, de la technologie qui était devenue si familière autour d'elle. Même si le but du trekking planifié est de vivre sans la technologie pendant quelques jours, elle apporte toujours ces précieux outils, comme sa montre, et le GPS pour assurer sa sécurité. Aujourd'hui elle a l'impression qu'il lui manque une partie d'elle-même. Est-ce vraiment l'essentiel ?

Elle hoche de la tête pour chasser cette idée de dépendance aux objets. « Non ! L'essentiel en forêt c'est l'habileté à utiliser ses sens », se répète-t-elle. Nadine en a vu des situations périlleuses. Elle possède l'expérience nécessaire pour s'orienter et comprendre l'environnement qui l'entoure. Ces deux qualités valent bien mieux que tous les gadgets que les technologues peuvent inventer pour la vie urbaine. Et si elle profitait de cette immersion forcée pour vivre réellement un retour aux sources ?

Cette réflexion, pour un moment, la ragaillardit. D'un pas alerte, elle marche encore quelques mètres, respirant au rythme de cette cadence qu'elle aime. Ses pensées errent et la solitude rend son cœur de plus en plus lourd.

Elle s'ennuie d'Alex, son compagnon de trekking depuis qu'ils ont découvert cette activité. Sans lui, sans sa présence, son sens pratique, son énergie, aurait-elle vécu toutes ces randonnées magiques ? Celle-ci… Elle aurait préféré qu'Alex soit à ses côtés en ce moment précis. Elle aurait aimé qu'il la rassure. C'est beaucoup plus agréable de marcher en forêt ensemble. Elle l'imagine juste là, comme par le passé.

Ils marchent en file dans un sentier à peine assez large pour une gazelle. Armés de leurs bâtons de marche, leur gros sac de montagne sur le dos, il n'y a pas de place pour les familiarités. Pas de place pour se tenir la main comme ils le feraient dans leur quartier. Ils n'en ont pas besoin, de ce rapprochement. Ils sont tout simplement heureux de pouvoir vivre ensemble au grand air. L'harmonie universelle qui règne entre eux et la nature rapproche Nadine et son conjoint.

Combien de fois a-t-elle admiré les larges épaules de son mari qui, marchant devant elle, écartait d'un geste vigoureux les branches qui gênaient son passage ? Il l'a met en garde face à une roche ou une racine qui, au ras du sol, risquent d'entraver sa marche. Elle se souvient de son visage rempli de tendresse quand elle s'approche de lui, de l'ombre que son grand corps jette sur le sol.

Puis, il y a tous ces moments d'émerveillement alors qu'ils prennent le temps d'observer une plante qu'ils n'ont jamais vue ou de débusquer un petit animal, échangeant à mi-voix afin que tous les détails s'impriment dans leur tête.

Ils n'ont qu'à se regarder dans les yeux pour comprendre tout l'amour qu'ils ressentent l'un pour l'autre.

Nadine secoue la tête pour chasser sa mélancolie. Cela ne donne rien de penser à l'absence d'Alex. Il n'est pas là, c'est tout. Pour reprendre le contrôle sur ses émotions, Nadine accélère le pas.

« Bon, il est où le sentier ? »

Ces blagueurs, ils sont bien passés quelque part. C'est certain qu'Alex n'était pas tout seul pour apporter tout son bagage au sommet de cette montagne. Surtout que la distance pose un problème supplémentaire, puisque ce site ressemble étrangement au mont Logan, situé à 800 kilomètres de Montréal. Ne devrait-elle pas trouver des traces de pas? Peut-être des traces d'un véhicule tout-terrain?

Pas de sentier, pas de traces de pas ni d'empreintes de véhicule tout-terrain. Du moins elle n'en voit pas. Décontenancée, Nadine marche vers la droite puis s'élance à gauche en cherchant partout. Sans succès.

Dans sa course, elle remarque des taches foncées. Comme des brûlures sur le sol, à quelques mètres de l'endroit où était placée la tente. Un reste de feu ? L'éclair d'un orage récent ?

Elle s'énerve trop pour s'y attarder plus longtemps. Essoufflée par cet excès, elle prend une grande respiration pour se calmer. À quoi bon gaspiller ses forces ?

Elle recommence cette fois en choisissant de rechercher un sentier, en espérant que sa marche jusqu'à la lisière de la forêt lui en révélera un. Elle ne comprend pas, il doit bien y avoir un chemin. Malgré la chaleur, elle frissonne. Dès que sa pensée peut s'envoler librement, c'est toujours la même question qui la rattrape. On l'aurait transportée en hélicoptère ? C'est totalement tordu !

Son cœur bat si fort qu'elle a peur que sa poitrine se déchire. La panique s'installe. Elle doit se calmer. Elle frotte ses mains rendues froides par la peur, pour les empêcher de trembler. Pourtant, il fait au moins 21˚C sur ce plateau forestier. Des gouttelettes de sueur perlent sur son front témoignant de son stress.

S'ils étaient arrivés par l'autre côté de la montagne? Bon ! Une solution ! Il est impossible qu'elle ne trouve pas de traces. Elle retourne vers le lieu où sa tente était installée. Elle dépose son sac par terre pour libérer son corps de ce poids. Elle refait une autre fois le tour de l'endroit, marchant lentement, observant minutieusement le sol afin de trouver des indices révélant le passage d'autres personnes.

Rien. Elle lève la tête pour observer le sommet de la montagne. Environ 800 mètres. Sans son sac, il ne lui faudrait qu'une demi-heure pour l'atteindre.

Non ! Elle ne fera pas cette erreur de novice. Surtout quand les circonstances sont si étranges. Si quelqu'un l'observait sous le couvert des arbres, il aurait le temps de lui enlever son sac pendant qu'elle grimperait là-haut. Il n'est pas question qu'elle leur donne la chance de lui rendre la vie encore plus misérable.

Elle place son lourd bagage sur ses épaules puis, lève la tête vers le sommet. Elle monte lentement, par petits pas, les 800 mètres d'une pente relativement douce. Son entraînement lui est utile afin de rythmer sa respiration. Elle marche la tête basse, les yeux rivés sur tous les cailloux qui encombrent sa route. Elle cherche une marque, un bout de papier, n'importe quoi. Simplement pour comprendre dans quelle galère elle se trouve !

Oups ! Il suffit d'un petit obstacle et son pied glisse; elle titube, risquant de perdre l'équilibre. De grands coups avec ses bras, elle balaie l'air et réussit à éviter la catastrophe.

Cette route lui rappelle étrangement le sentier qu'elle et Alex ont grimpé il y a quelques années. Ils résidaient à Ullapool depuis quelques jours quand le beau temps et l'air frais de la mer leur a donné le goût d'utiliser leur attirail de randonnée pour gravir le Stag Pollaidh, une montagne dans un secteur isolé du nord-ouest de l'Écosse. Les cailloux glissaient sous leurs pas, les maintenant continuellement dans une instabilité précaire.

Ici, elle n'est pas en Écosse. La forêt florissante et la chaleur qui l'affecte, même au sommet, font contraste avec la terre dénudée de cette partie du monde et le vent froid et humide qui flattait le Stag Pollaidh. Elle sourit. Où qu'elle soit, elle n'a pas à se battre contre les nuages de *midges*[1], ces bestioles plus petites que les brûlots du Québec et qui assaillent les marcheurs avec leurs piqûres incendiaires.

Au sommet de la montagne, Nadine prend quelques minutes pour bien observer autour d'elle. Il y a une vue ouverte, sans obstruction, à des kilomètres à la ronde. À 800 mètres plus bas, une forêt d'épinettes fait une couronne complète à la montagne. Sous ses pieds, le sol rocailleux interdit la circulation d'un tout-terrain. Seuls quelques caribous broutent les herbes nordiques rares qui réussissent à pousser dans les espaces entre les roches calcaires, là où elles sont à l'abri du vent. Sur ce terrain aride, il n'y a aucune trace de pas, même pas celles des gros mammifères.

La déception lui noue la gorge. Il n'y a pas plus de traces ici qu'en bas. Lentement, elle a tourné les talons pour retourner là où était sa tente, l'endroit le plus approprié pour descendre de la montagne en direction de la mer.

Soudain, son cœur fait un bond. Et si personne ne la surveillait ? Comment Alex saura-t-il où la chercher ? Elle venait d'oublier une chose fondamentale en forêt. Elle devait laisser des traces de son passage. Pour que ses amis la retrouvent.

---

1   Moucherons

Elle allait construire un cairn, cet amas de roches qui, sur les montagnes dénudées, marque le passage des humains. Elle dépose son sac de montagne par terre et elle choisit une roche plate, un peu surélevée, pour le construire. Vingt roches placées solidement les unes sur les autres suffirent. Puis, pour qu'Alex sache où la retrouver, elle a utilisé des pierres sur une section dégagé du sol, pour dessiner une flèche pointant sa direction.

Debout, les mains sur les hanches, elle admire son œuvre un moment. Elle venait de prendre possession de ce territoire. Cela lui redonna confiance.

Maintenant que sa marque témoigne de son passage, elle peut descendre de cette montagne. Sans aucun sentier, la meilleure chose à faire est d'utiliser la boussole.

Plus satisfaite de son attitude, son sac de montagne repositionné sur ses épaules, Nadine reprend sa marche en direction nord. Malgré la pente abrupte et les zigzags inévitables, elle progresse sans trop de difficultés. D'un pas retenu, elle pénètre dans une forêt composée d'arbres rabougris qui laisse place, un peu plus loin, à une forêt de conifères qui, observe-t-elle, n'est pas trop dense.

C'est bizarre qu'il n'y ait pas de neige; la température est trop chaude pour un mois d'avril au Québec. Du moins, hier soir c'était le 23 avril. La montagne devrait être encore couverte de neige. Et les plantes font penser à la mi-juillet vu leur maturité. Plus elle descend de la montagne, plus il y a de moustiques et plus il fait chaud. Ce n'est définitivement pas le mois d'avril qu'elle a l'habitude d'observer en Gaspésie.

Mais dans quel endroit est-elle ? Un tel climat ? Quelque part plus au sud ? Les États-Unis peut-être ? Même dans les Adirondacks, il y reste beaucoup de neige en avril. Et le caribou qu'elle a observé ce matin ? Il n'y en a que dans le nord du Québec et en Gaspésie.

C'était à n'y rien comprendre. Ces arbres sont familiers. Relativement gros. Elle ne peut pas s'empêcher de regarder les talles d'épinettes noires, paquetées serrées en bordure du sentier, dissimulant peut-être un observateur malicieux. Elle se met à chercher tous les endroits où Alex, ou l'un de leurs amis, pourrait se cacher.

Bon, il n'y avait qu'une seule façon de comprendre et c'était de retrouver la civilisation. Nadine pense une dernière fois à ces blagueurs. Elle se sent furieuse contre eux. D'un geste vif, elle a levé le bras gauche en l'air pour les défier d'un bras d'honneur : « Tenez ! Vous ne perdez rien pour attendre ! Je vous aurai dans le détour ! »

Sa silhouette se fond dans une forêt de conifères qui devient de plus en plus dense. Finalement, elle trouve une piste assez large qui semble bien entretenue. Il y a beaucoup de crottin de divers animaux, certaines traces de pas sont récentes : des orignaux, des chevreuils, des loups et des lynx. Elle sourit en reconnaissant les odeurs âcres et répugnantes de ces animaux qui se mélangent avec les odeurs suaves et sucrées de l'humus et des fleurs sauvages. Ses amies Martine et Claudine en auraient des haut-le-cœur, ce qui la ferait rire; elle aime beaucoup ce mélange musqué qui la transporte loin dans sa tête.

La piste n'est pas balisée par des humains et cela l'inquiète un peu. Les animaux empruntent de tels sentiers afin de passer d'une zone de nourriture à une autre ou pour se rendre à un point d'eau. Mais ils vont rarement en droite ligne. Selon leurs besoins, les bêtes font des tracés qui serpentent dans la montagne; elles cherchent un terrain facile et non pas le plus court chemin. Nadine n'a donc aucune idée de la longueur de cette piste, elle ignore aussi si elle descend vraiment de la montagne.

Du haut de la montagne, la forêt semble immense, à perte de vue dans toutes les directions sauf pour quelques sommets trop élevés pour qu'une végétation aussi dense puisse y pousser. Il lui serait facile de s'y perdre.

Elle reste songeuse quelques instants pendant que toutes les options défilent dans sa tête. Son esprit pratique évalue les possibilités, les dangers, le besoin de réussir. Bon. Elle suivra la piste d'orignal. Son chemin sera plus long, mais il aura l'avantage d'être plus facile.

Très vite la piste tourne un peu vers l'ouest, mais Nadine se rassure, car elle marche toujours vers le bas de la montagne. La forêt d'épinettes qui l'entoure est maintenant trop dense pour quitter le sentier, alors Nadine continue de le suivre en espérant que, en bas de la montagne, elle trouvera un ruisseau ou une rivière qui la conduira vers la mer.

Tout en restant attentive à ses pas, Nadine examine tout ce qu'il y a autour d'elle. Dans cette forêt qui grouille de vie, elle a l'impression qu'on l'observe. Ses amis? Elle remarque une branche dont l'encoignure pourrait certainement porter une caméra. Elle ne voit pas de fil, mais aujourd'hui, avec les batteries solaires, c'est tout de même possible. Comment auraient-ils su quel chemin elle prendrait ? Vraiment ?

Avec une rage non contenue, elle parcourt les quelques mètres qui la séparent de la branche. Elle va casser leur caméra ! Non. Ce n'est qu'un nid d'oiseau. Probablement celui du geai bleu qu'elle vient d'entendre. Nadine s'est éloignée lentement, sa colère soudainement remplacée par un vague à l'âme. Elle est furieuse contre ses amis et elle aurait aimé trouver une caméra qui lui aurait confirmé un sens, fût-il si ridicule, à cette aventure insensée.

Les pas alourdis par la mélancolie, elle poursuit sa route. Elle tire de l'eau de sa gourde pour étancher sa soif. Elle repositionne son sac sur ses épaules. Elle fait un arrêt pour relacer ses bottes. Elle cherche comment reprendre le contrôle de ses émotions, car la frustration risque de détruire son sens de l'aventure.

Le ciel est bleu. Il n'y a aucun nuage. La brise fait chanter les feuilles des bouleaux jaunes éparpillés, ici et là, parmi les nombreuses épinettes. Elle perçoit plus qu'elle ne voit quelques animaux dans le voisinage. Par expérience, elle sait qu'elle n'a rien à craindre des animaux de la forêt. La majorité d'entre eux sont peureux et se cachent des humains alors que les autres les ignorent. Elle fait suffisamment de bruit pour ne pas surprendre les éventuels ours, loups ou autres qui peuvent être plus agressifs, surtout s'il y a des petits à protéger.

Préoccupée par la situation, déçue de ne pas avoir Alex à ses côtés, angoissée de se retrouver seule en montagne, Nadine cherche à comprendre ce qui lui arrive. Il y a quelque chose d'important qui lui échappe. Elle ne peut le comprendre encore et cela la rend inconfortable. Comme un arrière-goût après un repas mal cuit alors que l'on sent la nausée nous envahir.

Elle en veut beaucoup à ceux qu'elle appelle « ses blagueurs ». Pourquoi une farce si bien planifiée ? Ce ne peut être qu'une mauvaise plaisanterie. Pour fêter la retraite qu'elle vient de prendre ? C'est beaucoup trop élaboré quand même, complètement malade ! C'est même méchant ! Limite !

« Comment m'ont-ils amenée jusqu'ici sans que je m'en aperçoive ? Comment ont-ils fait pour ne laisser aucune trace ? Je ne me souviens de rien. » Soudain, la réponse logique, mais tellement inconcevable, s'impose dans son cerveau. « Ils m'ont droguée. » Cette pensée la fait frissonner. Elle ne leur pardonnera jamais.

Puis sa progression ralentit, en raison du poids du sac de trekking, et finit par la mener en bas de la montagne. Elle est en nage. La chaleur de la journée, plus agréable au sommet, est comme celle d'un four dans cette vallée profonde. Nadine a effectivement trouvé une rivière qui coule probablement vers le nord. Enfin ! La rivière est large, peu profonde, et ses berges sont dégagées. Le vent léger qui laisse un petit frisson sur l'eau calme arrive à peine à rafraîchir sa peau. Nadine poursuit son chemin, marchant tantôt à côté, tantôt dans la rivière.

Alex qui la connaît si bien sait qu'elle cherchera instinctivement une rivière. Alors, elle continue à chercher les caméras dans les arbres. Bien sûr, il n'y a rien qui trahirait leur présence.

En chemin, elle trouve une branche longue et plutôt droite, d'environ deux mètres, fraîchement tombée d'un arbre. Bien dégagée de son écorce, cela lui fera un bon bâton de pèlerin. Puisqu'on n'a pas pensé à mettre dans ses bagages ses bâtons de randonnée. Elle l'utilisera pour assurer son équilibre sur ce terrain inégal, pour marcher dans la rivière ou pour fouetter les branches qui bloquent constamment son passage.

Elle gardera le bâton en souvenir quand elle reviendra chez elle. Peut-être l'utilisera-t-elle pour frapper les blagueurs ? Nadine aime cette idée. Elle agrippe le bâton comme elle l'aurait fait d'une épée de *Jedi* dans *Star Wars*. « Que la force soit avec moi ! » Un coup à gauche ! Un coup à droite ! Nadine a voulu frapper l'air devant elle, mais une grosse branche s'est interposée et a fait sauter le bâton de ses mains. La brutalité de l'événement l'a fait sortir de sa colère. Bien que le geste de frapper ait canalisé son trop-plein de fureur contre ses amis, Nadine sait très bien qu'elle ne les frapperait jamais. Elle déteste la violence sous toutes ses formes. Mais c'est certain qu'elle leur dira entre quat'z'yeux ce qu'elle pense de leur blague insensée.

Son sac de montagne pèse de plus en plus lourd sur ses épaules, mais elle tient à continuer encore un moment. Bien qu'elle soit plutôt une femme moderne qui apprécie le confort de la ville, elle est habituée à ces expéditions de trekking qu'elle et Alex font régulièrement l'été avec deux couples d'amis. Il y a Bernard, son ami d'enfance, et sa femme Claudine. Il y a aussi Claude, le partenaire d'affaire et ami d'Alex, et sa femme Martine. Sont-ils vraiment des amis? Aujourd'hui, elle n'est plus certaine de pouvoir compter sur des alliés.

C'est finalement les gargouillis de son estomac qui l'incite à s'arrêter sur une grosse roche plate, au bord de la rivière, où elle dépose son fardeau. Au menu, elle a des noix et des fruits séchés avec de l'eau. C'est son régime habituel pour le déjeuner rapide, servant aussi de pause. Elle marchera encore une heure ou deux avant de s'arrêter pour la nuit; elle ne veut donc pas surcharger son estomac, ce qui rendrait la randonnée plus difficile.

Avant de l'avaler, elle regarde la poignée de noix et de fruits secs dans le creux de sa main. Elle se sent bien loin des hamburgers de chez McDo. Elle sourit et ferme les yeux. Pourquoi ce symbole du plaisir coupable de sa génération s'inscrit-il si souvent quand elle est en trekking ? C'est devenu une farce entre elle et Alex. Quand ils partent en voyage, ils jouent à qui se retiendra le plus longtemps de mentionner cette marque de leur milieu de vie urbain. Puis, c'est avec un tremblement de cœur qu'elle se redit qu'Alex n'est pas avec elle pour les cinq prochains jours.

Bien sûr, elle a profité de cet arrêt pour remplir sa gourde. En forêt, il faut toujours se réapprovisionner en eau dès que l'on voit une rivière, un ruisseau ou une source. Elle a utilisé le filtre à eau pour en assurer la qualité.

Cette pensée fait glisser la peur sous sa peau. La situation deviendrait terrible si elle tombait malade. Et si elle se blessait ? Les blagueurs mettraient-ils fin à cette épreuve insensée ? Comment l'apprendraient-ils ? Machinalement, comme tant de fois aujourd'hui, elle porte les yeux sur tous les recoins de cette forêt. Aucune caméra. Personne ne s'y cache. Un frisson involontaire parcourt son corps. Elle croise les bras et ramène ses genoux vers elle pour faire cesser les tremblements.

Pendant qu'elle mange, Nadine réfléchit à ce qu'elle peut faire du reste de la journée. Elle est partie du haut de la montagne sur un coup de tête, sans vraiment réfléchir.

Partir, comme ça, seule en forêt, est contraire à toutes les règles de survie. Normalement, lorsqu'une personne est perdue, il lui faut demeurer au même endroit, pour mieux conserver l'énergie dont elle a besoin pour survivre. Cela permet aux secouristes de retrouver rapidement la personne perdue en forêt.

Est-ce que Nadine est vraiment perdue ? Elle n'est pas certaine de connaître l'endroit où elle se trouve, même si la végétation autour lui est familière. Était-ce la Gaspésie, un parc nature en Europe, un parc national aux États-Unis, au Canada ou au Québec ? Elle a un plan pour retrouver la civilisation ainsi que de la nourriture pour quelques jours; elle peut faire du feu et elle a une tente pour se réfugier la nuit. Donc, elle n'est pas perdue. Par contre, elle se sent démunie face à cette situation qu'elle ne peut que subir sans rien changer. Où va-t-elle dormir cette nuit ? Dans sa tente bien sûr, mais encore faudrait-il trouver un endroit qui lui permettra de la monter en toute sécurité.

Puis elle éclate de rire. Elle envisage la conversation avec son amie Marie avec qui elle discute souvent de science-fiction. Marie la regarderait de ses yeux verts pleins d'énergie.

— Bien voyons ! c'est sûr que tu n'es plus sur la Terre.

— Tu es drôle. Quelle autre planète proposerait une nature aussi intense que celle-ci et qui ressemblerait autant à la Gaspésie ? Pas Vulcain tout de même ! Cette planète rouge et chaude qu'on nous présente dans la série *Star Trek* est en grande partie recouverte de déserts.

— Je l'ai ! Tu es sur Alpha du Centaure.

— Bien non ! Il y fait trop chaud !

— Alors je ne sais pas !

Puis, son rire reste crispé dans sa gorge. Soudain, elle s'ennuie de Marie.

Elle se souvient de leur dernière rencontre. Nadine, nouvellement à la retraite, avait décidé de refaire sa garde-robe pour qu'elle réponde mieux à sa nouvelle vie : plus de jeans et de souliers plats, moins de jupes, vestons et talons hauts.

Ce jour-là, les deux amies avaient magasiné toute la journée. Elles avaient visité trois centres commerciaux et le coffre de la *Legacy* était plein de paquets en tout genre.

Fatiguée, Marie avait exigé de terminer l'après-midi plus tôt et les deux femmes s'étaient retrouvées au restaurant, chacune devant un verre de vin en attendant leurs hommes, Alex et Alain qui devaient les rejoindre pour le dîner.

Marie était épuisée d'avoir tant couru. Elle avait aussi beaucoup ri de voir son amie s'énerver face à la tâche; Nadine essayait dix paires de jeans pour en choisir une, puis elle passait rapidement à un autre magasin pour recommencer son manège. Marie était exténuée juste d'avoir suivi son amie toute la journée. Mais Nadine était toujours débordante d'énergie malgré l'exercice. Elle grouillait comme une écolière. Marie n'en revenait tout simplement pas :

— Hé ! Nadine, tu n'arrêtes pas de grouiller !

— C'est vrai. La retraite me va bien. Je me sens toute pleine d'énergie.

— Il va falloir te trouver un travail pour brûler toute cette énergie. Sinon personne n'arrivera à te suivre.

— Tu sais que l'énergie c'est mon fort. Je n'en manque jamais. J'aborde toujours tout avec enthousiasme.

Soudain, Marie est devenue silencieuse et son visage a exprimé une grande tristesse. Elle observait Nadine de ses grands yeux verts.

— Marie, qu'est-ce qu'il y a ? Pourquoi cette tristesse ? Est-ce que j'ai dit quelque chose qui te chagrine ?

— Non. Je réalise seulement que tu es chanceuse d'avoir toute cette énergie. Un jour, peut-être comprendras-tu que les choses ne vont pas toujours aussi bien.

Nadine aurait voulu comprendre cette dernière affirmation de son amie qui lui donnait des frissons. Est-ce que Marie était malade, mais n'osait pas lui dire ? Mais, avant qu'elle puisse le faire, Alex et Alain les avaient rejointes.

Le moment des confidences était passé.

Nadine n'a pas oublié et elle se promet de demander à son amie ce qu'elle voulait dire dès leur prochaine rencontre.

Aïe ! Une branche vient de lui tomber sur la tête. Elle aurait dû y penser en s'asseyant près de ce gros bouleau jaune. Il est vieux et son bois est sec. D'un simple coup de vent, la branche s'est détachée du tronc. Heureusement, il n'y a pas de mal. Une petite égratignure sur son bras droit. Elle ne saigne pas et elle aura totalement disparu quand elle retournera chez elle.

Nadine est claquée. Un épuisement qui vient de l'effort de la marche, du sac de montagne qui pèse lourdement sur ses épaules, puis de cette chaleur qui lui fait perdre son eau plus vite qu'elle ne la boit. Puis il y a cette tension qui ne se déloge pas et qui durcit ses muscles; elle est continuellement aux aguets face aux sons de la forêt qu'elle ne reconnaît pas toujours.

Cet épuisement est beaucoup plus intense et plus profond que la simple fatigue d'une journée de magasinage qui se termine au restaurant devant un verre de vin.

Elle n'ose pas penser à l'inquiétude des blagueurs, ses amis, lorsqu'ils ne la trouveront pas au sommet de la montagne. Mais c'est de leur faute ! Ils avaient juste à ne pas la laisser toute seule ! Ils connaissent bien son tempérament bouillant et sa témérité ! C'est de leur faute, c'est tout ! De toute façon, en construisant un cairn, elle leur a montré le chemin à suivre.

Entretemps, elle poursuivra sa route, suivra son plan pour retourner à la civilisation par elle-même.

Si elle était certaine de trouver bientôt une ferme, un gîte, ou, « rêvons jusqu'au bout », une auberge, elle ne s'en ferait pas. Mais, depuis son départ de la montagne, elle n'a rencontré personne et la forêt autour d'elle devient très dense. Tout indique qu'elle couchera en forêt cette nuit. Elle n'est pas contente, mais à cause de ces damnés blagueurs, a-t-elle le choix ? La meilleure façon de procéder serait de marcher encore un peu, une heure ou deux, puis de chercher un endroit propice pour placer la tente en sécurité. Il faudra qu'elle soit capable de faire du feu et avoir le temps de ramasser assez de bois pour le maintenir toute la nuit. En forêt, cela éloignera les animaux qui chassent et dont elle a vu les traces dans les sentiers.

Elle doit écouter cette fatigue qui s'accentue et tenter de faire son camp pour la nuit le plus tôt possible. L'endroit où elle se trouve ne lui procure pas la sécurité nécessaire à sa survie. Elle doit poursuivre en repérant un lieu plus propice.

Nadine a replacé le sac de montagne sur son dos. Machinalement, elle a frictionné ses jambes raidies par la fatigue et ses épaules déjà très endolories. Bâton de pèlerin en main, elle est repartie le long de la rivière, suivant un parcours tordu qui la mènera, tantôt vers le nord, tantôt vers l'est, et qui la forcera à pratiquement tourner sur elle-même. Normalement, la route devrait être plus longue, mais le débit léger de la rivière indique que le terrain plat reste facile à suivre. La distance de marche sera donc plus grande; ce qui ne l'empêchera pas de faire le trajet plus rapidement.

Seul les bruits de la forêt l'accompagnaient. C'est une ambiance qu'elle aime beaucoup et qui calme son tempérament énergique et bouillant. Elle aime cette solitude qui lui rappelle, qu'en montagne, on ne peut compter que sur soi. Ainsi, elle et Alex agissent toujours avec un immense respect envers cette nature indomptable. L'immensité de la forêt lui rappelle à quel point l'humain est petit sur cette terre.

Son âme et la nature sont en parfaite harmonie. Alors qu'elle marche, la tête penchée vers le sol pour mieux surveiller ses pas, elle voit l'eau qui bouillonne autour de ses bottes; elle sent l'odeur forte des épinettes noires; elle entend le babillage des oiseaux perchés sur les hautes branches, le suintement d'un petit ruisseau qui se déverse dans la rivière, un écureuil qui se sauve sous le feuillage; le vent léger glisse sur sa peau asséchée par le soleil. Malgré la fatigue, elle se sent en paix.

Nadine poursuit sa route; elle marche encore le long de cette rivière qui n'en finit plus.

Puis, à l'un des tournants de la rivière, là où s'accumule le sable, elle trouve un terrain bien ouvert, un peu surélevé, en pente douce vers le bord de l'eau. Un excellent endroit pour camper. Elle peut y monter son camp en toute sécurité. C'est enfin le temps d'arrêter.

Le soleil descend lentement à l'ouest à travers les bouleaux jaunes et les épinettes. Alors, elle ne prend pas le temps de souffler. Laissant le sac de montagne là où elle montera la tente, elle dégage rapidement un coin du terrain et elle crée un cercle avec des pierres pour contenir le feu. Il ne faudrait quand même pas qu'elle incendie cette belle forêt ! Puis, sans perdre de temps, elle part à la recherche d'un peu de bois sec et de mousse. Elle sait très bien qu'elle peut monter la tente à la lueur du feu, mais elle ne pourrait pas faire de feu à la tombée de la nuit.

Grâce au briquet, et parce que la forêt lui procure des matières relativement sèches, Nadine parvient enfin à allumer un feu rapidement. Cela la rassure. Le soleil étant encore visible à l'ouest, elle arpente la forêt autour du camp à la recherche de bois pour accumuler de meilleures réserves, car sa première nuit de solitude risque d'être éprouvante.

Puis, c'est le temps de monter la tente. Pourquoi Alex n'est-il pas là ? C'est lui qui fait ce travail habituellement, alors que Nadine s'occupe de préparer les repas. Aujourd'hui, elle ne peut compter que sur elle-même.

Alex lui manque beaucoup en ce moment. Étant dans la vie l'un de l'autre depuis presque 35 ans, ils s'aiment toujours profondément. Ils se complètent si bien qu'il leur arrive de terminer la phrase de l'autre ou de prévenir les besoins de l'autre. Ils n'ont qu'à se regarder dans les yeux pour toucher l'âme de l'autre. En forêt, cette synergie entre leurs âmes leur fait non seulement économiser temps et énergie, mais leur permet aussi de vivre intensément l'un avec l'autre.

Ils ont besoin l'un de l'autre. Aujourd'hui, l'absence de son compagnon de vie pèse lourdement sur l'âme de Nadine. Elle sent qu'un petit rien, une pensée de découragement, une lassitude devant ce combat injuste, risque de miner son moral.

Peu habituée par cette solitude, et surtout fourbue après cette longue marche, elle réussit avec peine à fixer les piquets. En fait, si elle était certaine qu'il n'y aurait pas de pluie au cours de la nuit, elle coucherait à la belle étoile. Malgré la fatigue, elle sourit à sa mémoire qui lui a fait jouer en boucle la publicité d'Apple, « une application pour la météo ». Est-ce assez pour la narguer ? Son iPhone lui manque, comme jamais elle l'aurait imaginé. Dans sa ville, à Montréal, elle utilise tous les gadgets qu'elle possède pour trouver son chemin, le temps qu'il fait, le restaurant le plus proche et même un numéro de téléphone. Ici, dans cette forêt, elle ne peut compter que sur ses seuls sens et ses connaissances de la vie en nature.

Une fois la tente installée, Nadine a retiré ses bottes et ses bas et elle a frotté vigoureusement ses pieds. Heureusement, sauf pour la douleur reliée à la fatigue, ses pieds étaient exempts d'ampoule.

Avant que le soleil ne se couche complètement, elle se rend à la rivière pour se laver. Elle n'a pas de savon, aucune débarbouillette ni serviette, mais l'eau froide enlève tout de même la poussière accumulée au cours de la randonnée. Elle se sent mieux et la fatigue de la marche s'estompe un peu.

Son camp est prêt pour la nuit et elle s'est rafraîchie dans l'eau claire et froide de la rivière. Maintenant, elle peut manger. Son choix se porte sur l'enveloppe contenant des saucisses, des pommes de terre pilées et des fèves jaunes; elle accompagne le tout de quelques biscuits et d'un thé. Elle n'a pas vraiment faim, mais en trekking il est vital de bien manger afin de combler l'énergie dépensée durant la journée.

Avec le coucher du soleil, les bruits de la forêt s'intensifient. C'est normal. Les prédateurs s'activent et chassent sous le couvert de la nuit. Ils sont loin, tout au fond de la forêt. Malgré ce fait, elle ne peut faire autrement que de se sentir épiée. Elle sait que c'est normal. Elle aimerait pouvoir se blottir dans les bras d'Alex et fermer les yeux. Alex la serrerait fort et l'angoisse de la nuit disparaîtrait. Mais ici, seule, elle doit rester vigilante; ne jamais perdre de vue qu'elle est dans une forêt étrangère, dans un lieu qu'elle ne connaît pas.

Assise sur une roche installée entre le feu et la tente, elle mange lentement ce repas peu appétissant, mais nécessaire à sa survie.

Sa tasse de thé chaud dans les mains, elle regarde ses pieds nus dans la terre et l'herbe. Elle ne fait jamais cela. Elle porte toujours une forme de chaussure, que ce soit des souliers, des sandales ou à tout le moins des chaussettes; car elle déteste avoir les pieds sales. Mais aujourd'hui, elle n'a rien d'autre à mettre que ses bottes qui ont besoin de sécher après la longue journée de marche en grande partie dans la rivière. Elle devrait se sentir inconfortable, mais ce n'est pas le cas. Cela la surprend beaucoup.

Elle retrouve cette sensation de liberté, éprouvée quand elle était enfant, ce plaisir de courir les pieds nus dans l'herbe, que sa vie dans l'univers de la ville aseptisée lui a fait perdre.

Alors elle aura les pieds sales et c'est tant pis ! Ce soir, elle apprécie de sentir le vent frais de cette fin de journée lui caresser les orteils.

C'est ainsi que les premières ombres de la nuit l'enveloppent et que les larmes, tout doucement, commencent à couler. Des gouttes qui deviennent des ruisseaux, provoqués par la rage contre de méchants blagueurs qui l'ont mise dans cette situation, honteuse de ne pas avoir la force de faire cesser ses larmes, contrariée par cette vie invisible qu'elle devine autour d'elle. Elle sait qu'elle perd beaucoup d'énergie en pleurant, mais cela l'aide à réduire la tension que son corps a accumulée au cours de la journée.

Il y a encore une partie de cette tension qu'elle ne comprend pas. Pourtant, cette situation ne devrait pas l'angoisser autant. Elle sait qu'elle peut se débrouiller seule en forêt. Mais, normalement, les expéditions sont planifiées d'avance. Ils obtiennent des cartes, vérifient les repères, se renseignent sur la météo, les postes de contrôle. Dans leurs expéditions, même s'ils ne les voient que rarement, il y a toujours des gardes de parc à proximité. Un seul coup de téléphone au poste de contrôle le plus près et quelqu'un accourt à la rescousse.

Ici, ce manque de planification et de ressources rend la solitude encore plus pénible à supporter. Malgré la tension, son expérience devrait la rassurer.

À la suite d'un cours de survie, l'automne précédent, Nadine et quelques autres étudiants avaient accepté de relever le défi de rester trois jours seuls en forêt et de se débrouiller pour retourner au poste de contrôle. L'idée derrière le défi était de comprendre la solitude et l'angoisse associée au fait de rester seul dans un environnement hostile. Elle était la seule femme à vouloir tenter ce défi et elle avait 25 ans de plus que le plus vieux des étudiants. Son professeur a même tenté de la dissuader. Bien sûr cela a seulement contribué à raffermir sa volonté de réaliser le défi.

Nadine est celle qui a le mieux réagi. Jamais elle n'a paniqué même s'il s'est mis à pleuvoir des cordes pendant son séjour en forêt. Elle a réussi à rentrer au poste de contrôle sans l'aide des instructeurs. Bien sûr, les risques étaient minimes puisqu'elle avait un indicateur de position GPS dans ses bagages et que les instructeurs pouvaient la suivre sur une carte projetée sur grand écran. Également, elle avait tout ce dont elle avait besoin pour allumer un feu, fabriquer un abri, manger à sa faim et rester au chaud et au sec. En plus, elle avait son iPhone pour les cas d'urgence.

Bref, son niveau d'adaptation est normal, mais elle devrait se rassurer : elle sait quoi faire et elle sait qu'elle est capable de le faire. Alors, pourquoi est-elle aussi tendue ?

C'est un peu comme si la forêt voulait lui parler, lui donner une information vitale, mais qu'elle ne comprenait pas le langage. Elle n'arrivait pas à décoder les signes ou le message qu'on lui donnait.

Pourquoi a-t-elle cette intuition, juste sous sa peau, qui annonce un désastre ?

Pour le moment, elle se décide à aller dormir.

Une autre grosse journée de marche l'attendait pour le lendemain. Elle sera courbaturée suite à la journée d'aujourd'hui. Elle ne saura pas plus où elle est. Mais, elle marchera vers quelque part, vers cette mer qu'elle a vue, mais qu'elle ne voit plus. C'est ainsi que, dans l'assurance de vivre demain dans l'action, ses larmes ont séché. Elle a remis du bois sur le feu pour qu'il dure quelques heures au moins, puis elle entre dans son petit refuge pour se coucher.

Dans la petite tente orange, par une routine vieille de plusieurs années de trekking avec Alex, elle allume la lampe chandelle pour enlever l'humidité, elle place ses vêtements et ses bottes tout à côté du lit. Elle enfile une camisole pour dormir, puis elle laisse glisser son corps endolori dans le sac de couchage. Le matelas mousse ne lui donne pas le confort d'un bon cinq étoiles, mais il suffit pour cette première nuit de solitude.

Elle écoute le silence qui se fait autour d'elle. Est-elle en sécurité ? Même si la plupart des animaux resteront loin de son feu, elle veut être en mesure de se défendre. Elle place son couteau et la machette à côté d'elle; le bâton de pèlerin à portée de main l'attend à l'extérieur de la tente.

Elle éteint la petite lampe-chandelle et la nuit noire l'enveloppe, rendant les sons encore plus clairs, plus effrayants.

Puis, Nadine ferme les yeux. Il est temps de dormir.

Un rugissement. Il est beaucoup trop près de la tente. Nadine s'est réveillée en sursaut. D'une main tremblante, elle ramasse son couteau et cherche sa machette de l'autre. Puis elle attend. Elle n'entend plus la bête. Mais elle sent l'odeur fétide. Un chat sauvage quelconque. Probablement un lynx.

Couchée sur le dos, Nadine ne bouge pas. Malgré la peur, elle tente de distinguer les étranges sons de la nuit. À travers la mince toile de la tente, elle voit la lueur du feu. Cela la rassure même si elle réalise qu'elle n'a pas dormi longtemps.

Elle entend des bêtes, elle les devine. Elles sont deux, peut-être trois, sur le bord de la rivière. Nadine aurait dû se douter que les prédateurs viendraient s'abreuver dans ce coin tranquille au cours de la nuit.

Pourra-t-elle se défendre contre trois lynx ? Elle en doute. Est-ce que le feu les gardera à distance ? Elle le souhaite de tout cœur.

Nadine attend encore. Malgré la fraîcheur de la nuit, elle sent la sueur couler sur son corps. Elle repousse un frisson, car elle sait qu'un seul mouvement de sa part attirerait les bêtes sur sa position.

La peur au ventre, Nadine retient son envie de crier et de partir à la course dans cette forêt noire. Elle ne veut pas mourir ici. Elle ne sait pas combien de temps ce guet farouche peut durer. Elle voit la force du feu ralentir.

Puis elle entend les bêtes s'éloigner dans la forêt. Elle est soulagée même si elle tremble de tous ses membres.

Le feu. Elle doit maintenir le feu. Rapidement, elle enfile son pantalon et met ses bottes. Sans bruit, elle remonte le zipper de la tente, en écoutant attentivement la forêt. Elle sort sa tête et regarde autour. Elle ne voit rien sinon son feu qui est en train de s'éteindre. Malgré sa peur, elle quitte la sécurité relative de la tente pour alimenter le brasier. Ses gestes sont vifs, saccadés. Nerveusement, elle ajoute du bois dans son feu pour lui redonner sa couleur orange.

Pendant un instant elle examine la nuit noire autour d'elle. Elle ferme les yeux pour sentir la forêt. Elle n'est pas tout à fait certaine, mais la sécurité semble revenue.

Nadine retourne dans sa tente. Pour le reste de la nuit, sa machette restera accrochée à son mollet et son couteau à sa ceinture. Pour se donner une chance de retraite rapide, elle garde ses bottes de marche.

Roulée dans son sac de couchage, grelotant de peur plus que de froid, son couteau bien en main, Nadine attend que l'aube repousse les dangers de la nuit. Elle ne cherche plus à comprendre ce qu'elle fait là. Elle oublie qu'elle aurait l'air ridicule si Alex la voyait dans cette posture. Sa réalité se résume à un mot : survivre…

Chapitre 3

Jour 2 — 16 juillet

Nadine accueille l'aube avec une sorte d'apaisement, en observant les subtilités de ses yeux grand ouverts. Elle remarque l'air plus frais que la veille et aussi ce léger vent faisant battre la toile de sa tente. Les premiers chants d'oiseaux s'entremêlent aux bruissements des feuilles en un doux concerto. Elle pointe son nez hors de son abri pour apercevoir un ciel sans nuage et un soleil éblouissant qui scintille en jouant avec l'eau de la rivière.

Aujourd'hui, que fera-t-elle ? La plus grande distance possible, pour profiter de la belle température… Pour cela, il faudrait partir le plus tôt possible.

Ses premiers mouvements lui rappellent que son corps a subi hier une épreuve difficile. Elle a mal partout, se sent courbaturée. Or, Nadine doit continuer. Il lui reste des provisions pour quatre jours seulement. Elle dispose de peu de temps pour trouver la civilisation. Sans carte, munie d'une simple boussole et utilisant des sentiers tortueux, elle ignore combien de jours la séparent de cette mer qu'elle a aperçue au nord. Depuis qu'elle marche dans la vallée, le contact visuel est impossible.

Rapidement, elle ravive le feu en brassant les tisons encore fumants. Elle met le chaudron rempli d'eau sur le feu pour se faire un café. L'odeur du café… Elle s'éloigne, le temps qu'il faut pour l'eau de bouillir et marche vers la rivière. Se laver lui fera du bien. Elle se sentirait plus fraîche et propre si ceux qui ont fait ses bagages avaient pensé lui fournir du savon et un déodorant, sans omettre aussi la brosse à dents.

« Vous n'êtes même pas drôles… La blague a assez duré ! Je veux revenir à ma vie maintenant. »

L'eau froide la ramène sur terre. « Autant se battre contre des moulins à vent que de désirer être ailleurs », se dit-elle en haussant les épaules. Pour y arriver le plus vite possible, Nadine doit simplement partir, marcher, rejoindre le premier village et alors elle refera surface. Elle s'active avec énergie : nettoyer et plier la tente pendant que son déjeuner cuit. Son gruau aux pommes est à peine différent des œufs de la veille, elle mange cette chose insipide sans appétit. Qu'importe, cela la soutiendra longtemps et elle pourra tenir une bonne distance sans avoir faim.

Elle éteint le feu, enfile ses bottes et endosse le sac de montagne comme une pro de la randonnée. Son chapeau sur la tête, ses lunettes de soleil sur le bout du nez et son bâton de pèlerin en main, Nadine suit d'abord la berge de la rivière.

Ce cours d'eau l'a orientée, en dépit des nombreux détours, vers le nord d'où elle devrait atteindre la mer. Suivre la rivière, le plus longtemps possible, lui évitera de marcher dans cette forêt dense où elle ne voit aucun sentier, ce qui exigerait qu'elle trace son chemin à coups de machette. Ce plan lui permetterait aussi d'économiser ses forces.

Nadine marche sans pouvoir mesurer le temps. Sans sa montre, le soleil devient son nouveau système de mesure. En dessinant au-dessus de sa tête un arc de 180 degrés, elle peut diviser la ligne imaginaire en douze heures d'ensoleillement. Ainsi sera estimé le temps de voyage d'une journée de marche. Depuis le départ du campement, Nadine évalue à environ deux heures cette première étape. Évidemment, il s'agit d'une simple approximation, mais cela lui suffit pour le moment.

Nadine soupire. Deux heures de cette deuxième journée sans rencontrer personne. Elle a vu quelques orignaux, un animal qui ressemblait à un gros chat, un lynx probablement, trois chevreuils et un loup. Elle n'a absolument rien repéré qui ressemblerait à un indice de la civilisation humaine : ni un bout de clôture, un vieux chemin, des traces de bottes sur le sol humide ou un papier transporté par le vent. Pas même un tesson de bouteille au fond de la rivière.

Est-elle réellement seule ? Trouver un vieil emballage de chocolat, le restant d'un fruit apporté ici, n'importe quoi ! Tomber sur ce petit objet qui, en temps normal, l'aurait fait bougonner contre les randonneurs sans cervelle, pollueurs de l'environnement. Ces vestiges la réconforteraient au plus haut point aujourd'hui, lui confirmant qu'elle n'est pas abandonnée de tous.

Entre les arbres, au détour d'une clairière, elle entrevoit un peu vers le sud la crête de quelques montagnes. Étaient-ce celles d'où elle est descendue hier ? Elle les admire un moment, sous le soleil qui leur donne un éclat bleuté. Un parfum de thé des bois se mêle à l'odeur des épinettes. La forêt respire tout près d'elle au point où elle sent son souffle chaud contre sa joue. Alex ?

Elle refoule cette pensée sans s'y attarder, car ce n'est pas le moment de laisser monter ce sentiment de vide, cette absence. Quelques minutes plus tard, Nadine reprend sa marche. Elle s'efforce de rester dans l'instant, car toute distraction peut lui faire manquer le détail qu'il lui faut pour retrouver son monde. Elle aperçoit un sentier qui semble se diriger vers le nord, menant sans doute à flanc de montagne. La voie dégagée plutôt large, et l'accumulation de crottin, confirment qu'il s'agit bien d'une piste d'orignaux. Soulagée, elle adopte ce sentier juste au moment où il devenait difficile de suivre la rivière. De plus en plus escarpées, les berges affrontaient un courant vif et rapide. La ligne d'arbres avait envahi les lieux jusqu'à pousser les pieds dans l'eau, ce qui obligeait Nadine à contourner les ilots de verdure ou à se retrouver au plus creux du torrent.

La possibilité de gravir directement la montagne par le sentier bien tracé lui plut. Au moins, elle aura les pieds au sec en espérant que, là-haut, elle puisse avoir un point de vue plus précis sur les alentours. Ainsi elle pourrait réévaluer sa stratégie pour se rendre le plus rapidement possible à la mer.

Elle avale une poignée de noix, prend quelques gorgées d'eau et réajuste le sac de trekking sur un dos déjà souffrant. Elle commence l'escalade de la pente. Elle sent et mesure sa fatigue, mais son énergie la pousse avec une sorte de ténacité à s'accrocher à son objectif, ce qui l'a si souvent servi dans sa vie. Ainsi les prochains pas lui permettent de se rapprocher de sa destination qui est, pour le moment, le sommet de cette montagne. La piste se découpe nettement et ne dévie de sa ligne droite que pour contourner de gros rochers. De toute évidence, les orignaux ne répugnent pas à faire cet effort entre leur lieu d'alimentation, qui se trouve en haut de la montagne, et la rivière, la source d'eau.

Sous les rayons du soleil et les effets cardio de la montée, Nadine transpire plus qu'elle le voudrait. Cette route s'avère plus exigeante que de suivre le lit de la rivière.

Au moment où le soleil s'approche du zénith, Nadine s'arrête au bord d'un petit lac de montagne. Le sommet semble à sa portée, si bien qu'elle est tentée par l'idée de continuer. Par contre, l'expérience lui rappelle que l'eau ne sera peut-être pas disponible au-delà de ce point. Il valait mieux faire le plein d'eau à ce moment-ci. Elle laisse tomber son fardeau par terre, puis elle enlève ses bottes pour aller rafraîchir ses pieds dans une eau glacée. Elle ne peut supporter plus de quelques minutes ce choc glacial avant de sentir l'engourdissement. Cependant, la sensation vivifiante lui fait un tel bien !

En randonnée, le repas du midi est frugal : il se compose de protéines qui se transforment en énergie lente et des sucres pour une poussée immédiate. Des noix et des fruits secs font alors bon ménage. Ce repas « gastronomique à souhait » est accompagné d'eau filtrée. Ce midi-là, Nadine ajoute quelques biscuits pour ressentir un plaisir proche de la satiété.

Puis, au bout d'un moment, Nadine se chausse et, le sac de randonnée sur son dos, elle reprend son ascension. Le sommet de la montagne se trouve à 300 mètres environ.

Pendant que son corps s'active grâce à cet exercice répétitif, Nadine voit son cerveau en ébullition, côté « questions sans réponses ». Elle n'arrive toujours pas à comprendre. Les mêmes arguments tournent sans cesse dans sa tête. Comment est-elle arrivée jusqu'ici ? Où est-elle exactement ? Où est Alex ? Est-ce vraiment une mauvaise blague ? A-t-elle perdu un bout de sa mémoire ?

L'inquiétude monte en elle. Pourquoi est-elle ici, dans cette forêt ?

Elle n'a toujours aucune piste. Elle a mal à la tête à force d'imaginer des pseudo-réponses. Attendre ou marcher ? Hier, elle a fait le choix de se rendre au bord de la mer. Fallait-il faire cela ? La mobilité était son salut, lui donnant une raison d'espérer trouver un village à défaut d'une bonne explication. Alors, tout bonnement, Nadine poursuit son chemin.

L'arrivée sur un sommet a toujours quelque chose d'impressionnant. Cette fois-ci ne faisait pas exception. Nadine découvre une vue panoramique sur 360 degrés. Vers l'est, il y avait une chaîne dont plusieurs sommets complètement dénudés indiquaient leur haut niveau d'élévation, au-dessus de la ligne des arbres; si c'était comme dans le parc de la Gaspésie, cela indiquait que les sommets sont à plus de 1000 mètres d'altitude. À l'ouest, le champ de vision était obstrué par une enfilade de montagnes qui descendent vers le sud. Au nord, il y a des montagnes plus petites qui lui laissaient voir… oui, par là ! En ce temps clair, elle voyait une mince ligne plus foncée au nord-ouest. Cela ressemblait à une rive montagneuse de l'autre bord de ce bras de mer. Était-ce plutôt un large fleuve ? Un estuaire ? Une immense baie ?

Elle cherche une cheminée, un toit, un village. Pas de signe de vie humaine. Elle ne voit aucun pylône électrique, aucune route bétonnée, ni aucun bâtiment. Sur les flots, aucun navire et aucun avion dans le ciel.

En montagne un 25 avril, en Gaspésie, pourquoi n'y a-t-il pas de restes de neige ? Pourquoi faisait-il aussi chaud qu'en juillet ?

Nadine ressent encore, entre ses deux épaules, une sorte de douleur insaisissable, un inconfort qui la dérange. Elle n'arrive pas à définir ce stress qui amplifie son malaise. Elle peut masser ses épaules, tâter son cou et détendre ses raideurs en quelques mouvements, mais cette piqure de dard, persistante, semble venir de l'intérieur, comme un doute. Elle a mal, mal à l'âme.

Chasser les pensées noires et rester dans la recherche de solutions. Qu'est-ce qu'elle ne voit pas dans cette lecture du paysage tout neuf qui se pose devant elle ? Elle voit la mer et c'est un bon indice de survie. À quelle distance ? Loin. Très loin. C'est évident que Nadine ne peut s'y rendre dans la journée. Par contre, la forêt semble moins dense dans cette direction. Elle pourrait donc la traverser plus directement, à la boussole. Elle estime à 15, peut-être 20 kilomètres, en droite ligne bien sûr, l'écart entre le sommet et la mer. La randonnée peut s'avérer plus longue, car il est rare de marcher en ligne droite en forêt, encore moins en montagne. Devant la grande distance à parcourir, elle décide de compléter une autre section dès maintenant afin de prendre un peu d'avance pour le lendemain.

Elle progresse encore une bonne heure sur un terrain relativement facile. Puis, ses pas commencent à ralentir. La fatigue s'installe. Sagement, elle songe à s'arrêter tôt en après-midi. En poussant encore, elle aurait pu parcourir cinq ou six kilomètres supplémentaires. Par contre, il valait mieux ne pas se vider complètement d'énergie et prendre le temps de récupérer. Elle préférait la sagesse à la témérité, ce qui la fit sourire de contentement. Le gros bon sens marchait à ses côtés…

Quelques kilomètres plus loin, plus bas dans la montagne et en direction nord-ouest, Nadine a trouvé un petit lac, ainsi qu'un espace suffisamment grand pour installer son campement, cela en toute sécurité.

Elle a donc décidé d'y rester pour la nuit même s'il est encore tôt, en milieu d'après-midi.

Arrivée près du lac, sans même enlever ses bottes, elle étend son imperméable au sol et s'allonge en mettant sa tête sur le sac de montagne. La voilà en paix, dans un lieu qu'elle sent accueillant. Après une nuit blanche, marquée par la peur, cette pause lui fait un bien profond. Le sommeil vient à sa rencontre dès qu'elle ferme les yeux, bercée par la musique des vaguelettes qui lèchent la berge.

Nadine sursaute. Quelque chose marche sur sa jambe Ah ! C'est un écureuil roux. Il est beau et il la regarde curieusement, sans broncher. Il n'a pas peur. Nadine l'observe aussi. Est-il apprivoisé, vient-il d'un zoo ? On pourrait croire qu'il voit un humain pour la première fois ou qu'il en côtoie tous les jours. Il semble particulièrement intéressé par ses bottes qu'il inspecte sans la moindre gêne, essayant d'en grignoter la semelle. Puis, quand Nadine change de position pour mieux suivre les explorations de l'animal, il disparaît à toute vitesse dans le bois, comme s'il était surpris que cette chose habillée en bleu puisse bouger.

Le soleil a avalé une autre portion du ciel pendant qu'elle dormait : une heure environ, et malgré tout, elle se sent plus reposée.

Selon elle, le soleil se couchera dans quatre heures. Elle a donc le temps de laver ses vêtements et de les laisser sécher au grand air. C'est ainsi que les arbres des environs sont bientôt décorés comme une corde à linge remplie de chandails, de camisoles, de bas et de pantalons. Sans savon, Nadine a utilisé un peu de sable pour enlever la boue incrustée dans le bas de ses pantalons. Avec le vent fort, les vêtements en nylon sècheront en un rien de temps.

Puis, Nadine prépare son camp pour la nuit. Des roches pour un foyer, du bois sec et de la mousse pour allumer le feu. Elle en trouve en grande quantité. C'est idéal pour allumer un feu lorsque la mousse est sèche comme de la paille. Nadine en récolte un peu plus afin d'en mettre dans son sac à dos, juste « au cas où ». Drôle de réflexe ! C'est l'instinct des coureurs des bois qui l'a fait agir ainsi, pour garantir qu'elle pourra allumer un feu malgré les pires intempéries. Pour garder la mousse au sec, elle a utilisé le sac qui contenait le dîner de la veille. Cette observation engendre un sourire, car c'est une autre habitude des coureurs des bois des temps modernes que de ne laisser aucun déchet, même biodégradable comme un cœur de pomme, dans la forêt. La préoccupation de garder propre cette forêt est renforcée par l'idée que chaque chose de son maigre bagage doit servir à sa survie à elle ! Loin de la civilisation, cette forêt pour le moment n'est pas menacée… Elle ? Question à volets multiples que Nadine doit évaluer jour après jour.

Bien qu'elle ait hésité la veille, elle trouve maintenant que c'est une excellente idée de réutiliser les sacs de repas plutôt que de les brûler. « On ne jette plus rien à partir de maintenant ! », se plaît-elle à répéter comme un mantra.

Puis, Nadine installe la tente, prépare le matelas et le sac de couchage. Ce n'est que le deuxième jour et déjà une sorte de routine se précise. Avec une camisole en guise de débarbouillette, elle va prendre un bon bain dans le lac. Sans savon, elle frotte sa peau avec un peu de sable. Les spas hors de prix ne feraient pas mieux en termes de désincrustation. La crasse tombe avec l'eau, une exfoliation à son meilleur. Ainsi rafraîchie, elle sent la fatigue s'estomper. De quoi a-t-elle l'air ? La femme en elle se réveille. L'eau du lac pourrait bien lui servir de miroir. Pour qui se coifferait-elle ? Elle passe ses doigts entre les mèches de cheveux encore dégoulinants d'eau fraîche. « Le soleil va s'en occuper… »

Nadine repousse une mèche derrière son oreille. Elle n'a jamais coloré ses cheveux. Son impatience la gagne quand elle doit visiter le coiffeur trop souvent et surtout trop longtemps. Cela l'a incitée à garder la couleur naturelle de sa chevelure. D'un blond cendré à l'origine, elle a pris des teintes de gris dès le début de sa vie adulte et, depuis quelques années déjà, ses cheveux sont plus blancs que gris. Elle les laisse allonger au-dessous des oreilles, une longueur qui convient bien à son caractère vif et spontané; elle n'a pas de temps de perdre à s'occuper de sa chevelure.

Maltraités ces derniers jours, ses cheveux ont perdu leur apparence soyeuse que le séchoir n'a jamais altérée. Ils sont mêlés au point qu'elle ne peut y glisser ses doigts sans rencontrer des nœuds. « C'est du joli ! »

Elle approche son visage de l'eau pour mieux y voir son image. Qu'est-ce qu'elle ferait si elle portait encore des lunettes ? Alex l'avait traitée de « coquette » lorsqu'elle avait subi une opération au laser afin de rectifier sa myopie. Il avait en partie raison; elle aime que l'absence de lunettes laisse toute la place à l'éclat de ses yeux bleus. Pragmatique, elle apprécie pratiquer ses activités de plein air sans se soucier de ses lunettes qui pourraient se briser ou s'égratigner et qu'elle devrait nettoyer régulièrement. Moins de choses à transporter, plus de liberté.

Machinalement, elle se gratte la main qui lui démange. Cette aventure les a beaucoup abîmées. Elles sont un outil essentiel et leur élégance ne ferait aucun sens ici. Sa peau a perdu de son éclat, des points rouge marquent ses doigts et plusieurs égratignures l'irritent. Ses ongles, qu'elle garde généralement courts, sont cassés.

De sa main, elle touche son visage qui lui transmet une sensation sèche et granuleuse. Son inquiétude se porte surtout sur son teint de blonde. Elle la couvre toujours de crème solaire pour éviter les brûlures, prévenir le cancer et garder sa peau souple.

D'un air dégoûté, avec sa main, elle brouille l'eau en créant une vague. L'effet brise le miroir liquide.

« Bon ! Passons à autre chose ! »

Elle s'est relevée et elle a marché vers son camp afin de préparer son repas.

Pour son repas, elle choisit une enveloppe contenant du poulet séché, du riz et des carottes. Son dessert consiste en quelques biscuits accompagnés de thé. Nadine voit soudainement s'approcher un invité de taille, venu s'alimenter dans le lac : un gros orignal avec des bois énormes. Il ne s'occupe pas d'elle. De toute évidence, la bête de 700 kilos ne se sent pas impressionnée par ce petit bout de femme décoiffée et sans maquillage.

Nadine admire le cervidé en le regardant plonger sa tête majestueuse dans l'eau du lac pour la ressortir avec des plantes plein la gueule. Son ami l'écureuil s'est aussi pointé le nez en flairant l'odeur des biscuits dont il découvre les miettes avec appétit. Plus tard, deux lièvres traversent le camp à la course sans même la regarder.

Nadine se sent moins seule. La nature généreuse, les animaux, grands et petits, l'entourent. Elle ressent un immense respect pour cet environnement naturel et un désir de limiter l'invasion humaine lui revient chaque fois qu'elle se retrouve ainsi en randonnée. Ce qu'elle observe autour d'elle depuis deux jours semble être un paysage vierge de toute attaque de l'humanité. Nadine ne comprend pas qu'un coin pareil existe sur terre.

Du haut de ce plateau, elle aperçoit la mer au loin. Le soleil, qui poursuit sa route vers l'ouest, asperge ce tableau éphémère d'un million de gouttes d'or. Le spectacle est magnifique, féérique.

« La vie est si belle. Ha ! Si seulement je pouvais donner un petit coup de coude à mon compagnon de route, pour lui dire : « T'as vu ça ? Quel moment privilégié ! » Partager cette impression avec quelqu'un comme Alex… »

Alors qu'un grand contentement l'envahit et qu'elle relâche la tension des 48 dernières heures, l'absence de son compagnon la peine plus qu'elle ne veut l'admettre. Ils sont toujours ensemble. Nadine réfléchit à ce qui se passerait, à ce qui lui arriverait s'ils devaient vivre l'un sans l'autre. Elle a sorti son couteau et écorce son bâton de pèlerin. S'il était aussi facile d'enlever ses foutues idées noires et ses doutes que cette pelure végétale. Le bâton de marche en ressort poli comme au jet de sable tandis que les questions s'accrochent en lambeaux à son cerveau.

« Qui a fait cela ? Où suis-je ? Où est Alex ? Pourquoi n'y a-t-il aucun signe de vie humaine après deux jours ? Reste-t-il encore des coins de la Terre où on peut marcher aussi longtemps sans voir le moindre signe d'occupation humaine ? », crie-t-elle avec une sorte de rage.

Cette colère lui donne la nausée. Une autre question lui brûle les lèvres, une question qu'elle n'ose pas formuler… pas encore.

Puis, la magie de cette fin d'après-midi tranquille se dissout avec le soleil couchant.

Nadine n'a pas trouvé de réponse. Elle se dit que ses frustrations nuiront à sa capacité de décider de ce qu'elle doit faire, si elle reste trop dans sa tête. « Pas trop de rétroviseur, sinon je risque de manquer un virage brusque devant moi. » Pourtant, elle se sait capable de prendre des décisions majeures même lors des circonstances importantes. Elle a plusieurs cas en mémoire de ce genre de carrefour.

Jeune, après deux années d'étude en sciences infirmières au CÉGEP, elle avait décidé de tout arrêter. Elle n'avait pas choisi le bon métier et cela la rendait malheureuse. Elle n'avait pas hésité à prendre sa décision et à chercher son accomplissement dans une autre direction.

Ce simple souvenir l'a fait sourire. Elle voit encore Madame Thériault, la seule à avoir compris et encouragé sa décision. Elle avait des étoiles dans les yeux quand la débrouillarde jeune femme que Nadine était alors lui avait dit, d'un ton sans équivoque :

— C'est à moi de faire mon bonheur ! Socrate a bien raison de nous ramener à l'essentiel. Je crois que dans l'abondance de l'univers, si on ne se connaît pas d'abord, on ne peut pas faire les choix qui nous conviennent. Ne vaut-il pas mieux rebrousser chemin quand on voit qu'une route nous éloigne de notre destin ?

Cette conviction avait marqué sa vie, elle le voyait mieux maintenant, en reprenant le fil de son histoire. Seule sous un ciel étoilé, elle devait à nouveau faire des choix. Marcher en était un. Cette fois, elle ignorait vers quoi elle devait tendre. Trouver la mer, un village, une réponse.

Comme une enfant abandonnée, elle attendit que le silence se fasse autour de sa tente et, enfouie dans son cocon, elle laissa couler ses larmes.

Chapitre 4

Québec, printemps 1975

La tente orange ressemble à un champignon, planté au milieu de la forêt. Le vent qui s'est levé fouette ses minces parois. Nadine s'agite dans son sac de couchage. Les odeurs et les bruits de la forêt pénètrent facilement le petit habitacle, sans réveiller son unique occupante. Les efforts physiques des derniers jours provoquent des spasmes involontaires chez la dormeuse qui se débat sans en être consciente. Pendant que son corps réagit aux influx musculaires, son sommeil n'a rien de réparateur. Son corps menu se tord pendant que ses rêves la ramènent vers son passé.

Nadine se retrouve, en 1975, à l'hôpital Laval de Sainte-Foy. Elle assiste une patiente, Mme Thériault, victime d'un grave accident d'auto. La dame de 78 ans souffre de blessures importantes aux deux bras et elle ne peut se nourrir seule. C'est selon elle un travail peu valorisant, mais Nadine, qui étudie pour devenir infirmière, aime beaucoup s'occuper des patients. Mais ce jour-là, elle semble préoccupée. Perdue dans sa tête, les yeux sans éclat, elle accomplit sa tâche mécaniquement, sans son habituel sourire.

Mme Thériault attend patiemment qu'elle sorte de la lune pour recevoir une autre bouchée. La vieille dame apprécie beaucoup Nadine qui prend le temps de l'aider à manger, surtout les jours où il n'y a pas assez de bénévoles pour faire ce travail. Oubliant presque sa propre douleur, la patiente attend avec un plaisir anticipé l'arrivée de la jeune femme qui, par sa bonne humeur communicative, ajoute un peu de soleil à ses journées.

Perspicace, la doyenne a bien remarqué que, depuis quelques jours, Nadine est tendue, songeuse. « Qu'est-ce qui peut la rendre si malheureuse ? » se demande-t-elle.

— Ma belle enfant… tu n'as pas d'entrain. Quelle tracasserie fait disparaître ton si beau sourire ?

Sortant de cette réflexion qui la ronge, Nadine a tourné son regard vers la patiente qui l'observe de ses yeux verts avec une telle douceur qu'elle a senti les larmes lui monter aux yeux. Elle a pris une grande respiration avant de répondre, pour se donner le temps de refouler l'émotion qui l'étrangle.

— Je ne suis pas bien ici.

Les yeux verts de la patiente se sont assombris. Son cœur s'emporte devant les émotions évidentes que ressent la jeune femme. Mme Thériault n'est pas surprise de la confidence faite. Elle avait déjà compris depuis quelques jours.

— Maintenant que tu le sais, qu'est-ce que tu vas faire, mon enfant ?

Nadine s'est sentie réconfortée par ces quelques mots d'appui prononcés d'un ton ferme, mais plein de douceur et, surtout, sans aucun jugement. Elle a répliqué d'un ton enjoué et avec un sourire taquin :

— Bien, pour le moment, je vais finir le service. Allez ! Voici une cuillérée de pudding ! Miam…

Les deux femmes se sont souri en silence. Le calme était revenu dans le cœur de Nadine et la vieille dame en était fort heureuse.

Précipitamment, une grande femme au corps sec est entrée dans la chambre. L'atmosphère s'est refroidie. Le doux babillage des autres patientes s'est arrêté net. Nadine voyait la patiente d'à côté, une cuillère suspendue dans l'air, à mi-chemin entre le bol de soupe et sa bouche, ses yeux remplis d'appréhension. Nadeige supervisait le stage de Nadine. Sans prendre le temps de s'approcher, elle a lancé d'une voix nasillarde :

— Nadine ! Il y a de l'urine sous le lit 4 dans la chambre 21 !

Avant qu'elle ne puisse réagir, l'infirmière avait disparu. Nadine a senti la rage remplir son visage. Elle a regardé les yeux verts qui l'observaient d'un air amusé. Le calme de la vieille dame lui fait du bien. Son malaise est tombé. En signe d'indifférence, elle a haussé les épaules.

— Bah ! Je m'occuperai de cela dans quelques minutes. Il vous reste encore un peu de pudding au caramel et du café.

Mme Thériault suit sa réaction de ses yeux perçants. Un sourire a ajouté quelques rides à son visage. Elle est fière de la réponse de Nadine.

Moins d'une minute plus tard, l'infirmière réapparaît dans la chambre. Les deux pieds bien plantés au milieu de la pièce, une main sur sa hanche et l'autre pointant un doigt vers sa stagiaire, Nadeige ordonne sans ménagement, devant les patientes qui finissent leur repas:

— Nadine ! Je t'ai dit qu'il y a de l'urine dans la chambre 21 ! Vas-y tout de suite !

La stagiaire a serré les poings pour cacher sa frustration; sa mâchoire s'est crispée à en avoir mal aux dents. Elle en a assez de se faire crier des ordres par la tête. Ce stage non rémunéré devait être positif, mais il tourne au cauchemar. La superviseure abusait de son autorité, jusqu'à l'écœurer, comme si elle était une moins que rien. Sans pouvoir se retenir, elle se redresse devant la grande femme. Elle lève son regard pour confronter celle qui a, en hauteur, une tête de plus qu'elle.

— Je finis les soins de Mme Thériault, puis j'irai ramasser le dégât dans cinq minutes.

Le visage de l'infirmière devient blanc de rage. Elle appuie son doigt osseux directement sur le visage de Nadine.

— Non ! Tu vas y aller tout de suite ! Tu es en stage pour devenir infirmière et tu dois m'obéir. Vas-y tout de suite.

— Non ! Je termine et après, je vous obéis. La qualité de vie des patients passe avant le pipi quand même !

En parlant, Nadine avait fait un demi-pas pour raccourcir l'espace déjà très petit entre elle et l'infirmière. Elle ne se sent pas du tout intimidée par l'attitude de l'autre et lui répond du tac au tac. L'infirmière se mit à trembler de rage.

— Ce n'est pas comme cela que ça marche ici ! Tu me dois obéissance. Si je dis que tu vas ramasser l'urine, tu le fais.

Du revers de la main, Nadine repousse de côté l'index de l'infirmière puis, d'un ton à la fois acerbe, froid et presque calme, elle lance :

— Si c'est si urgent de ramasser l'urine, fais-le toi-même.

— Tu vas me vouvoyer ! Petite impertinente ! Je suis une infirmière diplômée et tu me dois respect !

Nadine ne pouvait plus supporter cet air arrogant. La peau écarlate de son visage la brûlait. Son regard bleu lançait des éclairs noirs. Elle ne pouvait plus contenir la rage qui s'accumulait depuis des semaines. Si devenir infirmière voulait dire développer un tel comportement hautain, elle n'en voulait pas.

— Respect… mon cul ! Commence par me vouvoyer toi-même !

Les deux femmes étaient tellement concentrées sur leur propre rage qu'elles ne réalisaient pas que le ton montait et que les quatre patientes de la chambre suivaient le débat avec beaucoup d'intérêt. À la réponse de Nadine, un murmure de surprise parcourt la salle. Pour leur grand bonheur, les patientes voyaient enfin une personne tenir tête à cette infirmière détestable. Un peu plus et elles taperaient dans leurs mains pour encourager la jeune stagiaire.

Sans crier gare, une autre infirmière, assez corpulente, arrive dans la chambre. Avec ses lunettes en pointes, accrochées dans son cou par une chaîne en or, l'infirmière-chef de l'unité porte bien son nom : Germaine. Tout le personnel et tous les patients en ont peur. Elle constate les faits. D'un ton sec et d'une voix forte, pour couvrir les cris des deux autres femmes, elle s'interpose :

— Mais qu'est-ce qui se passe ici ?

Les deux belligérantes sursautent. Nadeige, plus habituée aux manœuvres de sa patronne, réplique la première.

— Cette impertinente refuse de suivre les ordres que je lui ai donnés ! Pis, elle me tutoie !

La grosse femme a regardé Nadine en plissant des yeux et en pinçant le bec.

— Nadine, encore toi ! Ce n'est pas la première fois qu'on en parle, mais tu fais toujours à ta tête. Tu es en stage ici. Tu ne connais pas le travail à faire. Tu dois donc faire ce que l'infirmière te demande sans rouspéter. Si tu veux apprendre, il faut écouter et obéir. Sans cela, tu ne deviendras jamais une bonne infirmière.

Nadine, les poings fermés par la rage, se défend de plus belle.

— Je ne vois pas l'intérêt de suivre des ordres qui n'ont pas d'allure !

Le visage de la grosse femme a tourné soudainement au rouge et elle a plissé les yeux encore plus. Elle lève un index bien charnu vers le visage de Nadine.

— Petite impertinente ! Je peux mettre fin à ton stage aujourd'hui; je n'ai qu'un appel à faire.

Nadine avait déjà complété les deux tiers de son cours d'infirmière au CÉGEP de Limoilou. Depuis le début de ce stage, elle remettait tout en question. Elle n'aimait pas l'atmosphère des hôpitaux. Son rêve d'aider les gens ne serait pas atteint par ce travail qui demandait de courir partout sans vraiment prendre le temps de s'intéresser aux patients ou à leurs besoins. Non. Elle ne serait jamais heureuse dans ce contexte.

Là, au milieu de cette discussion brutale, sa décision est devenue très claire et un grand soulagement a envahi son âme. D'un coup, sa rage s'est éteinte, ses muscles se sont relâchés, son visage s'est adouci et l'éclat est revenu dans ses yeux.

Nadine a senti le calme revenir dans son corps et, tout doucement, elle a regardé la grosse femme et elle a prononcé la phrase libératrice qui allait changer sa vie.

— Ce n'est pas nécessaire, je démissionne.

D'un geste posé, elle a retiré le badge portant son nom, fixé à son uniforme jaune pâle, et elle l'a remis à l'infirmière-chef. Cette dernière, plus habituée à ce que les gens se plient à son autorité, a regardé Nadine la bouche entrouverte et les yeux ronds.

Sans s'occuper des deux infirmières, Nadine s'approche alors du lit de Mme Thériault qui l'observe d'un air amusé. La jeune femme avait retrouvé son sourire habituel et sa bonne humeur.

— Mme Thériault, est-ce que vous acceptez que je vous aide comme bénévole ? J'installe vos oreillers ? Nous allons faire une belle sieste maintenant. J'abaisse votre tête de lit, si vous voulez…

La patiente, épatée par l'aplomb de cette jeune femme, a acquiescé avec bonne humeur. Nadine était convaincue que, si elle avait pu, Mme Thériault aurait applaudi à deux mains, malgré la douleur et les plâtres. Avant de la laisser partir, la patiente l'a interrogée :

— Et maintenant, qu'est-ce qui va se passer avec toi ? Ta carrière d'infirmière ? Tes études ?

Nadine a souri. Puis, regardant l'air taquin de la vieille dame, elle n'a pas pu se retenir. Un fou rire à lui faire mal aux côtes l'a secouée. Quand elle a vu Mme Thériault rire aux larmes, Nadine s'est vraiment sentie libérée. Elle reprenait sa vie en mains.

Quelques heures plus tard, après cette longue journée pleine d'émotions et de décisions, elle s'était recroquevillée dans les bras d'Alex, sur le sofa élimé du petit appartement où l'étudiant vivait avec son oncle. C'est à ce moment qu'elle lui a annoncé qu'elle cessait non seulement son stage, mais également ses études. Elle a été fort surprise par la réaction d'Alex.

— Mais tu ne peux pas prendre des décisions si graves sur un coup de tête !

Alex semblait étonné. La jeune femme ne comprenait pas cette peur qu'elle ressentait dans la voix de son amoureux. Elle respire alors pour rester calme, avant de lui répondre.

— Alex, j'en ai parlé toute l'année. Je n'aime pas ce que j'apprends au CÉGEP. Ce métier d'infirmière est noble certes, mais ce n'est pas un métier qui me convient. Vaut mieux que j'arrête tout de suite.

Alex a redressé les épaules et Nadine l'a senti plus nerveux que d'habitude. À travers la chemise du jeune homme, elle sent son cœur battre à tout rompre. Il a de la difficulté à trouver les mots.

— C'est vrai ça ? Pourtant, tu aimais ton stage, non ?

Nadine regarde Alex d'un œil sceptique.

— Tu étais où quand je te parlais de mes journées ? Je t'ai raconté souvent comment je détestais me faire donner des ordres idiots par ces imbéciles. Je n'aime pas ce travail et je ne l'ai jamais aimé.

— Mais tu auras à supporter des ordres, peu importe le travail que tu choisiras. Il faut s'ajuster c'est tout !

Nadine commençait à sentir la moutarde lui monter au nez. Pourquoi Alex ne comprenait-il pas ? Pourquoi avait-il les mains moites soudainement ? Il était en sueur. En frappant ses cuisses avec la paume de ses mains pour appuyer ses propos, elle a haussé le ton.

— Ce ne sont pas les ordres que je ne peux pas prendre, ce sont les ordres idiots donnés par des imbéciles !

Lorsqu'elle lui a annoncé ses décisions, Alex avait pâli et il avait maintenant la gorge nouée. Nadine ne décodait pas sa réaction. Elle s'est assise en face de lui pour mieux l'observer de ses grands yeux bleus. Alex était sur le point de pleurer.

— Qu'est-ce que tu vas faire maintenant ?

Nadine adoucit le ton. Elle n'aime pas se chicaner avec son chum. Elle cherche à comprendre sa réaction. Plus calmement, elle lui explique son point de vue.

— En premier, je vais trouver du travail. Dès demain, je vais arpenter la ville pour en trouver.

— Et pour tes études ? Tu as toujours trouvé important d'étudier.

— Je vais y retourner, mais pas tout de suite. Je ne sais pas encore ce que j'aimerais étudier. J'espère qu'une expérience de travail va m'aider à trouver ma voie. Puis, si je reste un an ou deux sur le marché du travail, je ne serai pas obligée de passer par le CÉGEP et j'irai directement à l'université.

— Ce ne sera pas facile de te trouver un autre emploi.

Nadine a regardé Alex d'un air perplexe. Pourquoi tente-t-il de la décourager ? Elle choisit l'humour pour détendre l'atmosphère.

— Hé ! Nous sommes en 1975 et j'ai 19 ans. Je suis intelligente. Je mords dans la vie à belles dents. C'est certain que je vais me trouver un emploi facilement. Je devrai peut-être chercher, mais je vais le trouver.

Alex hésite à exprimer son inquiétude.

— Si tu te trouves un emploi à temps plein, tu ne viendras pas à Montréal avec moi. Nous ne nous marierons pas...

Nadine comprend l'émotion vive contenue dans les paroles d'Alex. Elle a regardé ses yeux mouillés, sa bouche qui tremblait et ses épaules recourbées. Il avait peur. Peur qu'elle le quitte. Comment cet homme si cartésien, lorsqu'il discute de science, arrive-t-il à plonger dans des émotions aussi profondes ? Elle aime sa sensibilité, sa droiture.

Elle met ses mains dans celles d'Alex et le regarde avec une tendresse qui aurait surpris Nadeige et

Germaine, mais que Mme Thériault aurait certainement approuvée.

— C'est vrai que je remets beaucoup de choses en question ces temps-ci. Mais je t'aime toujours autant. Tu es mon ancre dans le tourbillon tumultueux et indiscipliné de ma vie. Je t'aime et j'ai besoin de toi. À moins que tu aies changé d'avis, nous nous établirons à Montréal, comme prévu, quand tu entreras à l'école polytechnique. Il y a plusieurs universités à Montréal et j'aurai certainement plus de chances d'y trouver du travail qu'ici.

— Tu en es certaine ? Tu ne changeras pas d'idée ? Nous nous marierons au printemps prochain ?

— Oui… non… et oui !

Puis, Nadine ajoute, avec tendresse, en plongeant ses yeux bleus dans ceux de son fiancé :

— Je t'aime Alex. Je veux vivre avec toi. Je veux fonder une famille avec toi. Je veux vieillir avec toi.

— Je t'aime profondément. Je ne sais pas si je survivrais si tu décidais de me quitter.

Ces deux êtres merveilleusement faits l'un pour l'autre se sont enlacés avec amour. Leur baiser a fait fondre leurs âmes pour les réunir en un seul morceau. Nadine avait fermé les yeux pour mieux savourer le bien-être que son bonheur lui procurait.

Nadine ouvre les yeux sans comprendre. Tout est noir. Elle a froid. Où sont passés les bras réconfortants d'Alex ? Son rêve s'est envolé. L'intensité de l'image qu'ils formaient tous les deux revient l'habiter un moment, puis s'efface. Elle regrette de s'être réveillée.

Ce rêve lui rappelle une réalité toujours actuelle dans sa vie. Elle n'a jamais regretté cette décision. En fait, elle n'a jamais regardé derrière pour la remettre en question. Quand elle est sortie de l'hôpital, ce jour-là, elle a foncé vers son avenir avec toute la témérité dont elle était déjà capable à 19 ans.

Trente-six ans plus tard… elle mesure le parcours qu'elle a fait. En mettant un terme à ses études, elle a suivi Alex à Montréal dès la fin de cet été 1975, plutôt que l'année suivante, tel que prévu. Ils se sont mariés le 1er mai 1976, l'année des Jeux olympiques de Montréal. Pendant les études d'Alex, ils ont habité un petit appartement dans le quartier Côte-des-Neiges. Ils y furent très heureux.

Plus tard, Nadine a profité de sa première maternité pour quitter son emploi et retourner aux études. Ce souvenir cher à son cœur l'a fait sourire.

Autour d'elle, la nuit d'encre l'inquiète… Trop noire. Y a-t-il une panne d'électricité ? La ville de Montréal doit être complètement paralysée… Étrange… On dirait du vent qui joue dans les arbres.

Elle allonge son bras pour toucher Alex, pour sentir sa chaleur. Sa main frappe le vide puis, à tâtons, elle touche le fond de la tente où les roches pointent à travers la toile.

Nadine revient à la réalité. Face au réalisme de son rêve, qui a surgi comme un film de sa mémoire, elle s'est assise brusquement, le cœur battant. Elle se retrouve seule dans cette forêt, abandonnée par des blagueurs sans pitié.

La colère qu'elle avait ressentie contre Nadeige et Germaine lui comprime l'estomac. Oui, elle a été volontaire et déterminée devant chaque obstacle. Le message de son rêve lui semble plus important que jamais, au moment où elle doute de tout. Bien sûr, la situation dans laquelle elle se trouve est inhabituelle, déroutante et cauchemardesque. Elle s'en sortira. Elle utilisera ces deux grandes forces qui l'ont si souvent aidée à traverser les épreuves de la vie.

Elle se réinstalle dans son lit, plus sereine. Dans quelques jours, au bord de la mer, dans une auberge accueillante, un lit moelleux, elle parlera de cette aventure insensée en riant de ses réactions. Alors, elle pensera à sa vengeance.

Chapitre 5

Jour 3 — 17 juillet

Le temps tourne à l'orage, remarque Nadine en observant le déplacement rapide de gros nuages gris foncé et bas à l'horizon. Épuisée par cette nuit bouleversante, par l'absence d'Alex et une insécurité invisible, elle vit un moment de découragement. Quelque chose comme un grand vide crée la déprime de ce début de journée plutôt triste. Car sa nuit avait été écourtée… elle ferme les yeux pour revoir cette sortie dans le noir…

Ploc ! Ploc ! Ploc ! Ploc !

« C'est quoi ça encore ! On ne me laissera jamais dormir en paix ! » Elle imagine ses amis installés autour de la tente avec des boyaux d'arrosage pour lui faire croire qu'il pleut à tout rompre à l'extérieur. « Lassez-moi tranquille ! Retournez à Montréal ! Je veux dormir ! » Sa rage lui fait battre à coups de poing son sac de couchage. Elle se tourne sur le côté, place ses mains sur ses oreilles pour tuer le son, appuyant sa tête contre l'oreiller qu'elle s'est fabriqué avec ses vêtements et ferme les yeux.

Ploc ! Ploc ! Ploc ! Shiss ! Shiss ! Ploc ! Shiss !

Puis Nadine revient à la réalité du moment. D'un mouvement rapide, elle s'assoit. Dans l'obscurité complète, elle ne distingue rien. Elle entend la pluie qui tombe comme d'un robinet grand ouvert. A-t-elle installé son campement trop près du lac ? Depuis combien de temps cette pluie s'accumule-t-elle ? Elle perçoit un ruisseau qui coule à torrents vers le lac. Hier, pourtant, elle n'a pas vu de ruisseau. Probablement était-il à sec; il se remplit des eaux de ruissellement, durant les orages. Soudain, l'image de ses amis lui rendant la vie misérable disparaît. Un autre scénario cauchemardesque prend la place. Elle se voit dans cette tente au fond du lac, noyée. La peur s'infiltre dans son âme. Elle a soif. Elle a mal aux dents. Elle a de la misère à respirer. De grosses gouttes de sueur coulent dans ses yeux.

Elle doit secouer cette peur qui pourrait la faire mourir sans qu'elle revoie les siens. « Vite ! De l'action ! »

Elle passe sa main sur le plancher de la tente. Il n'y a pas d'eau. Il n'y a aucune bulle indiquant que de l'eau se serait infiltrée en dessous. C'est une bonne nouvelle. C'est rassurant. Mais, ce n'est pas encore concluant. Elle doit sortir pour évaluer le danger.

Comment faire face à cette nuit noire ? Elle réfléchit.
« Oui, c'est cela ! »

Réconfortée, ragaillardie par l'action, Nadine cherche son pantalon pour y prendre son briquet. Avec des mains tremblantes, elle réussit à allumer la petite lampe-chandelle. Elle illuminera l'habitacle, ce qui lui donnera un point d'ancrage dans son escapade nocturne forcée.

Elle s'approche de la fermeture éclair pour ouvrir la tente. Elle entend la pluie qui, fouettée par le vent, tombe avec force à l'extérieur. Elle remonte le zipper, juste assez pour sortir sa tête. Une pluie froide mouille ses cheveux en un instant et l'empêche de voir quoi que ce soit.

« Merde ! D'où sort toute cette eau ? » Nadine songe qu'elle n'a même pas ses grosses serviettes de ratine pour s'éponger après son escapade. Elle réfléchit, refermant l'ouverture pour éviter de tremper le sol de la tente.

« Merde ! Merde ! Merde ! »

Elle ferme les yeux et prend une grande respiration. Cela ne donne rien de s'énerver. Elle doit sortir pour mesurer le danger. Une idée. Elle enlève sa camisole. Elle lui servira de serviette quand elle reviendra. Elle met ses chaussures.

Malgré la peur qui lui noue l'estomac, Nadine éclate d'un rire nerveux. « Nue comme un ver avec des bottes aux pieds ! Quelle image ! » Elle croit entendre les moqueries de ses amis. D'un ton marqué d'ironie, elle crie à tue-tête : « C'est très drôle ! ha ! ha ! ha ! Bande d'imbéciles ! Arrêtez de rire de moi ! À ma place vous seriez déjà tous morts… et pas de rire ! »

D'un geste vif, elle ouvre la fermeture éclair et expose son corps au vent et à la pluie torrentielle. Le froid la fige sur place. Elle doit bouger. Elle se relève, fait quelques pas en direction du lac. Elle ne voit rien. Elle s'arrête et ferme les yeux. Si elle ne peut voir assez clairement, elle doit utiliser ses autres sens. Nadine entend le ruisseau. Il est à 100 mètres de la tente. La pluie, qui tombe comme des clous sur l'eau du lac, fait un tintamarre continu. Pas de débordement… le lac ne semble pas avoir agrandi sa superficie. L'eau s'écoule bien par la petite cascade qui se fraye un chemin vers le bas de la montagne.

Elle a moins peur. Le danger anticipé n'est pas aussi dramatique qu'elle le pensait. Soudain, elle se sent désespérée et sa rage contre les blagueurs refait surface. Elle lève la tête pour mieux crier au vent : « Pourquoi tout cela ? Je ne vous le pardonnerai jamais ! Vous m'entendez ? Jamais ! »

Les larmes coulent à flots, vite refroidies par la pluie glacée qui frappe son corps comme si la douche ne voulait pas s'arrêter. « Alex ! Alex ! Viens me chercher mon amour, je t'en prie ! »

Glacée jusqu'aux os, tremblante, démoralisée, enragée, Nadine retourne dans le confort relatif de sa tente. Elle essuie son corps détrempé et ses cheveux dégoulinants avec sa camisole. Elle enfile un chandail de marche pour tenter de se réchauffer, celui qui a des manches longues. Elle s'enroule dans son sac de couchage pour que son corps arrête de trembler. Elle claque des dents. De froid. De découragement. De rage. De peur. Cette nuit, elle se sent plus démunie que jamais, perdue.

Nadine s'est rendormie et sa respiration a fini par imprimer à ses muscles un peu de détente. Lorsqu'elle a ouvert les yeux à nouveau, la pluie s'était arrêtée, laissant la terre gorgée d'eau. Le terrain sec de la veille est désormais détrempé.

Le vent de l'est annonce du mauvais temps et sans doute beaucoup de pluie. Même à cette heure matinale où le soleil se cache encore derrière les montagnes, elle perçoit l'humidité qui monte du sol : le paysage transpire déjà... Il y aura de la boue dans la vallée.

Pour se donner toutes les chances d'atteindre la mer ce même jour, Nadine veut partir très tôt. Elle jette un regard autour d'elle. Bien sûr, le feu est éteint. D'un simple coup d'œil, la femme constate qu'elle ne pourra pas l'allumer avant plusieurs heures. Pas de café ce matin. Pas de déjeuner chaud. Pourtant elle en aurait grand besoin pour chasser la torpeur qui l'affecte.

La tente est détrempée. Elle regarde le ciel pour constater qu'il ne pleuvra pas tout de suite. Elle décide de laisser sécher la tente un moment pendant qu'elle déjeune. Elle fouille dans son sac et trouve des noix et des biscuits qu'elle mange lentement, pour retrouver un confort et chasser la torpeur.

Puis elle défait sa tente. C'est difficile. Elle est lourde. Gorgée d'eau, Nadine est incapable de l'insérer dans le sac de transport. Elle s'ennuie d'Alex. Il aurait eu la force de tordre le tissu pour en réduire le volume. Avec sa force de femme, elle n'y arrive pas. Elle doit se contenter de la rouler et de l'attacher directement à la partie supérieure de son sac de montagne. Toute cette eau qui s'accroche au repli de la toile ajoute du poids à son lourd fardeau.

Des grincements articulaires lui font mal partout. Elle a faim. Elle apprécierait un bon steak, même pour déjeuner, et elle rêve d'une poitrine de poulet à la sauce aux ananas. Ce soir peut-être. Elle n'a pas d'argent, ni de carte de crédit, mais elle se débrouillera quand même.

Forte de cette image qui garantit qu'elle marche vers un monde meilleur, Nadine dépose son sac sur son dos, met son chapeau sur sa tête, ramasse son bâton de pèlerin puis, après avoir jeté un dernier regard autour d'elle, la femme pousse ses pas vers le nord.

Elle aborde cette marche en forêt avec une pensée unique : sortir d'ici, arriver quelque part où la vie lui sera plus douce. Il n'y a pas de sentier, même tortueux, pour la guider vers le nord. La densité des épinettes rend la machette indispensable. « Un travail d'homme », se dit-elle en soupirant.

Elle serre les dents. Elle ne veut pas penser à Alex sans arrêt. Pour engourdir sa douleur, elle frappe de sa machette à gauche et à droite avec force. Quelques kilomètres plus loin, elle trouve un sentier d'orignal qui descend en bas de la montagne et c'est la direction qu'il lui faut prendre. Elle estime que le sentier sera plus tortueux, donc plus long. Mais il pourra éliminer le recours à la machette.

Graduellement, Nadine s'approche d'une vallée. Elle aurait aimé voir une route, comme la route 299, entendre le passage des automobiles, observer les poteaux qui relient les maisons, apportant le réconfort de la modernité. À son grand désarroi, elle ne trouve rien de semblable. Le territoire semble vierge à des kilomètres à la ronde.

Au fond de son âme, une forme d'angoisse reste coincée et elle n'arrive pas à la secouer. Elle ne veut pas se laisser envahir par la panique qui accompagne généralement l'angoisse. Alors elle oublie ses craintes et continue sa marche.

Nadine progresse ainsi pendant quatre heures, peut-être même un peu plus. Le froid si fréquent sur la montagne a été remplacé peu à peu par la chaleur humide et lourde de la vallée. Les arbres dégouttent encore de cette eau que le ciel a déversée sur eux au cours de la nuit, la gardant dans une humidité constante. Le vent moins fort n'arrive pas à assécher les vêtements qui collent à sa peau ni à la rafraîchir.

Elle traverse des ruisseaux qui coulent dans toutes les directions vers une rivière que l'on devine un peu plus loin. Est-ce la même qu'elle a suivie les jours précédents?

Par habitude, elle s'arrête pour le dîner quand le soleil a atteint le zénith. Elle est complètement fourbue, trempée de sueur. Ses pieds sont mouillés et quelques ampoules s'y sont greffées nuisant à sa marche. Sur ses mains aussi, à force de manier le bâton et la machette, les cloques font mal.

Pendant un moment, elle songe à arrêter sa marche pour la journée. Elle ne connaît pas la distance exacte jusqu'à la mer. Il semble plus sage d'arrêter, de se reposer, de faire un bon feu et de panser ses plaies. Elle négocie entre la sagesse et la détermination. Son ras-le-bol la pousse à s'activer, juste à la pensée de coucher encore en forêt, les larmes lui montent aux yeux. Elle sait que la pluie s'en vient. Elle n'a pas envie de monter la tente sous la pluie, ni d'y dormir sous l'orage et dans la précarité. Pourra-t-elle même faire du feu ? Elle se voit en train de manger froid sous la pluie. De plus, il est fort possible qu'elle ne puisse pas défaire le camp, le matin venu. Elle perdrait ainsi plusieurs heures, voire même une journée entière, dans sa quête pour trouver la civilisation et revoir sa famille.

Au fond de sa tête, elle réalise très bien qu'il y a quelque chose de tordu dans ses arguments. Mais son âme crie pour qu'elle poursuive sa route encore un petit moment.

Elle ne veut pas être bêtement sage. Alors, encore, elle continue de marcher.

Elle n'aperçoit pas la mer, mais elle sent qu'elle s'en approche, petit à petit. Les oiseaux de montagne font place aux goélands. L'air transporté par le vent, qui vient maintenant du nord-ouest, est chargé de sel et d'odeurs d'algue et de poisson.

Plutôt rassurée par ces indices, elle voudrait courir vers la mer. Mais son corps n'en peut plus. Ses pieds butent contre les obstacles camouflés dans le sol. Ses épaules, qui ont de la difficulté à supporter le poids augmenté du sac de montagne, sont recourbées. Son dos est arrondi et sa tête penche vers le bas.

Elle décide d'arrêter une bonne heure, pour reprendre son souffle, panser ses plaies et se rafraîchir dans le ruisseau qui descend en cascade de la montagne.

Pendant que ses pieds trempent dans l'eau froide, sa tête, plus rationnelle que son cœur, lui rappelle qu'elle devrait arrêter sa journée de marche à cet endroit sécuritaire. Mais son âme lui souffle son besoin urgent de trouver la civilisation et un lit douillet à l'abri de la pluie.

N'écoutant pas la voix de la raison, sans être vraiment reposée, elle repart, uniquement motivée par sa volonté d'atteindre la mer qu'elle devine toute proche. Les nuages s'accumulent et deviennent plus foncés. Le vent se fait moins chaud, mais il demeure encore chargé d'humidité. Il change encore de bord, soufflant du sud-est avec vigueur.

Nadine doit franchir une dernière zone forestière, ce qui rend sa marche dans le sentier plus difficile. Elle se sent de plus en plus épuisée.

Experte dans la longue randonnée, Nadine s'est habituée à marcher dans des conditions difficiles. Au début du printemps, du moins c'était le début du printemps à Montréal il y a trois jours, l'entraînement est à recommencer. Cette longue marche des derniers jours représente sa première épreuve de l'année. Normalement, elle et ses compagnons planifient leur première randonnée de l'année pour qu'elle soit plutôt légère, à raison de 20 kilomètres en deux jours, choisissant un territoire plutôt facile.

Or, depuis trois jours, le terrain était loin d'être agréable et elle a dû marcher beaucoup, sans aucune préparation. En ce moment, de toute évidence, le petit sentier qu'elle suit n'est pas balisé ni nettoyé. De plus, elle marche avec un sac de montagne sur le dos qui est plus lourd que d'habitude. Tout cela consomme son énergie rapidement. Aujourd'hui, notamment, l'humidité ajoute son poids à la fatigue accumulée au cours des derniers jours. Ses vêtements collent sur son dos et entravent ses mouvements.

Pour compliquer le tout, le sentier la force encore à marcher dans le lit d'un large ruisseau depuis au moins une heure. Le fond boueux et les roches l'empêchent tout simplement d'enlever ses bottes pour y marcher confortablement pieds nus.

« L'eau est trop profonde pour que je puisse marcher au centre sans remplir mes bottes », analyse-t-elle. Alors elle avance en bordure, courbée sous les arbres qui bordent le ruisseau. Ses mouvements sont gênés par son sac de montagne qui s'accroche constamment dans les branches. Elle utilise son bâton de pèlerin pour repousser la végétation, mais la plupart du temps, les branches de conifères viennent fouetter son visage, ses bras et ses jambes. Elle s'inflige plusieurs petites lacérations, un peu partout sur son corps, et elle a l'impression qu'un feu constant grille sa peau.

Puis, il y a ses pieds qui cherchent leur équilibre. Ils s'alourdissent et elle doit faire attention pour les poser au bon endroit. Il y a tellement de racines et d'obstacles qui sortent de l'eau.

Elle aurait dû s'arrêter souvent pour reprendre son souffle et observer le sentier devant. Elle le sait. Mais Nadine est pressée d'en finir avec cette marche. Constamment essoufflée par l'effort, elle poursuit malgré le point logé au creux de sa hanche depuis un bon moment. La sueur coule dans son dos et nourrit un frisson qui court sur sa peau. Dans l'humidité de la forêt, les insectes piqueurs s'acharnent sur la peau de son visage, de ses bras et de ses jambes.

« Cette forêt m'énerve… », se dit-elle. Le sentier lui donne de plus en plus l'impression de tourner en rond et cela la désoriente, l'oppresse même. Avec le ciel complètement couvert, elle n'est plus certaine de marcher vers le nord. Mais, comme il n'y a aucun endroit où elle aurait pu quitter ce sentier et tenter de se reposer, de réfléchir, ne serait-ce que pour un petit moment, elle poursuit obstinément sa route.

Comme elle espère plus que tout de coucher dans une auberge le soir venu, elle pousse son énergie au maximum pour sortir de cette forêt. Elle veut un bain chaud, un bon repas, un lit moelleux, un verre de vin blanc et un téléphone pour appeler Alex; pour qu'il vienne la chercher.

Bien sûr, Nadine étant aussi fatiguée et ayant l'esprit ailleurs, ce qui pouvait arriver se produisit.

Épuisée, elle ne porte pas attention à ce qu'elle fait. Elle ne plie pas suffisamment les genoux pour passer sous une branche. Son sac de montagne s'accroche. L'arrêt trop sec la déséquilibre. Un mouvement de plus... Elle n'a pas pu éviter la racine qui sortait de la rivière. D'un geste vif et rageur, elle pousse les branches avec son bâton de pèlerin, mais en même temps, son sac de montagne reste accroché, retenant son geste. Elle donne un coup d'épaule pour le décrocher alors que son corps s'est incliné vers l'avant, ses pieds étant coincés sous une racine. Elle voit le sol et l'eau du ruisseau arriver très vite dans son visage. Elle ferme les yeux. Trop tard.

Nadine tombe lourdement, face la première, dans cette mare de boue qui marque la jonction entre le ruisseau et la terre ferme. Du coup, elle en perd le souffle, tandis que son bâton de pèlerin et son chapeau s'échappent.

Si elle avait vu cette scène dans une bande dessinée, elle l'aurait trouvée hilarante. Car c'est toujours drôle de voir quelqu'un culbuter tête première dans la boue.

C'est drôle quand c'est quelqu'un d'autre que soi-même.

Lentement, Nadine se redresse et réussit à s'asseoir dans cette mare de boue. Elle se sent tellement fatiguée, tellement furieuse, tellement humiliée. Elle a le goût de pleurer. Elle a mal au cœur. « Je n'ai plus la force de bouger… Aussi bien rester là à me laisser dévorer vivante par les mouches ! »

Mais le visage d'Alex s'impose dans ce moment de découragement total. Continuer… pour le retrouver.

Elle a détache son sac de montagne pour le pousser vers le sol à sa droite. Puis elle prend un temps pour s'assurer qu'elle ne s'est pas infligée de blessures graves en tombant aussi lourdement.

Tout semble correct et chaque membre réagit normalement. Elle sent les courbatures causées par la longue marche des trois derniers jours, mais pas de cassures. Ses vêtements sont sales, couverts d'une boue noire et épaisse. Ce liquide visqueux s'est infiltré partout, à l'intérieur de ses vêtements, dans ses cheveux, sur son visage. Elle le sent glisser sur la peau de son dos. Elle fait une grimace de dégoût.

Nadine a toujours détesté se sentir sale. Cette fois, elle n'a pas le temps de s'arrêter pour se laver. Elle veut trouver l'auberge, atteindre la mer. Si elle perd trop de temps, elle sera obligée de passer une autre nuit en forêt, sous cette pluie qui menace depuis le matin.

Son cerveau, habituellement très rationnel, lui crie de s'arrêter. Il lui rappelle qu'il serait plus sage de faire son camp tout de suite, quitte à passer une nuit de plus en forêt. Même s'il fallait compter avec une forte pluie et un retard important le lendemain, mieux valait jouer de sécurité. Mais son cœur, moins rationnel, lui souffle : « tu es forte et capable, tu peux pousser encore, malgré la fatigue, et atteindre ton but. Cette auberge et ce lit douillet t'attendent… »

Elle ne se souvient pas d'avoir été aussi vidée qu'à ce moment précis. Épuisée, déroutée, endolorie, mais déterminée, Nadine penche côté cœur. Elle se relève lentement, remet son sac de montagne sur ses épaules. Elle rattrape son bâton de pèlerin, puis son chapeau tout trempé, échoués entre deux roches.

Malgré l'odeur de la boue visqueuse, l'inconfort et la fatigue, Nadine sort du ruisseau et poursuit son chemin.

Elle ne compte plus, ni ses pas, ni la distance. Elle se fout même de la direction que prend le sentier pourvu qu'elle sorte de cette maudite forêt.

Aurait-il été plus sage de monter le camp et de laisser passer l'orage qui se prépare ? Elle se pose la question. Il lui reste pour un peu plus de deux jours de nourriture. Elle devrait écouter cette voix issue de l'expérience qui lui recommande d'agir avec prudence, mais sans présumer de rien.

Nadine ne négocie plus. Elle continue, poussée par un sentiment d'urgence qui trouve son fondement dans son besoin prioritaire : ne plus être seule, trouver quelqu'un quelque part qui lui viendra en aide.

En route, elle voit une carcasse d'orignal à moitié mangée. En passant, elle a entendu des bêtes rôder : des loups, des lynx ? Il valait mieux les laisser tranquilles et continuer son chemin.

La mer ne peut pas être très loin. Elle la sent. Elle l'entend. Quelques mètres encore. La civilisation. Un téléphone pour appeler Alex, pour le rassurer, pour l'engueuler aussi de ne pas être avec elle dans cette aventure stupide. Parler aux enfants. Manger un vrai repas. Prendre une douche chaude. Pleurer de fatigue. Pleurer de joie.

Nadine marche comme une abrutie, incapable de s'arrêter, une mécanique humaine qui met un pas devant l'autre. Elle ne sait plus quoi, de ses jambes ou du bâton de pèlerin maintenant taché de sueur et de sang, lui permet de rester debout.

Combien de kilomètres a-t-elle marché aujourd'hui ? 20 ? 25 ? 30 ?

Qu'importe. Nadine serre les dents et marche.

Elle a faim, mais elle résiste. Le soleil est déjà bas à l'ouest et il s'apprête à disparaître. Elle a peur de se retrouver encore toute seule dans cette nuit noire.

Elle fait un pas supplémentaire et le paysage se dégage, il change radicalement. Nadine est enfin sortie de la forêt cauchemardesque. La satisfaction brise sa douleur. « Enfin ! J'ai réussi ! »

Elle entend les vagues qui se cassent sur la grève, tout près. La marée est-elle haute? Les goélands chahutent, comme une sorte de pleur continu, en s'alimentant dans la mer un peu plus loin. Dans la pénombre, elle aperçoit cette mer, à quelques centaines de mètres, et elle court à sa rencontre, oubliant tout le poids de cette journée pénible.

Où sont les lumières du village ? Il devrait y avoir des ampoules qui s'allument à la tombée de la nuit. Un phare ? Des maisons ? Une route ? Rien. Rien. Rien. Il n'y a pas de civilisation.

Nadine se laisse tomber à genoux sur la plage. C'est de rage qu'elle laisse déferler les larmes sur son visage. Tout son corps se vide d'énergie alors que l'orage éclate au-dessus de sa tête. Les éclairs, se tordant dans la nuit noire, n'ont d'égal que les cris qui déchirent son âme. En cette minute, elle hait profondément ceux qui l'ont mise dans ce pétrin. Elle ne sait plus si elle pourra un jour leur pardonner.

La pluie torrentielle draine le peu de force qu'il lui reste. Sans énergie pour monter un camp ou même manger, Nadine se recroqueville et, couverte de son imperméable, sous un rocher la protégeant un peu du vent du large et de la pluie, elle ferme les yeux.

Rompue, elle dort sans égard aux dangers qui rôdent autour. Sans feu, les bêtes s'approchent, leurs yeux rouges dans la nuit, plutôt par curiosité qu'à la recherche de nourriture, comme si elles ne savent pas comment traiter cette chose inconnue vêtue de jaune, de vert et de rouge.

Nadine dort de ce sommeil qui ne répare rien.

Elle est un peu morte sans vraiment l'être.

Chapitre 6

Jour 4 — 18 juillet

Une sensation de danger extrême la tire du sommeil. Qu'est-ce que c'est ? Un battement de cils, une seconde pour constater que l'encre de la nuit est sur elle.

Son imperméable a glissé durant son sommeil. Le froid la pénètre. Elle devrait grelotter, mais son corps en est incapable.

Une chose froide et humide frôle son bras. Le museau de la bête renifle sa peau. Nadine sent son haleine fétide. Un prédateur. Elle veut crier, hurler, repousser l'animal. Son corps refuse de réagir. Elle est paralysée; aucun muscle n'obéit à son besoin viscéral de courir loin de ce danger. Combien de temps peut-elle tenir sans respirer ?

La bête pousse le bras de la femme avec sa tête, pour tester la nature de l'être. Est-ce que cette chose qu'il vient de trouver est vivante ? Pourrait-il la manger ? Le prédateur ne reconnaît pas cette odeur. Il renifle encore, mordille la botte, crache. Ce n'est pas à son goût. La bête grogne et montre les dents. Un lynx.

Est-ce que Nadine est de taille à se défendre ? La question est inutile. Elle va mourir sur cette plage, mouillée, gelée, coincée entre deux rochers, dévorée vivante.

L'animal change d'approche. « Pitié… ou qu'on en finisse ! C'est insoutenable… »

La bête place sa lourde patte sur le torse de Nadine. Elle pousse la chose inerte comme pour la faire bouger, l'inciter à réagir. Pas de réaction. Le lynx grogne et bâille. Puis il s'éloigne le ventre vide. Nadine laisse entrer un peu d'air dans ses poumons. « S'il se retourne… » Elle veut crier. Son corps reste de marbre, au point où elle ressent la morsure glaciale de la mort.

Une respiration silencieuse. Puis une autre. L'oxygène pénètre ses poumons et se dirige vers son cerveau. Trop lentement. Terrifiée, Nadine entend un hurlement. Un loup. Un autre hurlement. Ce dernier est trop près. Ils se répondent. Les bêtes sont sorties de la forêt. Elle doit se mettre à l'abri.

Elle ferme les yeux pour mieux concentrer ses efforts. Elle bouge un bras, lentement, quelques centimètres, puis déplace une jambe qui semble reprendre vie. Elle respire profondément et sent l'énergie revenir dans ses membres. « Si lui n'a pas aimé mon odeur, le prochain lui… ne m'épargnera pas. »

Dans cette nuit qui la rend aveugle, elle cherche à les localiser. Des dizaines de paires d'yeux rouges font des mouvements dans l'air, sous les épinettes.

Quelle heure est-il ? La faible lumière qui précède l'aube n'est pas visible. C'est le milieu de la nuit. Nadine n'a dormi que quelques heures. Cette fois, elle ne peut plus retenir ses tremblements : elle claque des dents. Ses efforts pour percer cette nuit lui donnent mal à la tête. La peur, oui, elle goûte la peur dans sa bouche.

Réfléchir lui paraît difficile. Pour se redonner du courage, elle prend doucement dans une main la machette et l'empoigne. Elle cherche à tâtons son bâton de pèlerin. Dans son épuisement, elle l'a abandonné à côté de son sac de montagne. Elle le trouve et le fait glisser près d'elle. Serait-elle capable d'affronter un lynx adulte? Une meute de loups ?

Toujours les questions qui tuent ! Jamais de réponse.

Pour améliorer sa sécurité, Nadine s'adosse au rocher même si, dans cet angle, la pluie tombe directement sur son visage. Du mieux qu'elle le peut, elle recouvre son corps de son imperméable. Les fuites laissent l'eau s'immiscer sous ses vêtements et son corps se glace. Elle se sent mal. L'hyperventilation résulte de la peur panique qui la gagne. Ce n'est qu'une réaction physique, elle le sait. Mais ce serait suffisant pour l'empêcher de bien réagir, si les bêtes reviennent la harceler. « Contrôle… ta… respiration… et… détends… tes… muscles. » Elle chasse l'affolement coincé dans son ventre. Ses oreilles et son nez détectent les déplacements. Les bêtes sont encore là.

Pendant que la pénombre pousse lentement la nuit, Nadine revient sur l'évènement. La peur intense l'a paralysée. Cela lui a sans doute sauvé la vie. Si, prise de panique, elle avait agi brusquement, elle aurait crié, bousculé la bête et tenté de se sauver. La bête aurait réagi brutalement en ne faisant qu'une bouchée de la randonneuse errante.

Que vaut une vie ici ? Nadine prend conscience que les pires dangers, c'est de sa témérité qu'ils viennent. Elle a joué d'orgueil sans écouter sa raison : si elle revenait en arrière, que ferait-elle de différent ? Se reposer, éviter les excès, monter son campement en lieu sûr.

Au cours de cette nuit d'orage, il s'en est fallu de peu qu'elle perde la vie. Par sa faute, elle serait morte sous la dent du lynx. Elle n'aurait jamais revu sa famille. Son mari et ses enfants n'auraient pas su ce qui lui était arrivé. Son cœur flottait entre la rage contre ce côté de sa personnalité que rien n'arrête et la peine immense qui surgit quand elle craint de ne plus jamais revoir les siens.

Ironiquement, le visage d'Alex revient la hanter. Elle le revoit, quelques années plus tôt, lorsque cet oncle qui l'avait élevé est mort. Il vivait un deuil profond. Son oncle était atteint d'un cancer qui le grugeait sans merci.

Un soir, elle se souvient l'avoir découvert assis dans le grand salon, devant un feu presque mort dans l'âtre, sa tasse encore pleine de café refroidi, un album de photos sur les genoux, ouvert à une page qui lui rappelait les moments passés avec son plus proche parent. Elle pouvait voir qu'il avait pleuré. Lorsqu'il la vit s'approcher, elle fut étonnée par sa réflexion :

— Nadine, nous devons réfléchir au fait que cela pourrait nous arriver. Nous pouvons mourir n'importe quand.

Intuitivement, Nadine comprenait qu'il pensait à leurs enfants; il ne voulait pas qu'ils souffrent et se fassent des reproches, comme lui le faisait, de ne pas avoir assez aimé un parent.

En l'écoutant, le cœur de Nadine s'était déchiré. Les larmes coulaient sur ses joues. Elle ne voulait pas qu'Alex meure, du moins, pas avant elle. C'était égoïste et elle le savait. Mais elle n'était pas certaine de pouvoir survivre à la mort de cet homme qu'elle aimait si profondément.

Dans son désarroi, elle avait crié.

— Non ! Pas maintenant ! C'est morbide et fataliste de prévoir notre mort et je ne veux pas en parler.

Nadine avait quitté le salon précipitamment pour s'assurer que la conversation se termine là.

Alex avait tenté de revenir sur le sujet à quelques reprises, mais elle a toujours refusé d'en parler.

Aujourd'hui, adossée à ce rocher sous le ciel qui se vidait de son eau, elle comprend. Finalement. Elle a tant de choses à dire à ses enfants, à son mari, à ses petits-enfants, à ses amis. Elle ne leur a pas assez dit à quel point elle les aime. Elle veut le leur dire, un million de fois, leur montrer à quel point elle est fière d'eux.

Alors que sa vie est en danger, elle voudrait avoir la chance de retourner dans le passé, effacer toutes les petites chicanes qu'elle et Alex ont pu avoir, changer en plaisir toutes les fois où elle a fait de la peine à un proche.

Elle veut se glisser dans les bras d'Alex, fermer les yeux et sentir tout cet amour qu'ils partagent depuis si longtemps. Si elle mourait de façon stupide à cause de sa témérité, jamais elle ne retournerait vers lui;

tout ce bonheur s'éteindrait et Alex serait lui aussi très malheureux.

Avec détermination, elle lève la tête et redresse les épaules. Elle fera tout pour rester en vie. « Si je sors vivante de cette nuit d'enfer, je ne prendrai plus jamais de risque inutile. » Parce qu'elle veut revoir Alex, leurs enfants, leurs petits-enfants, leurs amis, la civilisation. Rester en vie est sa nouvelle affirmation.

Puis, frottant ses muscles crispés par une attente interminable, Nadine regarde le jour apparaître dans la grisaille. Ce spectacle la ramène aux choses essentielles. Son estomac lui rappelle qu'elle n'a rien mangé depuis longtemps. Elle fouille dans le sac de montagne, laissé à quelques pas de là. Elle cherche des noix et des fruits secs qu'elle s'empresse de croquer. « Hum ! Ça goûte bon la vie ! »

Elle avale un peu d'eau de sa gourde, à moitié vide. Une autre marque d'insouciance grave. Elle était tellement convaincue de trouver une auberge qu'elle n'a pas pris soin de maintenir sa réserve d'eau, cette importante source de vie. Elle fera attention à l'avenir.

Lentement, la vie du jour reprend son cours. Les bêtes menaçantes regagnent le fond de la forêt. Les oiseaux volent au-dessus des eaux, les vagues montent avec la marée, le vent crée un frisson sur les hautes herbes qui bordent la plage. L'odeur du matin la réconforte.

Le danger, si intense durant la nuit, s'estompe peu à peu.

Elle respire mieux. Pour le moment.

Sa situation s'est dégradée en quelques heures par sa faute. Elle a réussi à trouver la mer, mais il n'y a pas de village ni d'auberge. Elle a marché trois jours entiers et elle n'a vu âme qui vive.

L'inconfort qui la dérangeait depuis trois jours lui révèle maintenant des constats qu'elle ne peut plus ignorer. Elle est seule. En trois jours, elle aurait dû voir au moins un avion dans le ciel. Même de loin, elle aurait aperçu un ou des navires, car il y en a toujours sur la mer. Est-ce un fleuve ? Une baie ? Sinon quoi ?

De frustration, elle frappe du bout de sa botte un caillou qui vole plusieurs mètres plus loin. Sa réaction d'impatience en est une d'impuissance, parce que son cerveau ne produit que des questions pour lesquelles elle n'a toujours pas de réponses.

Elle voudrait pleurer sur son sort, mais elle n'a plus de larmes.

Avant de s'apitoyer, de réagir en victime, elle sent revenir sa détermination avec une attitude nouvelle : l'instinct de survie s'installe lentement. D'abord, manger pour reprendre des forces. Elle fouille dans son sac. Elle trouve une autre enveloppe de gruau aux pommes et un sachet de café. Nadine sourit. Le café sent bon à travers le sachet. Elle salive. Son estomac gargouille. Elle a froid et elle grelotte sous la pluie. Le café lui fera du bien.

Elle utilisera le reste d'eau dans sa gourde. Elle sort le petit poêle, la bonbonne de gaz et son briquet. Elle retire son chaudron de son sac de montagne et reste interdite, le bras en l'air, le chaudron à la hauteur de ses yeux. Il est tout cabossé. C'est donc lui qui a amorti sa chute, dans le ruisseau.

Elle examine le chaudron, fait un test. Il tient en équilibre sur le petit poêle. Il n'a pas perdu sa capacité de contenir du liquide. Il n'est pas percé. « Ouf ! Rien de grave alors. Lui comme moi, on n'en est pas à une bosse près. »

Nadine regarde son chaudron avec sympathie. Cela faisait au moins dix ans qu'Alex et elle emportaient ce chaudron partout pour leurs expéditions à travers le monde. Léger, résistant et à l'épreuve de la rouille, Alex y tient.

« Ta vie continue, mon pote ! » Être la meilleure amie de son chaudron ne lui serait jamais venu à l'idée avant ce matin. Parler à ses objets non plus. Pourtant, tout ce qu'elle possède en ce moment est devenu vital. Manger fait partie de ces choses dont elle prend conscience. D'un geste énergique, elle allume le petit poêle. Sous la pluie fine, il pétille et il crache, mais lui aussi est fait pour la vie dure. Elle y place le chaudron rempli d'eau. Puis, le menton appuyé sur ses poings, les coudes plantés sur ses genoux relevés, elle regarde le travail du réchaud, anticipant la saveur de son déjeuner et le goût de la première gorgée de son café. Elle le savoure intensément, les yeux fermés.

Elle mange son repas lentement. Elle veut certes, calmer sa faim en savourant chaque bouchée. Elle n'a pas l'intention de faire plus vite.

Sa tasse chaude entre les mains, elle réfléchit à la situation. Au lieu de poser des questions sans répon-ses, elle tente de faire le tour de ce qu'elle sait.

Elle est seule. De toute évidence dans un coin de la planète Terre, une zone où il n'y a pas de civilisation.

Elle reconnaît bien la végétation qui l'entoure. Les environs ressemblent étrangement à la Gaspésie sans l'être tout à fait. Il n'y a pas de route, pas de ville, pas de marcheur, pas de camion, ni auberge.

Nadine est en vie et elle veut le rester. Pour revoir les siens un jour.

Elle n'a de la nourriture que pour deux jours encore, peut-être trois. En présumant que la civilisation, peu importe sa forme, n'est pas tout près, elle devra puiser dans ses connaissances de la vie en nature pour trouver d'autres sources de nourriture. Est-ce que les apprentissages du cours de survie de l'automne dernier seront suffisants pour la tirer de ce mauvais pas ? A-t-elle retenu suffisamment d'information pour survivre ?

Elle ne veut plus avoir peur. Elle se fabriquera des armes pour assurer sa défense.

Elle a des ampoules aux pieds et des blessures aux mains. Elle doit donc panser ses plaies avant de poursuivre sa route. Elle restera dans ce coin de pays, quelques jours encore, pour se reposer et refaire ses forces.

Lentement, un plan d'action se dessine dans sa tête. D'abord, elle fera l'inventaire des environs afin d'identifier les sources de nourriture, que ce soit la mer, un ruisseau ou une rivière. Puis elle organisera un camp un peu plus permanent, à l'abri de la pluie, ce qui lui apportera une meilleure protection, la nuit venue.

Ces pistes de solution plutôt générales la rassurent et lui redonnent de l'énergie. La peur qui torturait son ventre depuis cette nuit se dissipe peu à peu. Son assurance et son instinct de survie refont surface. Contentée, elle dépose sa tasse à côté du petit poêle avec l'intention d'y revenir plus tard. Adoptant une démarche remplie d'espoir, Nadine se dirige vers la mer pour s'y baigner.

Sachant que ses vêtements étaient aussi sales que son corps, elle plonge tout habillée dans une vague, n'ayant pris le temps que d'enlever ses bottes. Nageant un moment sous l'eau, elle refait surface en soufflant comme une baleine. La boue noire qui faisait une croûte sur sa peau, ses vêtements et ses cheveux se dissout dans l'eau, emportant au loin le stress des derniers jours. Elle apprécie la douceur de l'eau saturée de sel qui glisse sur son corps. Elle ferme les yeux et laisse son corps flotter sur les vagues. Tel un nénuphar qui déploie ses pétales, Nadine revit peu à peu.

« Ça fait du bien ! » La baignade diminue les douleurs musculaires. Ses plaies aux pieds et aux mains brûlent sous l'effet du sel. L'eau de mer ne guérira pas ses ampoules crevées, mais pour le moment, elle permet de les nettoyer. Comme elle n'a pas de trousse de premiers soins dans ses bagages, la nature s'en charge.

Elle souhaite profiter plus longuement de cette mer vivifiante, mais son plan ne va pas progresser sans effort. Elle sort de l'eau avec les vêtements trempés, mais nettoyés. Une fois déshabillée, elle s'allonge nue sur son matelas. Elle laisse sécher sa peau au soleil. Elle emmagasine cette énergie qui fait du bien à son corps fatigué. Un autre bonheur oublié.

Après cette pause, elle trouve des vêtements secs et retourne marcher sur la plage vers le nord, pour commencer son exploration des environs.

Elle entend couler une rivière. « Est-ce celle que j'ai suivie hier ? » Les battements de son cœur s'accélèrent. Il lui faut une source d'eau douce ! Elle court pour contourner le gros rocher qui lui cache le cours d'eau. Nadine s'approche pour mieux l'explorer. La rivière provient de la montagne, au nord de la plage où elle a élu domicile. L'eau y est très froide et Nadine en profite pour retirer ses bottes et laver délicatement ses plaies pour les débarrasser des résidus de sel.

Elle se félicite d'avoir apporté ce qu'il lui faut pour s'approvisionner en eau. Les deux pieds dans la rivière, elle utilise le filtre pour remplir sa gourde à eau. Il est neuf et elle ne s'inquiète pas pour la qualité de l'eau. Elle boit quelques gorgées avant de terminer sa tâche. Elle apprécie la fraîcheur de cette eau qui humidifie sa gorge restée sèche après la marche poussiéreuse de la veille.

Assise sur une roche, les genoux coincés dans ses bras, elle prend le temps d'observer autour d'elle. C'est ainsi qu'elle a vu les goélands plonger sur la plage et rentrer le bec dans le sable. « Des clams ! Les goélands mangent des clams ! »

Pieds nus, elle court sur le sable humide pour atteindre la partie de la plage que la marée descendante venait de laisser libre. C'est avec son couteau, un outil peu adapté à cette pêche, qu'elle fait compétition aux goélands. Elle enlève son chandail pour s'en servir comme panier et, en quelques minutes, elle a assez de palourdes pour faire un excellent dîner.

Elle n'attend pas que le soleil atteigne le zénith. Elle veut manger tout de suite.

Le temps de le dire, les clams sont dans le chaudron rempli d'eau, sur le feu. Elle n'a aucune épice ni aucun légume; elle n'a rien pour faire une sauce; cela ne l'empêche pas de faire un vrai festin de ces mollusques. La bouche pleine, elle se tourne vers les goélands : « Hum ! C'est bon ! Merci les amis ! » Ces derniers poussent des cris plaintifs sans se préoccuper d'elle.

Elle mange enfin autre chose que des aliments séchés ! Elle savoure. Elle se gave. Cette pêche quasi miraculeuse la rassure; ce repas improvisé protégera sa réserve de nourriture sèche pour plusieurs jours. Car des clams, il y en a beaucoup sur la plage.

Soudain, une autre idée lui vient. Elle se voit déjà en train de manger un large poisson pour son souper. « Comment fabrique-t-on une canne à pêche sans fil ni hameçon ? Est-ce possible de pêcher avec une simple lance ? »

Et voilà que les suggestions fusent. En quelques minutes, avec l'aide de quelques coups de couteau, son bâton de pèlerin devient un marteau à un bout et, à l'autre, une lance pointue qu'elle fera durcir en la passant sur le feu. Plus tard, elle songe à fabriquer des dards pour l'aider à pêcher.

Les ampoules enveloppées par les morceaux d'une camisole, elle remet ses bas et ses bottes pour aller explorer la forêt, à une centaine de mètres de la plage. Se souvient-elle de l'endroit où elle a vu la carcasse d'un orignal ? Ne sachant pas depuis combien de temps cette carcasse a été abandonnée, elle ne courra pas le risque d'en manger. Par contre, les os, les bois et la peau peuvent servir.

Elle a besoin de contenants pour faire des collectes dans les bois.

Elle étend le tapis de sol sur la plage. Elle y dépose le contenu de son sac de montagne sur une moitié de la toile, puis elle la replie. Elle ne garde que sa tasse, son chaudron et quelques sacs hermétiques vides. Elle bloque les coins de la toile sous ses effets pour l'empêcher de flotter au vent. Une pensée s'infiltre dans son cerveau. Rapidement elle se relève. Elle regarde autour d'elle. Elle fronce les sourcils. Si on lui volait ses objets si précieux ? Puis elle secoue la tête. Elle n'a plus besoin de vérifier si quelqu'un l'épie. Il n'y a personne ici. Personne ne lui enlèvera ses effets pendant son absence.

Ses yeux deviennent tristes et elle perd son sourire naturel. La solitude pesant sur son âme, elle pousse un soupir. Pour secouer sa morosité, elle parle aux goélands. « J'y vais maintenant. Je veux voir ce que la forêt a à offrir. Je reviens bientôt. »

Avec son sac de montagne tout léger sur le dos, elle s'enfonce dans la forêt. Armée de son bâton, chapeau sur la tête, son couteau à la ceinture, la machette sur le mollet, elle a l'allure d'une Indiana Jones. Elle marche lentement en analysant tout ce qu'elle voit. Ici, du bois pour le feu, par là, une talle de framboises, des plantes comestibles partout. Elle remplit sa tasse de framboises et dans un sac hermétique, elle place des feuilles de pissenlit qu'elle utilisera comme laitue.

Elle rapporte aussi de l'oxalis qu'elle a connu sous le nom de « surette » quand, toute jeune, elle courait les bois avec son père. Elle devra faire attention de ne pas abuser de cette petite plante au goût acidulé pour éviter d'être incommodée par sa toxicité. Mais cela donnera un bon goût aux clams. De jeunes pousses de petites oseilles s'ajouteront à sa salade.

Dans une clairière, à proximité d'un petit ruisseau, elle trouve de l'apios. Ces plantes, aussi appelées « patates en chapelets », ont des racines en tubercule très puissantes qui ressemblent et goûtent comme les pommes de terre.

« Du thé du Labrador ! Du thé des bois ! Décidément, la forêt est généreuse. » Ajoutées aux feuilles de framboisiers et aux aiguilles d'épinette dans de l'eau chaude, ces plantes lui feront une excellente tisane.

Elle revient à son camp avec de la mousse, des écorces d'arbres, des bouts de branches qui, une fois séchés, lui serviront pour allumer du feu plus facilement.

Elle n'a pas trouvé l'orignal, mais elle a découvert d'autres trésors dans cette forêt-garde-manger, riche en découverte.

Nadine sent la vie reprendre en elle. Son exploration lui redonne du courage. Elle retrouve sa bonne humeur.

Elle met les mains sur les hanches et elle observe autour d'elle. Le ciel dégagé laisse le soleil chauffer la plage de ses chauds rayons. Les traces de l'orage ont disparues. L'astre du jour s'infiltre dans la forêt dense pour la rendre lumineuse et mettre en valeur les tons subtils de vert. Le vent léger s'infiltre partout. Il balaie le sable de la plage, étouffe le chant des oiseaux et pousse les ailes des goélands très haut dans le ciel.

« C'est beau ici ! Quand il fait jour. » Elle ferme les yeux un instant pour mieux apprécier la vie qui grouille autour d'elle et sentir la paix des lieux.

Puis, l'âme remplie de la poésie des lieux, la réalité de sa situation la ramène sur terre. Elle tourne la tête vers les goélands : « C'est le temps de monter la tente. Vous venez m'aider les gars ? Les filles ? »

Dans l'indifférence générale, elle n'attendra plus que les autres s'occupent d'elle. « C'est bon ! J'ai compris ! Je ferai tout toute seule. »

Nadine sourit. Elle parle aux goélands maintenant. Si Alex voyait ça...

Elle choisit un endroit à mi-chemin entre la forêt et la ligne de la marée haute, à la fois loin des animaux de la forêt et des vagues. Elle dégage le tapis de sol et elle le place là où elle veut monter la tente. Elle transporte la tente encore gorgée d'eau. « Dire que j'ai transporté tout ce poids sur mon dos hier... quelle imbécile je suis. »

Une fois la base étendue, Nadine utilise une pierre pour enfoncer les petits piquets aux quatre coins de la tente. Elle fait attention, car ils sont fragiles et, s'ils cassent, elle n'a pas de rechange. Elle insère les pôles dans leur ganse et les fixe dans le support prévu à cet effet. Puis elle attache les cordes de soutien aux derniers piquets.

Elle place le matelas mousse et son sac de couchage dans la tente. Une odeur de renfermé l'incite à laisser la porte de la tente ouverte pour permettre que l'habitacle se remplisse d'air frais et s'assèche.

Les deux mains sur les hanches, elle examine son travail. Tout est solide. La tente sera parfaite le soir venu.

« Et le feu maintenant… »

En face de la tente, elle prépare un foyer en rond avec des pierres qu'elle trouve sur la plage. Elle a fait plusieurs voyages dans la forêt avec le sac de montagne pour récolter assez de bois sec pour maintenir un feu pendant un jour ou deux.

Sa sécurité est maintenant assurée. Elle regarde l'angle du soleil. Elle a le temps pour une dernière exploration. La rivière n'est pas très loin, elle peut s'y rendre à nouveau. En la longeant, un peu plus haut, elle trouve un bassin d'eau. Elle s'approche pour mieux voir ce qu'il contient. » Du saumon ! C'est mon poisson préféré ! » Nadine en a l'eau à la bouche. Il y a tellement de saumons qu'elle n'a qu'à y insérer une branche d'arbre quelques minutes puis pousser vivement en direction du bord de l'eau pour voir atterrir un poisson sur l'herbe. Elle fait mouche presque à chaque coup et c'est avec quatre petits saumons qu'elle retourne à son camp en chantonnant la *Complainte du phoque en Alaska*.

Elle revient aussi avec des plants d'angéliques qu'elle a découverts en bordure du bassin. Les racines lui serviront de condiment pour les poissons. Elle salive abondamment en anticipant ce repas. La fin de la journée sera belle et elle pourra cuisiner directement sur son feu, joignant l'utile à l'agréable.

Une heure plus tard, Nadine déguste ce repas digne d'un roi qu'elle a préparé avec beaucoup de soin. Son saumon, qu'elle a fourré aux herbes, a rôti dans sa peau sur la braise. Elle l'a accompagné de clams, d'Apios, d'une bonne salade verte avec un « coulis aux framboises, ma chère… » Comme dessert, il lui reste de belles framboises sucrées. C'est délicieux et Nadine se sent revigorée.

Sa tasse de tisane en mains, Nadine s'est assise sur une roche au bord de l'eau pour admirer le magnifique spectacle du soleil qui descend à l'autre bout de l'océan. « Qu'est-ce qu'il y a là-bas ? » La boule incandescente barbouille la mer d'un filet orange qui saute d'une vague à l'autre. Le vent se glisse dans ses cheveux. Les vagues chantent dans ses oreilles, l'odeur de la mer remplit son nez.

Nadine sent le bonheur revenir dans son corps, son cœur et son âme. Elle apprécie cette symbiose avec la nature. Elle est encore fatiguée, courbaturée, mais elle est beaucoup plus calme. Elle est en vie et elle souhaite le rester. Elle survivra pour revoir les siens.

Dès que le soleil quitte l'horizon, à la lueur de son feu qui marque son chemin, Nadine retourne vers la tente pour se coucher dans son refuge qui ressemble à une orange tombée sur une plage de la Floride.

Une nuit sans histoire, ni danger, ni tempête; une première détente complète, depuis son réveil sur la montagne. Quatre jours de cauchemars qu'elle ne pourra jamais oublier. Pourra-t-elle le raconter un jour à d'autres? À des touristes ? À sa famille ? Et si personne ne la croyait ? Si au moins elle avait son iPhone pour croquer une photo, établir sa position par géolocalisation. « Quand les chercheurs vont-ils nous implanter une puce électronique à la naissance, qui permettrait en tout temps, en tout lieu, de retrouver les pauvres âmes perdues… comme moi ! »

Chapitre 7

Jour 5 — 19 juillet

D'un geste nonchalant, Nadine repousse le rebord du sac de couchage qui recouvre son visage. Elle a chaud. Le froid des derniers jours la rend sensible à cette douce chaleur. La sensation enveloppante se glisse sous sa peau soulage ses muscles ankylosés, et remplit tout son corps d'énergie. Rêveusement, elle s'étire en tous sens pour sortir le plus lentement possible du sommeil.

L'intensité joue contre elle… Son corps se couvre de sueur et cela l'agace. Elle veut continuer ce bienfaisant repos, mais la chaleur intense la force à sortir de la douce torpeur qui accompagne le réveil. Elle ouvre les yeux. Son habitacle est inondé de soleil. « Une journée ensoleillée ! Merci ! » Lentement, pour goûter encore quelques secondes à la douceur de ce réveil, Nadine s'assoit et regarde autour d'elle. « C'est le bordel ! »

Ses bottes, placées dans un coin, sentent mauvais. Des effluves de sueur, d'eau stagnante, de terre, de boue et même un relent de crottin s'en dégagent. Elle ouvre la porte de la tente pour laisser entrer l'air salin et plus frais. Elle jette ses bottes dehors. Sa camisole qui lui sert de chemise de nuit se retrouve rapidement sur le tas de vêtements pêle-mêle qui recouvre le plancher de la tente. Elle étire le bras pour saisir son pantalon vert qu'elle enfile en se couchant sur le dos. Elle cherche son t-shirt jaune qu'elle porte normalement avec ce pantalon. Elle ne le trouve pas dans la pile. Elle accroche son chandail bleu, brisant la coordination habituelle, et l'enfile. « Peu importe ! Personne ne verra ! »

Elle sort la tête de sa tente. Le chaud soleil la force à fermer les yeux un instant. Elle revient à l'intérieur pour chercher ses lunettes de soleil. Elle sourit. Elle frotte son visage pour enlever les plis que le sommeil y a accrochés. Elle a dormi longtemps. Elle a l'impression qu'elle ne s'est pas sentie aussi bien depuis des lunes. Elle fait quelques étirements pour remettre ses muscles en action. Son corps veut s'activer. Elle lève les bras vers le ciel, étire son dos et relève ses jambes une à une. Elle sent que la douleur accumulée s'estompe peu à peu. « Pas trop rouillée, quand même ! »

Elle a déjà hâte d'attaquer cette journée parfaite pour explorer, pour apprivoiser ce coin de nature et ajouter de la sécurité à son aménagement temporaire.

« Je ne travaillerai certainement pas avec l'estomac vide ! Allez ! À la bouffe ! » Elle regarde son foyer où les cendres sont refroidies. Il fait si beau aujourd'hui qu'elle n'aura pas besoin d'allumer un feu, du moins pas maintenant. Elle va utiliser le petit poêle et la bonbonne de gaz. Nadine fouille dans sa poche pour trouver son briquet. Une étincelle suffit. Pendant que l'eau réchauffe dans le chaudron, Nadine songe à ce qui lui arriverait si elle perdait ces précieux outils avant d'avoir trouvé la civilisation. Si son briquet et la bonbonne de gaz se vidaient ?

Elle se revoit sur la plage en pleine nuit, grelottant sous la pluie, mal enveloppée dans son imperméable, avec un lynx qui renifle sa peau. Un frisson parcourt son corps et, par réflexe, elle croise les bras sur sa poitrine. Elle ne veut plus revivre cela. Elle protégera son bien. À partir d'aujourd'hui, elle pourrait garder un feu constant pour éviter d'épuiser les réserves de gaz essentielles à sa survie.

Elle mange avec appétit le reste de poisson qu'elle avait mis au frais dans un sac hermétique et déposé dans l'eau froide de la rivière : son frigo.

Sa tisane en main, Nadine s'assoit sur une grosse roche au bord de l'eau et elle laisse errer son regard dans l'immensité de l'océan, au son des vagues qui lèchent le sable blond. Elle se sent mieux aujourd'hui, mais elle ne peut relâcher sa vigilance. Un rien pourrait faire basculer sa vie en enfer; elle est consciente de sa position assez précaire. Il y a tellement d'inconnus. Elle poursuivra sa recherche pour rejoindre la civilisation dans quelques jours. Combien de temps devra-t-elle voyager? Quel territoire devra-t-elle traverser ? Trouvera-t-elle facilement de la nourriture ? Toutes ces questions lui montrent l'ampleur du défi qui se présente à elle. Elle n'a aucun indice, des heures, des jours. Elle s'interdit de projeter plus loin pour ne pas gâcher sa matinée par des pensées déprimantes. Elle doit prévoir. Trouver le moyen de sécher des aliments : du poisson, des herbes, des fruits, de l'apios, faire des provisions. Avec une meilleure réserve, elle pourra marcher plusieurs jours sans se soucier de son prochain repas. Elle sauvera du temps et limitera son stress face à l'imprévu.

Il ne lui reste qu'à trouver le moyen de le faire. Elle a peu d'outils à sa portée, mais son imagination fertile est sa première arme secrète.

Nadine retourne à son campement pour y déposer sa tasse. La nature clémente lui offrant une si belle journée ensoleillée, elle va d'abord faire une baignade dans la rivière. L'eau froide, presque glaciale, la revigore. Elle plonge sa tête sous la surface de l'eau et secoue sa tête de droite à gauche dans un effort pour mettre un peu d'ordre dans ses cheveux. « Ce que je donnerais pour avoir un peigne ! » Elle refait surface et tente de démêler ses cheveux avec ses doigts. Elle s'approche du bord de l'eau et casse un bout de branche. Elle utilise le bout effiloché pour frotter ses dents, pour les nettoyer. Si ses cheveux rebelles sont remplis de nœuds, au moins ses dents sont propres.

Le soleil est si chaud que sa peau sèche en quelques minutes, le temps de revenir à sa tente. Elle s'habille et, avant d'enfiler ses chaussettes et ses bottes, elle vérifie ses ampoules encore douloureuses. Les cloques sous un gros orteil et sous la partie antérieure de ses pieds ont diminué d'envergure. Encore rouges et gonflées, elles guérissent bien. Par contre, les ampoules attachées à l'arrière de ses pieds, au-dessus de ses talons, sont crevées et suintent encore. Le frottement de ses bottes rend la guérison plus difficile. Nadine est soulagée par l'absence d'infection. Elle n'a pas de crème antibiotique; seuls l'eau et le soleil guériront ses plaies.

Elle attache sa machette à son mollet et fixe le couteau et la boussole à sa ceinture. Elle met son sac vide sur ses épaules, son chapeau sur sa tête et dépose ses lunettes de soleil sur le bout de son nez. Elle lève son regard vers les goélands qui font leurs ballets gracieux dans le ciel : « Salut les gars ! Je reviens bientôt ! »

Nadine s'enfonce dans la forêt plus sombre pour retrouver la carcasse d'orignal qu'elle a vue il y a deux jours. Cette fois, elle laisse son nez trouver la piste. La carcasse est toujours là, presque entièrement décharnée. Malgré l'odeur repoussante, Nadine reste immobile un bon moment; elle s'assure qu'aucun charognard ne fréquente les lieux avant de s'avancer. Elle fait quelques pas vers les restes de la bête; l'odeur lui lève le cœur. Elle hésite à s'approcher. Pour survivre, elle doit utiliser toutes les opportunités que la nature lui offre. Les ossements et la peau lui serviront, si elle les prélève. Elle se pince le nez d'une main et s'approche avec son couteau de l'autre pour plus de rapidité.

« Si seulement j'avais des gants. » Accroupie à côté de la carcasse puante, elle libère un fémur de ses tendons, puis un os plat du bassin, et finalement elle choisit quelques os plus fins. Ses deux mains deviennent indispensables. Le liquide puant qui suinte de la carcasse en décomposition s'imprègne sur sa peau, ses vêtements, colle aussi au fond de sa gorge et s'infiltre dans ses poumons. Ici, un bout de fourrure de la bête. La dissection lui répugne, mais elle n'ose pas bâcler l'opération, afin de ne pas devoir recommencer.

En vitesse, dès qu'elle le peut, elle s'éloigne... « Ce n'est pas trop tôt... Cette odeur de miasme restera collée à ma peau pour le reste de mes jours. » Soudain, elle entend du bruit juste derrière elle; son cœur palpite et son sang se glace dans ses veines. « Danger ! Danger ! » Elle n'arrive pas à contrôler sa réaction vive. Elle échappe ses trouvailles et, dans un réflexe poussé par l'adrénaline, elle donne un grand coup dans l'air avec son bâton de pèlerin. Du coin de l'œil, elle voit plusieurs « choses » s'envoler. Elle fait un pas. Une perdrix, assommée, reste immobile, à quelques mètres. Le cœur de Nadine reprend son rythme normal. Soulagée, elle touche le corps chaud du malchanceux volatile; sa main tremble encore sous l'effet de l'adrénaline. « Ouf ! C'est moins dangereux qu'un loup… et sans doute bien meilleur dans une casserole. Ce poulet sauvage sera délicieux ! » Elle s'empresse de lui couper le cou et, l'attachant à son sac de montagne pour éviter la contamination avec son paquet en putréfaction, laisse la volaille se vider de son sang.

D'une main elle prend les os, enroulés dans la peau d'orignal puante et tient le paquet à bout de bras pour ne pas ressentir la nausée. Portant dans l'autre main son bâton de pèlerin, elle retourne au camp.

Elle attache d'abord la perdrix avec un bout de camisole, par les pieds, à une branche haute. Ainsi, le sang finira de s'égoutter, et entretemps, les animaux ne pourront lui voler son souper.

Pour enlever l'odeur désagréable de la carcasse en décomposition sur sa peau, Nadine plonge dans la mer tout habillée. Le sel marin servira de désinfectant. Elle retire ensuite ses vêtements et les expose au grand soleil… Il fera le reste en les séchant. Puis un rinçage à l'eau douce leur rendra leur souplesse et une odeur acceptable, espère-t-elle. Sinon, elle répétera cette opération, le temps qu'il faudra. « Pas question de jeter le moindre bout de tissu, vu les circonstances. »

Nadine regarde la perdrix pendue par les pattes. Elle lâche un grand soupir. Elle doit la vider et la plumer. Sinon la perdrix prendra rapidement un mauvais goût. Elle n'aime pas l'idée qui lui lève le cœur. Elle étend la volaille sur l'herbe en bordure de la forêt. Avec son couteau, avec des gestes maladroits, elle ouvre l'abdomen de la bête et retire les entrailles qu'elle dépose dans un trou qu'elle a creusé tout à côté. Elle n'aime pas l'idée de ce trou qui lui rappelle tous ces sites d'enfouissement si peu écologiques. Pour le moment, elle ne voit pas d'autres solutions. Puis, elle y ajoute les plumes qu'elle décroche du dos de la bête. C'est difficile ! Elles sont bien accrochées par des barbes solides.

Le temps file… Nadine s'arrête quelques instants pour manger un repas frugal. Incapable de rester en place bien longtemps, elle marche autour de son camp en observant le sol. Elle veut vérifier une impression étrange, comme une intuition. Elle a entendu des bêtes au cours de la nuit, mais elle n'est pas certaine si elles faisaient partie d'un rêve ou si c'était la réalité. Un peu plus au sud, elle trouve les pistes. Des loups.

Trois ou quatre bêtes peut-être. Ce constat la plonge dans un état d'effroi. Elle qui croyait vivre une journée paisible, voilà que la peur s'accroche à ses pas. Elle a froid. Elle grelotte. « Non ! Je ne veux plus vivre ainsi ! »

Quand son corps finit par accepter ce stress émotif, son instinct de survie prend le dessus. Elle serre les dents et redresse la tête. « Ils sont sur leur territoire; c'est moi l'intruse. » Rageusement, elle lève le poing vers la forêt. « Maudits prédateurs ! Vous ne m'aurez pas comme ça ! Vous ne contrôlerez pas ma vie ! »

À la recherche d'un endroit qui lui garantira une meilleure sécurité, Nadine arpente les environs de la plage. Elle trouve, à quelque 100 mètres au-dessus de la plage, près de la forêt, une roche plate et presque à l'horizontale. Deux autres rochers s'entrechoquent au-dessus, laissant un passage d'environ deux mètres de haut, cinq mètres de large et six de long. La structure est entièrement protégée contre la pluie intense qui tombe sur ce coin de terre.

En bouchant l'ouverture plus étroite donnant accès à la forêt, par des roches, des branches, des débris trouvés sur la plage et des feuilles, elle obtiendra un espace qui ressemblerait à une caverne dont l'entrée plus large ferait face à la mer. Un feu dans l'entrée la protégerait contre les prédateurs, visibles ou invisibles.

Nadine travaille tout l'après-midi pour sécuriser sa caverne, déménager ses effets dans ce nouveau logis et transporter assez de mousse, d'écorces d'arbre et de branches pour entretenir un feu pendant quelques jours. Elle sourit en repensant à Robinson Crusoé…

Alors que le soleil glisse à l'ouest, à travers les nuages teintés de mauve et de violet, Nadine observe avec appétit la perdrix embrochée à l'aide d'une branche aux extrémités posées sur des monticules de pierres. Le BBQ de son invention, à 30 centimètres d'un feu doux, comme le recommandent les chefs rôtisseurs, laisse échapper une bienfaisante odeur de poulet. Elle hume ce qui sera un véritable régal… De temps en temps, elle tourne la « broche » pour assurer une cuisson parfaitement uniforme.

Dans son chaudron cabossé, des tubercules d'apios cuisent lentement dans de l'eau chaude. Comme elle le ferait avec des pommes de terre, elle pilera ces tubercules avec un peu du gras de la perdrix, qu'elle collecte dans son assiette, et y ajoutera quelques herbes cueillies la veille.

À côté d'elle, une tasse de décoction de petites oseilles refroidit. Elle se souvient avoir lu que cette herbe en tisane goûte la limonade. Elle a hâte de vérifier si c'est vrai.

Nadine observe d'un œil étonné son travail de la journée; elle sent une grande fierté l'envahir. Au cours de toutes ces années de randonnées pédestres, elle a toujours insisté pour comprendre son environnement, cherchant à connaître les animaux et les plantes aperçus au hasard des sentiers. C'est grâce à son amie Marie, qui cherchait toutes les occasions de satisfaire sa curiosité sur le sujet, qu'elle a pu emmagasiner autant de savoir. Aujourd'hui, elle ne regrette pas toutes ces heures de recherche dans ses livres et sur Internet. Toutes ces connaissances lui sont utiles pour assurer sa survie et rendre son séjour plus confortable.

De fil en aiguille, le rappel de son ancienne vie lui monte dans la gorge, comme une boule d'incompréhension. Pourquoi Alex n'est-il pas là pour goûter cette douceur avec elle ? L'absence de son compagnon lui fait mal; elle retient difficilement ses larmes. Pour chasser la mélancolie, elle porte son regard vers le paysage extérieur qui s'estompe graduellement dans la brunante. Elle est réellement seule, cachée sous cet abri rustique, comme si l'humanité venait de faire un bond en arrière de plusieurs milliers d'années. Nadine est, ce soir, redevenue une femme des cavernes… « Heureusement, personne encore n'a songé à déprogrammer ma mémoire. »

De gros nuages voyagent dans le ciel et annoncent la pluie; Nadine utilise les dernières heures de clarté pour monter un semblant de palissade à l'entrée de la caverne face à la mer, avec des branches d'épinettes.

Si le vent pousse l'eau, le rideau réduira l'infiltration et le ruissellement dans la caverne.

Elle est satisfaite. Elle va dormir au sec cette nuit, à l'abri des prédateurs. Depuis deux jours, elle a pêché, chassé et coupé des arbres. Elle peut vivre en forêt et se débrouiller seule. Cela lui redonne du courage. Elle se sent fière de ses réalisations.

Dans un soupir, Nadine baisse la tête et ferme les yeux. Elle ne peut ignorer sa tristesse refoulée. Jamais dans le passé elle n'avait pensé qu'il lui faudrait tuer une perdrix pour survivre, ni jouer les charognards d'ailleurs. Les tâches accomplies aujourd'hui sont totalement incompatibles avec ses convictions personnelles sur la protection de l'environnement. Partout où elle va, peu importe ce qu'elle fait, elle s'assure d'agir selon des principes stricts. Elle trouve tout ce dont elle a besoin dans les épiceries, refusant de pêcher, de chasser ou de cueillir des plantes sauvages. Elle milite contre les coupes à blanc, le pillage industriel des forêts, tant au Québec qu'en Amazonie.

Elle n'a pas le luxe de respecter ses beaux principes. C'est une question de survie. Elle utilise la nature, sinon la nature va la tuer.

Elle sort de cette réflexion pénible pour voir le jour s'éteindre et laisser les bruits de la nuit s'installer. Sa perdrix et l'apios assaisonné sentent bon. Elle se sert avec appétit, mais mange son repas lentement, pour apprécier autant avec son esprit qu'avec ses papilles gustatives les saveurs dans leur plus simple expression.

Elle range les restes dans un sac hermétique qu'elle dépose dans un espace entre deux roches, dans un coin plus frais de la caverne. Puis, elle déguste une gorgée à la fois, sa décoction d'oseilles refroidie qui, comme prévu, goûte la limonade.

Avec contentement, Nadine admire son installation dans la caverne. Le matelas et son sac de couchage, roulés pour éviter l'humidité, sont installés sur une partie surélevée, à proximité de son feu. Ainsi elle profitera de la chaleur et pourra facilement l'alimenter au cours de la nuit. Une autre roche surélevée, large et plate, lui sert de tablette. Elle y a déposé son chaudron, sa tasse, ses ustensiles, son assiette et ses réserves de nourriture. Son sac de montagne lui servira d'oreiller et de sac de transport le jour. Ses vêtements, qu'elle a pris le temps d'inspecter, sont déposés au pied de son lit, bien pliés, sur le paquet qui contient la tente orange dont elle n'aura pas besoin pour quelques jours. Un grand sourire s'est dessiné sur son visage. Elle se souviendra de cet endroit comme étant « sa première caverne ». Elle n'a pas d'appareil photo pour immortaliser ce moment, mais elle le dessinera de mémoire, un jour, pour montrer à Alex toute son ingéniosité. Il sera fier d'elle, sans doute...

Fatiguée, mais très contente de sa journée, elle a glissé son corps dans son sac de couchage. En regardant le feu brûler lentement, sa pensée est revenue sur Alex. Aujourd'hui, l'hypothèse d'une mauvaise blague s'est envolée. Que fait Alex pour la retrouver ? Il doit être mort d'inquiétude.

Elle ne comprend pas encore ce qui s'est passé, mais l'évidence qu'elle est seule la rend plus vigilante. Elle ne peut donc compter que sur elle-même, sur son expérience, sur ses habiletés, ses connaissances pour survivre, jusqu'à ce qu'elle trouve une civilisation.

Celle qui a affronté bien des situations difficiles et rué dans les brancards très souvent, celle qui avait une réputation de rebelle, se retrouve dans de beaux draps. Soudain, Nadine est secouée par un fou rire incontrôlable. « Si maman pouvait me voir en ce moment ! » Elle comprendrait mieux pourquoi sa fille haïssait tellement les cours d'économie familiale que les sœurs du couvent lui imposaient. L'adolescente a toujours préféré des activités difficiles et intenses qui brûlent son énergie débordante.

Sur cette image de la rebelle solitaire, celle qui carburait à l'adrénaline plutôt qu'aux choses usuelles, trop familières et stéréotypées, Nadine s'est endormie. Un sourire paisible reste imprimé sur ses lèvres, accentué par les reflets du feu qui joue avec son ombre, sur les parois de sa caverne.

Chapitre 8

Sherbrooke, janvier 1969

La porte d'entrée s'ouvre et claque derrière Nadine qui, comme à son habitude, arrive en trombe. La tornade vivante entre dans la maison en fulminant de rage. Le vent froid de janvier n'a même pas le temps de s'infiltrer dans la grande cuisine.

Irène lève les yeux de son tricot pour regarder sa benjamine se libérer en maugréant de son manteau d'hiver. « D'où sort cette enfant ? » De leurs six enfants, la petite dernière est certainement la plus turbulente. Agitée, énergique et vive d'esprit, elle leur donne du fil à retordre.

La mère secoue la tête. Sa fille de 13 ans revient encore de l'école en voulant tout casser. Elle n'attend pas que sa fille ouvre la bouche. Elle devine la tempête dans la tête malheureuse de Nadine, alors elle garde un ton neutre pour la laisser atterrir.

— Bon ! Qu'est-ce qui s'est passé aujourd'hui pour toi ?

— Je ne veux plus y aller ! Je les déteste ! Elles me détestent !

Ce n'est pas la première fois qu'elles ont cette conversation qui bouleverse autant la mère que la fille.

— Avec quelle religieuse t'es-tu chicanée cette fois ?

— Avec sœur Crochet.

— Nadine ! Sois plus polie ! Il ne faut pas donner de surnom à tes professeurs !

Nadine a levé les yeux au plafond avec une expression désabusée comme seule l'adolescente sait en inventer.

— T'as pas vu son nez ! Tu comprendrais qu'elle le mérite son surnom !

C'est trop. Irène se lève d'un bond, met une main sur une hanche et elle menace Nadine avec l'index de l'autre.

— Je te prie de te calmer jeune fille ! Sinon ce sera ta chambre pour la soirée, et tu vas passer sous la table… sans souper !

Devant le regard courroucé de sa mère et la menace de ses paroles, Nadine a compris qu'elle était allée trop loin. Du coup, sa colère s'envole.

— Je m'excuse maman.

— Bon. Je comprends que tu t'es chicanée avec sœur Marie-Marguerite. Explique-moi ce qui s'est passé.

Sachant que cela ranimerait la colère de Nadine, Irène se retient de ne pas dire à sa fille : « Qu'est-ce que t'as encore fait ? »

— Aujourd'hui, j'avais le cours d'économie familiale. Est-ce que tu peux me dire pourquoi on appelle cela « économie familiale » si on ne parle jamais de budget ni de finances ?

— Il me semble qu'aujourd'hui tu devais faire de la couture. Ça a dû te faire gigoter pas mal, hein ?

Nadine lève les bras en l'air, roule les yeux vers le ciel et hausse le ton pour appuyer ses dires.

— Tu parles ! De la couture ! Pis sœur Cro... Marie-Marguerite n'est jamais contente. Elle m'a fait refaire deux fois le même bout sur ma taie d'oreiller. J'ai perdu du temps ! Je suis en retard à cause d'elle. Il faut avoir fini avant jeudi. Elle l'a fait exprès ! J'suis jamais bonne à ses yeux ! Elle me déteste !

Avant même que sa mère puisse placer un mot, sans reprendre son souffle, Nadine a poursuivi avec hargne.

— Tu peux m'expliquer pourquoi je couds une taie d'oreiller ? Je n'aurai jamais besoin de cela ! Pourquoi l'école n'a pas de moulin à coudre ? Ce serait bien trop facile. En cousant à la main, je n'aurai jamais fini ! C'est démodé…

Le visage rougi par la frustration, les yeux exorbités par la colère, à bout de souffle, Nadine manque de mots pour crier l'injustice qu'elle croit subir.

Irène écoute sa fille avec un sourire réprimé. Elle a remarqué la note forte et bien appuyée sur les quatre « jamais » que sa fille vient de prononcer en quelques secondes. Irène réalise aussi qu'il ne mènerait à rien de tenter de lui expliquer le pourquoi des exigences de l'enseignante pour le moment. Cette dernière est trop fâchée.

La mère l'approche donc directement avec la solution.

— Aimerais-tu que je t'aide ?

Nadine la regarde avec des yeux brillants.

— Tu ferais cela maman ? Tu ferais cette couture avec ton moulin à coudre ?

— Non. J'ai dit « aider » et non tricher… Je ne vais pas le faire à ta place non plus.

Irène voit sa fille la foudroyer du regard. Elle n'y attache aucune importance pour le moment.

— Viens, sors ta taie d'oreiller. Je sors ma boîte à couture et nous allons regarder cela ensemble.

D'un air boudeur, Nadine sort de son sac d'école un bout de coton blanc tout froissé. Peut-on croire que cela deviendra un jour une taie d'oreiller ?

Quelques instants plus tard, la mère et la fille sont assises près de la table de cuisine. Le bout de la langue sorti, le nez froncé, Nadine s'applique à faire des points de couture bien égaux et bien alignés sur le côté du tissu. Sa mère l'observe pendant qu'elle recoud des boutons sur une chemise. Concentrée sur sa tâche, sa fille est plus calme qu'à son arrivée. Normalement si heureuse d'aller à l'école, l'adolescente vit un enfer quotidien depuis qu'elle fréquente le couvent. Il faut admettre que les méthodes d'enseignement proposées n'ont pas vraiment changé depuis sa propre époque, il y a plus de vingt ans. Elle aimerait tellement aider sa fille à retrouver un peu de bonheur dans ses études.

— Tu n'aimes pas vraiment le couvent, n'est-ce pas ?

Nadine a levé deux yeux pétillants qui se remplissent d'eau sous la frustration.

— Non, je n'aime pas ça du tout. Les sœurs sont sévères. Elles me surveillent tout le temps. Je ne peux pas bouger sans me faire punir. Je m'ennuie.

— C'est vrai que ton tempérament fougueux et agité ne va pas très bien avec le style rigoureux des religieuses.

— Je n'y peux rien faire maman ! J'ai besoin de bouger, moi ! Pourquoi les gars du collège peuvent faire du sport et pas nous ? On ne peut même pas sauter à la corde à danser dans la cour d'école, ni jouer au ballon-chasseur ! Pourquoi les filles doivent faire de la cuisine, de la couture ou apprendre à faire le ménage, mais pas les gars ? C'est pas juste ça ! On est en 1969, pas en 1869 !

Sa fille a raison. Irène en convient. Mais la société ne change pas aussi vite que les jeunes le souhaitent.

— Pourtant, tu aimes cela quand on fait ces activités ensemble, non ?

— Mais ce n'est pas pareil avec toi. Tu expliques bien. Tu me laisses aller à mon rythme. Tu me laisses grouiller quand j'en ai besoin. Puis on peut discuter comme nous le faisons en ce moment. Nous rions aussi.

— L'an prochain, tu iras à la nouvelle polyvalente. Le programme des cours comprendra du sport, de la musique, du théâtre, de la menuiserie et de la cuisine; tu auras le choix et tu pourras même choisir d'apprendre la couture pour en faire un métier.

— Jamais ! La couture à l'école, c'est fini. J'en ferai juste avec toi.

La mère et la fille éclatent de rire. Nadine reprend son air boudeur. L'adolescente soupire longuement.

— Il me reste encore cinq mois au couvent. Je ne vais jamais m'en sortir vivante !

Irène réprime un petit sourire. Encore un « jamais ». Cette enfant est tout en émotions. Nadine arrivera-t-elle un jour à les contrôler ?

— Le programme du couvent prévoit de la couture jusqu'à Pâques, si je me souviens bien…

Nadine fait la moue. Elle exprime à la fois le désespoir et l'ennui mortel qu'elle ressent.

— Pâques est en avril cette année; ça veut dire encore trois mois de couture avec sœur Croc... Marie-Marguerite.

— Et si je t'aidais à passer au travers? Je pourrais t'enseigner d'avance la matière, ce que le programme propose, avant que vous le voyiez en classe. Ainsi, ce serait plus facile pour toi. Tu pourrais devenir la meilleure. Qu'en dis-tu ?

Le visage de la jeune fille s'illumine. Un large sourire s'y glisse. Nadine regarde sa mère avec des yeux perçants. Irène sourit. Elle a sa réponse.

— Tu ferais cela pour moi? Est-ce que tu vas avoir le temps ?

— Je prendrai le temps pour t'aider. Tu sais, moi aussi je trouve cela très agréable de faire des choses avec toi. Tu apprends tellement vite. J'aurai beaucoup de plaisir à t'enseigner la couture ou autre chose qui t'intéresse.

Nadine sauta au cou de sa mère avec vigueur.

— Tu es la meilleure maman du monde !

Puis les secondes tombent sur les deux complices, qui terminent leur travail respectif. Nadine roule en boule sa taie d'oreiller après l'avoir montrée à sa mère.

— C'est beau ! Tu travailles bien.

— Sœur Crochet va être surprise ! Oups ! Je veux dire sœur Marie-Marguerite, ajoute-t-elle avec un sourire espiègle et la bouche pincée.

Avant même qu'Irène puisse gronder sa fille, Nadine sort en coup de vent de la maison pour rejoindre son amie qu'elle vient d'apercevoir dehors.

Par la grande fenêtre, Irène observe sa fille enfiler son manteau, sa tuque et ses mitaines tout en courant en direction de son amie. « C'est à peine si elle a eu le temps de sauter dans ses bottes avant de sortir par ce temps froid. Quel caractère exubérant ! »

Irène hoche de la tête. Comment cette enfant fougueuse, volontaire et indisciplinée survivra-t-elle à l'arrivée de la polyvalente dans leur quartier ? Puis la mère a éclaté de rire. Ce n'est pas la bonne question.

Il faut plutôt s'inquiéter si la polyvalente survivra à l'arrivée de sa fille entre ses murs.

Nadine devra d'abord survivre encore quelques mois aux règles strictes du couvent. Irène devrait-elle s'inquiéter pour que les religieuses ne manquent pas de patience ? Elles en ont vu d'autres, des fillettes pressées de devenir grandes et de se débrouiller seules.

Nadine a passé son examen et ses travaux pratiques en économie familiale avec une note de 85 %, avec la complicité de sa mère. Contrairement à ce qu'elle pensait à 13 ans, ces connaissances lui ont été utiles tout au long de sa vie. Poussée par une immense soif d'apprendre, elle a travaillé avec persévérance, apprenant la précision, la minutie et le plaisir de voir un travail bien fait. Sa mère connaissait une méthode efficace : un mélange d'humour, un respect de son besoin de bouger, une conversation qui faisait dévier son impatience sur quelque chose de positif. Elles ont ainsi parlé de tout et de rien, en se confiant volontiers leurs petits secrets. Elle a souhaité un jour devenir aussi habile que sa mère, même quand il était question de cette chose aussi inutile... que la couture !

Chapitre 9

Jour 6 — 20 juillet

Son estomac fait un tel bruit que Nadine ne peut plus dormir. Elle a faim, mais elle résiste… Un petit congé aujourd'hui ?

Elle vient de passer une première nuit dans la sécurité de sa première caverne. Le corps bien au chaud dans le sac de couchage, elle ouvre un œil. Elle ne voit pas la mer qui est cachée par une brume épaisse. Il pleut encore. Le ciel couvert ne lui donne aucune indication de l'heure. Elle soupire.

Elle a tout de même passé une excellente nuit, ne se levant que deux fois pour jeter du bois sur le feu. Elle devrait se sentir reposée, mais son corps lui rappelle toutes ses années d'usures déjà accumulées. « Je ne suis plus une jeunesse… » se dit-elle en se frottant les reins. Le matelas mousse sur la roche dure n'a pas la douceur de son lit de Montréal. Quelques douleurs articulaires s'ajoutent aux raideurs laissées par ses efforts des derniers jours.

Elle regarde la pluie qui tombe en crachin. Elle ne veut pas se lever par un temps pareil. Elle tourne le dos à la mer pour se retrouver le visage dans la paroi de roche. « Aïe ! » Elle roupille encore un moment.

Elle a trop faim. Elle tâte son ventre, le masse un peu, puis écoute pour voir si les bruits vont cesser... Non. Elle sort lentement ses jambes de l'enveloppe douillette, bâille, se frotte les yeux, étire ses bras. Elle regarde le feu presque éteint. « Allez ! On se grouille ! Sinon il faudra utiliser le briquet. » Cette tentative pour secouer l'indolence du matin ne fonctionne qu'à moitié.

À genoux près du foyer, la face dans les cendres, Nadine souffle délicatement sur les braises encore brûlantes et y ajoute graduellement des petits bouts de branches. Puis, elle place le chaudron rempli d'eau sur le feu. Dans quelques minutes, elle dégustera sa dernière tasse de café. Après, il n'y en aura plus, du moins, tant qu'elle n'aura pas retrouvé la civilisation.

En attendant que l'eau bouille, bottes aux pieds, encore partiellement endormie, son imperméable sur le dos, elle sort dehors pour aller faire ses besoins matinaux, dans un bosquet... Elle frissonne. « Combien de temps encore devrais-je endurer cette vie si primitive ? »

Le café brûlant réussit à peine à la réchauffer, tellement l'air est humide. Assise sur son « lit », les jambes recouvertes de son sac de couchage, Nadine réfléchit à ce qu'elle peut faire de sa journée. De toute évidence, la pluie s'est invitée pour plusieurs heures. Elle s'accordera donc un moment de repos. Histoire de faire le point sur certains défis que sa recherche de civilisation lui présente. Elle veut développer, quitte à les inventer, des solutions adaptées qui lui permettront de repartir, pour une autre randonnée de quelques jours vers la civilisation. Si seulement elle pouvait faire une liste. Pas de papier ni de crayon.

Comment peut-elle faire une réserve d'aliments ? Les faire sécher pour en réduire le poids et mieux les conserver. Nadine a souvent utilisé un séchoir électrique. Mais en pleine nature ? Avec le soleil… quand il est là. Elle tourne son regard vers l'extérieur. Elle soupire « Maudite pluie ! Tu compliques ma vie aujourd'hui. »

Est-ce qu'elle pourrait dormir toute la journée et n'y penser que demain ? Cela lui ferait perdre toute une journée avant de retrouver les siens. « Ah ! Ça, non ! »

Elle se souvient de ses lectures sur les méthodes amérindiennes. Ils ont un truc. Elle doit monter un séchoir avec de petites branches et le placer sur la plage en plein soleil, là où il y aussi assez de vent pour enlever l'humidité. Elle allumera un feu de bois vert pour « boucaner » la viande ou le poisson afin d'accélérer le processus de séchage qui, naturellement, prendrait un jour ou deux. Les yeux fermés, elle fait des calculs. Dans la caverne, il y a le bois nécessaire pour bâtir une telle structure, mais elle n'a rien pour attacher les morceaux de bois ensemble. Elle hésite à tailler ses vêtements en pièces, estimant qu'elle en aura grand besoin sur la route. Les cordages de la tente ? Elle repousse l'idée; couper ces cordages lui enlèverait l'usage de la tente. Il n'en est pas question.

C'est en avalant un morceau de perdrix avec une gorgée de café fumant qu'elle se rappelle sa visite dans les bois la veille. Elle se redresse. Bien oui ! Le morceau de la peau d'orignal raidi et puant qu'elle a laissé aérer... Peut-elle la tailler en lanières ? La tanner ? Utiliser de l'eau chaude pour la faire ramollir ? Comment faisaient les Amérindiens pour arrêter la décomposition ? La cervelle ! Elle ne l'a pas prise. Dommage. Cette matière plutôt grasse, elle a lu ça quelque part, était utilisée pour le tannage avant que les Français débarquent au Canada.

Bon, à défaut de cervelle, elle grattera la peau pour enlever tous les morceaux de chair, puis elle la fera tremper dans l'eau salée. Après tout, elle veut des lanières, non pas une robe ou même... une taie d'oreiller.

Satisfaite d'avoir résolu un premier problème, Nadine regarde autour d'elle. Il n'y a pas de récipient assez gros pour faire le travail de tannage. Les mains sur les hanches, les yeux plissés, le regard perdu dans les flammes rouges, elle cherche une solution. Eurêka ! Si c'est comme en Gaspésie, il devrait y avoir des trous dans la roche au bord de la grève. Des trous que la marée montante remplit d'eau salée qui y reste coincée quand la mer se retire.

Aussitôt son café terminé, Nadine enfile son imperméable et son pantalon de pluie pour résister au temps maussade. Elle arpente les abords de l'eau vers le nord, où se trouvent de gros rochers près de l'eau. Ainsi elle trouve, à trois cents mètres de la première caverne, un trou plein d'eau et assez grand pour le trempage de la peau.

Encouragée par sa découverte, elle retourne d'un bon pas vers la caverne pour chercher tout ce dont elle a besoin pour la tâche. Pour faciliter son travail, et éviter des voyages nombreux pour transporter de l'eau chaude entre le trou et la caverne, Nadine allume un feu à proximité du trou. Sous la pluie fine, il fume, mais ce n'est pas grave.

Les heures suivantes, Nadine gratte, trempe et brasse énergiquement avec le fémur d'orignal la peau pour l'amollir suffisamment afin de faire un essai. Nadine s'assoit sur une roche et plie ses jambes. Elle coince la machette entre ses genoux, la lame vers le haut, pour y glisser la peau afin de la tailler. Ce n'est pas facile avec cet instrument peu adéquat. Immobile, elle sent l'eau de pluie couler sur la peau de son cou et s'infiltrer dans son dos. Frustrée par la difficulté, Nadine fulmine. Plus elle s'énerve, plus la tâche est difficile. La machette tombe dans un grand bruit de fer sur la roche. Elle ferme les yeux pour tenter de se calmer. Le visage serein de sa mère s'impose sous ses paupières. Elle entend les paroles rassurantes : « Aie confiance. Tu y arriveras. Garde ton calme et ce sera plus facile. »

Elle ouvre les yeux et prend une bonne respiration. Sa mère a raison. Elle replace la machette entre ses genoux et recommence le travail plus lentement. Une première pièce apparaît. « Ça y est ! Merci maman ! »

Patiemment, un petit coup à la fois, Nadine réussit à transformer le morceau de peau en une trentaine de lanières larges de deux centimètres et d'environ 40 centimètres de longueur. Fière d'elle, Nadine relève la tête et redresse les épaules. Maintenant elle peut fabriquer le séchoir et, d'ici quelques jours, elle poursuivra son chemin vers les siens.

Elle retourne à la première caverne pour y fabriquer la petite charpente à l'abri de la pluie. Elle profite de la marée descendante pour ramasser des clams pour son déjeuner. Quelques goélands s'approchent d'elle en hurlant des cris déchirants qui ressemblent à des pleurs de rage. « Est-ce que c'est bon la viande de goéland?... Je pourrais faire du BBQ... » Comme s'ils avaient compris le message, aucun oiseau ne s'approche assez près de Nadine pour qu'elle puisse l'assommer avec son bâton. Le repas de goéland sera pour un autre jour.

De retour dans son logis préhistorique, son repas dévoré, elle s'active à monter son séchoir. Les lanières mouillées, encore un peu raides, dégagent une odeur fétide. Une fois la structure terminée, il lui reste encore une vingtaine de lanières qu'elle s'empresse de mettre en sécurité pour éviter que les petits rongeurs, qui habitent aussi sa caverne, ne les lui volent.

Nadine regarde dehors avec découragement. Il pleut toujours. Elle devra donc attendre au lendemain pour vérifier si son invention fonctionne bien. Pourvu que la pluie d'aujourd'hui laisse la place à un chaud soleil et à un vent sec.

Pour s'occuper, elle prend quelques pièces de bois mises de côté depuis quelques jours. Encore verts, ces bouts de bois, d'un peu moins d'un mètre, sont très droits. Avec son couteau, elle enlève l'écorce, coupe les bouts de branches inutiles et affile le bout le plus petit. Pour terminer, elle fait une encoche autour de la tige à environ deux centimètres du bout pointu pour en faire une sorte de cran d'arrêt qui retiendra la proie. Elle lève un de ces nouveaux outils à la hauteur de ses yeux pour mieux l'examiner. Elle sourit. Ainsi au fil de son travail, elle a accumulé une dizaine de dards pour pêcher; peut-être même chasser.

Elle veut essayer tout de suite ! Enfilant son imperméable, elle marche énergiquement vers la cuvette aux poissons, en haut de la rivière, avec ses dards.

Pieds nus dans l'eau froide, Nadine se tient immobile un dard en main, prête à frapper le plus rapidement possible. Elle doit s'armer de patience, car les poissons sont craintifs. Les deux pieds de la femme deviennent deux créatures que les saumons doivent apprivoiser. Et voilà ! Ils se calment ! Encore une minute pour les endormir puis hop ! Le dard a transpercé un gros saumon qui gigote fort. Nadine lance le poisson et le dard sur le rocher tout à côté. Et elle recommence son manège avec un autre dard. Une fois, deux fois, trois fois; puis elle réussit à darder un autre gros saumon. C'est long, mais sa technique fonctionne bien; elle devra bien sûr pratiquer encore pour augmenter son habileté. Ses pieds sont gelés. Elle devra trouver la façon de pêcher sans se mouiller, la prochaine fois.

Quand Nadine revient à son logis, il est encore tôt. Comme la pluie tombe encore, elle ne peut mettre son énergie à terminer des projets qui nécessitent de rester dehors. Cette journée maussade lui tombe sur les nerfs. Femme d'action, elle n'aime pas se sentir limitée. À Montréal elle profiterait de la journée pour dessiner, écrire, lire un bon livre. Assise devant le foyer elle aurait une tasse de thé bien chaud à côté d'elle… quelques biscuits.

Ici, elle a le foyer central… ou presque, mais rien d'autre pour occuper son esprit vif. Pour bouger, elle met de l'ordre dans ses affaires, vérifie ses outils de cuisine, s'assure que ses vêtements, mouillés par ses travaux de la matinée, sèchent bien. Très vite, il ne lui reste plus rien à faire. Elle rumine. Elle s'assoit sur son lit et laisse son esprit vagabonder. Les images de sa famille qui déferlent avec force dans sa tête lui font mal. Elle a les larmes au bord des yeux. « Non… Il n'est pas question que je pleure ! »

Rageusement, elle repousse sa tête sur son sac de couchage et ferme les yeux. « Dormir… fermer les yeux, ne plus réfléchir… mettre son esprit à OFF ! »

Fatiguée, le cœur plein de chagrin, l'âme en peine, Nadine s'est endormie profondément. L'après-midi a fait place à la soirée. Puis, sous le couvert nuageux, le soleil s'éteint à l'ouest. C'est d'abord le froid qui incommode la femme endormie. Ensuite les bruits étranges de la nuit pénètrent dans son cerveau.

Nadine ouvre les yeux sur la nuit noire. Son feu est éteint. Un animal grogne dehors. Un loup ? Un lynx ? « Non ! »

Le feu ! Elle doit allumer le feu ! Avec des doigts tremblants, elle cherche le briquet qu'elle avait fourré au fond de sa poche de pantalon. Elle l'allume. La petite flamme la rassure. À sa lueur, elle trouve un tas de mousse sèche qu'elle place dans le foyer et y met le feu. Lentement, avec doigté, elle bâtit son feu, pièce par pièce, des petites aux plus grosses.

L'activité requiert toute son attention et repousse la panique qui menace de lui faire perdre tout contrôle. Le feu la réconforte. Elle retrouve un semblant de sécurité. Elle respire mieux. L'odeur et les grogne-ments des bêtes s'estompent; elles sont retournées en forêt.

Une rage glaciale envahit son âme et l'empêche presque de respirer. « Je suis une imbécile ! Quelle insouciance ! » Quelle quantité d'essence a-t-elle dû utiliser pour allumer un feu qu'elle aurait pu mainte-nir toute la journée ?

Elle est en colère contre ce maudit coin de terre qui ne lui donne aucun répit.

Lentement, pour retrouver un peu de calme, même si la peur lui a coupé l'appétit, Nadine décide de préparer son repas. Pour occuper son esprit, elle expérimente une nouvelle technique de cuisson. Elle place une roche plate d'environ 40 cm de diamètre, un peu convexe, en bordure du foyer, sur un montage de cailloux, ce qui laisse un espace où elle dépose de la braise.

Elle coupe le poisson en petits morceaux qu'elle étale sur cette pierre chauffante sans électricité avec des racines d'angélique et de l'oseille. Quelques tubercules d'apios coupés en tranches rôtissent dans le gras que le saumon libère durant sa cuisson. Une salade de feuilles de pissenlit et aux framboises, sur laquelle elle coule un peu de décoction de petites oseilles, accompagne son plat principal. La bonne odeur jette un baume pour éteindre le feu de sa colère.

Une fois son estomac satisfait, Nadine s'applique à établir une routine qui, elle l'espère, l'aidera à éviter la mésaventure d'aujourd'hui. Elle compte le bois et note qu'elle en a assez pour la nuit. Elle vérifie tout son matériel et s'assure que la tente, le petit poêle et la bonbonne de gaz sont en sécurité et au sec.

En se déshabillant pour la nuit, elle place son couteau et sa machette à la portée de sa main. Puis elle secoue son sac de couchage pour s'assurer qu'elle ne passera pas la nuit avec un petit invité poilu aux dents acérées.

Un peu plus tard, le corps roulé en boule, le cœur noué par l'émotion, Nadine cherche le sommeil qui tarde à venir. « Si j'oubliais de me lever pour alimenter le feu ? » L'expérience de l'après-midi la rend nerveuse et augmente sa détresse.

Elle ferme les yeux. Combien de temps devra-t-elle subir ainsi cette vie rude, dangereuse ? Ce ne peut être que temporaire, un mauvais moment qui finira bientôt. D'ici quelques jours, elle repartira. Elle trouvera un village, une ferme, ou une ville. Une civilisation ne disparaît pas comme cela, dans un claquement de doigts, l'espace d'une nuit. « N'est-ce pas ? » Son cri se répercute sur les parois de pierres puis s'envole dans la nuit.

Il y a un petit bout de son cerveau qui se demande si elle n'a pas fait un bond dans le temps. Vers un temps avant la civilisation? Vers un temps après la civilisation ? C'est certain que cela permettrait d'expliquer l'absence totale de vie humaine. Mais il n'y a pas de porte qui s'ouvre et à travers laquelle on va d'une époque à l'autre. Comme dans une émission de Star Trek ? N'est-ce pas ?

Cette idée qui pèse sur sa solitude la suit jusque dans ses rêves où les portes du temps l'attirent et la font plonger dans différentes époques où dinosaures, mammouths et Sherlock Holmes se partagent la vedette. Sherlock Holmes ? Eh bien !

Chapitre 10

Jour 7 — 21 juillet

Le vent d'ouest fait frissonner la mer. Le soleil pointe le bout de son nez derrière les montagnes, s'emparant du ciel bleu, déserté par les nuages. Les goélands perchés sur leur rocher sont encore enveloppés dans la torpeur du matin. Dans un autre angle, quelques grenouilles se réchauffent sur leurs feuilles de nénuphar dans un coin tranquille de la rivière. Les oiseaux de la forêt chantent mélodieusement le lever du jour.

L'autre jour, quand elle a marché sur la plage, elle pouvait voir à une dizaine de kilomètres au sud. Elle a scruté l'horizon tant en plein jour que dans la nuit noire; elle n'a vu aucun signe qui lui permettrait de croire qu'une civilisation s'est installée à proximité de sa première caverne.

Elle fait un calcul dans sa tête. En marchant tous les jours sur des distances de 10 à 20 kilomètres, selon le terrain, elle pourrait parcourir 150 kilomètres en dix jours, peut-être un peu plus. C'est la distance entre Montréal et Sherbrooke. « Dix jours, pour aller où ? Voyager en territoire inconnu pour trouver une civilisation ? » Cette pensée assombrit sa matinée pourtant si agréable. Une larme en profite pour glisser sur sa joue. Elle l'essuie dans l'impatience du moment. « C'est maintenant que j'ai besoin de compagnie... Pas dans dix jours. »

Si elle se mettait au boulot...

Courageusement, elle marche vers cette plage bordée de rochers, au nord, où elle sera à l'abri du vent. Elle transporte avec elle deux structures en colonne, composées de bouts de bois attachés avec des lanières en peau d'orignal, ce qui constitue la base de son séchoir. Elle plante d'abord les deux tours dans le sable laissant un espace de deux mètres entre les deux; des roches qu'elle a trouvées un peu plus loin solidifient la structure. Sur le dessus des piliers, elle installe, en travers, des bouts de bois plus longs. Elle laisse des espaces entre eux pour que l'air circule. Elle recule de quelques pas et regarde son installation.

Nadine sourit. Des solutions, elle en a plein la tête. Il faut juste qu'elle se donne le temps de les mettre en pratique.

Elle fait appel à sa mémoire pour la suite. Selon ses lectures, le séchage prend habituellement une quinzaine d'heures, parfois un peu plus. Afin de l'accélérer,

Nadine prépare tout ce dont elle a besoin pour faire un feu de boucane entre les deux tours; du bois vert, des feuilles et du foin. Cela protégera la chair contre la contamination par les bactéries et les mouches. Ainsi, le poisson, une fois séché, pourra être conservé une dizaine de jours. Après ce temps, elle devra s'arrêter de nouveau pour refaire des provisions... si elle n'a pas trouvé de civilisation évidemment. Cette pensée devient une obsession. Un frisson parcourt son corps et lui donne le vertige. Elle ferme les yeux quelques instants pour laisser passer le malaise. Ce ne sera pas facile après… de raconter cette aventure de survie aux autres, de soustraire toute la précarité qui se traduit mal en mots. Survivre, sait-on seulement ce que c'est quand on habite une grande ville ?

Elle ne veut pas y penser, mais elle doit faire face à l'évidence… Au cours des derniers jours, alors que son corps réparait ses plaies et qu'elle travaillait à sa sécurité primaire, elle a eu le temps de réfléchir à sa situation. S'il y avait une civilisation tout près, même une civilisation sans technologie, elle aurait vu des traces : de la fumée dans la forêt, un feu dans la nuit, des restes d'un feu ou de repas.

Habituellement si positive et confiante face à ce que la vie lui apporte, une sensation de catastrophe l'accable depuis plusieurs jours et elle n'arrive pas à s'en débarrasser. Elle ne trouvera peut-être pas la civilisation si facilement.

Combien de temps une personne peut-elle être exclue de la civilisation sans tomber dans la dépression la plus totale ? Certains livres sur la survie en forêt parlent de quelques jours, d'autres de quelques semaines. On peut retarder l'effet, ou du moins l'atténuer, en restant actif, en mangeant bien et en restant au sec et au chaud. Peut-on éliminer complètement ce risque ?

Cette réflexion la fait trembler d'effroi et ses émotions menacent de prendre le dessus. Elle doit chasser ses idées lugubres. Elle lance son SOS dans le vent le plus indifférent du monde : « Alex ! Où es-tu ? Viendras-tu me chercher bientôt ? » Même l'écho se tait. Sur la plage, les goélands s'activent et leurs cris stridents emplissent l'air comme s'ils comprenaient l'angoisse et la peine de la femme.

Elle ne peut laisser la déprime s'emparer de son âme. Elle doit poursuivre son but pour retrouver sa famille, trouver la civilisation où qu'elle soit, accumuler une réserve de nourriture pour faciliter son voyage.

Du revers de la main, Nadine essuie les larmes qui brûlent ses yeux et ses joues. Chassant l'angoisse d'un coup de tête, elle se dirige vers la cuvette à poissons avec ses dards. Après plusieurs tentatives de pêcher à partir de la rive, sans succès, Nadine enlève ses bottes et ses chaussettes et s'installe, comme la veille, les deux pieds dans l'eau froide. Elle reste complètement immobile, endurant le froid glacial, jusqu'à ce que les poissons se calment. Une heure plus tard, Nadine revient sur la grève avec une dizaine de saumons.

Une fois qu'elle les a vidés et épluchés, Nadine taille les poissons en minces tranches qu'elle dépose sur le séchoir. Quelques goélands attirés par l'odeur s'approchent. Elle empoigne son bâton de pèlerin et balaie le ciel pour les éloigner. Les gros oiseaux sont agiles et ils ont faim. Ils réussissent facilement à éviter le grand bâton et les tentatives maladroites de Nadine. Elle les trouve beaux et elle ne voudrait pas en blesser un par mégarde. Ses efforts consistent simplement à les garder en respect.

Devant le succès mitigé de ses efforts, elle se dit que le feu fera davantage d'effet pour les dissuader. Les goélands s'éloignent pour un moment. Pour les contenter, elle leur lance les entrailles et la peau à plus de trente mètres. Les goélands sont comme des enfants mal élevés qui se précipitent vers les restes en criant et en se chamaillant. Elle éclate de rire. « Un bon moyen de faire du recyclage ! » Elle n'aura plus besoin d'enfouir les restes des poissons et des perdrix. Elle les laissera à ses amis volants.

Rapidement, Nadine place tous les morceaux de poisson sur le séchoir. Elle ajoute, de temps en temps, du bois vert et des feuilles sur le feu en évitant de brûler le séchoir, ou de cuire la viande, mais juste assez pour maintenir une fumée dense. Elle surveille les alentours, car les goélands n'ont pas eu peur du feu très longtemps.

« La journée va être longue ! »

Un peu plus tard, Nadine mange quelques noix et boit l'eau qu'elle a eu la bonne idée d'apporter avec elle sur la plage. Le soleil tape fort et, sur la grève, il n'y a aucun endroit pour s'en protéger. Dès qu'elle s'éloigne, les goélands attaquent. Vêtue d'un simple t-shirt, elle sent rapidement sa peau chauffer sous le soleil de plomb. Son teint de blonde en subit les assauts. Bien sûr, sa crème solaire lui revient en mémoire… elle n'est pas dans ses bagages…

En milieu d'après-midi, sa peau rougie lui fait mal. Le soleil est encore haut et elle a besoin d'ombre et d'eau. « C'est assez pour aujourd'hui. » Elle reviendra terminer le séchage le lendemain. Cette fois, elle sera mieux préparée. Elle entasse les pièces de poisson à moitié séchées dans deux sacs hermétiques. Puis, elle les dépose dans son frigo-rivière en ayant soin que les oiseaux ne puissent les pêcher sous son nez.

Elle est rassurée par l'expérience de cette journée, même si la tâche de faire sécher des aliments est plus difficile et plus complexe qu'elle ne le croyait.

En prévision de ses besoins du lendemain, elle apporte près de son séchoir improvisé du bois, des feuilles et du foin pour le feu. Une autre idée trotte dans sa tête depuis quelques heures. Elle sourit. « Ça vaut la peine d'essayer. » Elle place des cailloux ronds en deux tas à côté de la structure. Ce soir, elle fabriquera une fronde. Pourra-t-elle l'utiliser correctement ? Cette bonne vieille méthode lui procurera un autre moyen de se défendre ou de chasser.

Fatiguée par l'inactivité, Nadine délie ses muscles par une petite marche dans la forêt, d'où elle revient avec des herbes, des tubercules d'apios et des framboises. Elle a aussi vu de la gomme d'épinette qu'elle pourrait ajouter à ses tisanes. Sans récipient approprié pour la collecter, elle l'a laissée sur l'arbre. Une autre randonnée sur la plage et elle revient avec un beau paquet de clams qui accompagneront le reste du saumon de la veille. « Décidément ! Cette région est presque un jardin ». Si elle restait ici ! Pour attendre qu'on vienne la chercher ? L'idée lui convient un petit instant. Puis elle hoche de la tête. Elle n'attendra pas. Elle préfère prendre charge de sa vie plutôt que de la subir.

Après son dîner, assise devant son feu, elle place à côté d'elle un bout de la camisole qui servira de panier à la fronde et trois lanières de la peau d'orignal. Deux pièces deviendront les languettes et l'autre, qu'elle coupe en deux, complétera le panier.

Elle travaille lentement avec des outils peu adaptés à ce genre d'activité. Mais pour une rare fois, ce rythme lui convient très bien. Pendant ce temps, le soleil se cache au-delà de la mer. La nuit se remplit d'étoiles, prémices d'une journée claire pour le lendemain.

Son visage et ses membres brûlés par le soleil lui font mal. Elle n'a pas de comprimé de *Tylenol* pour éviter la fièvre, ni de crème rafraîchissante pour redonner à sa peau un peu d'hydratation. Même la tisane au thé des bois, dont elle connaît les effets anti-inflammatoires, a peu d'effet pour calmer la douleur. Malgré la sensibilité de ses jambes et de ses bras, le sommeil la gagne. Une nuit sans rêve. Comme une trêve entre deux cauchemars.

Au matin, Nadine se rend très tôt sur la grève. Elle a tout ce qui est nécessaire pour passer cette journée aussi ensoleillée que la veille. Elle est beaucoup mieux préparée. Bien sûr, elle a le bâton de pèlerin qui ne la quitte plus. Elle possède maintenant une fronde… du moins c'est assez ressemblant… et une provision de cailloux ronds. Elle a ses dards. Sa gourde est pleine d'eau fraîche et elle a un peu de noix et des fruits. Elle a les sacs hermétiques remplis des poissons à moitié séchés.

Pour se protéger du soleil, elle utilise le tapis de sol, celui qu'elle place généralement sous la tente, ainsi que des lanières supplémentaires. Elle fixe des lanières à deux coins de la toile et à deux pieux qu'elle a fabriqués avec des bouts de branches et qu'elle pousse profondément dans le sol. Ce côté de son abri touche presque le sol et fait face au soleil. Pour relever le côté opposé, elle insère la pointe de deux dards aux deux autres coins de la toile et y attache des cordes confectionnées avec des lanières attachées bout à bout; Nadine fixe l'autre bout des cordes au sol avec des pieux, les plaçant dans un angle de 45 degrés avec la toile. Cette structure plutôt précaire résistera au vent léger qui balaie la plage. Elle place ses effets sous cet abri.

« Allez ! Au travail maintenant ! »

Les bêtes nocturnes n'ont pas mis à sac son séchoir qui tient encore solidement debout. Elle replace les branches sur le dessus puis, méthodiquement, elle prépare son feu.

Son installation prête, elle y dépose les pièces de poisson. Sa fronde en main, elle attend les goélands qui ne tardent pas à venir lui crier par la tête. Elle place un caillou dans le panier de la fronde, empoigne les deux languettes et fait tournoyer la fronde au-dessus de sa tête. Un vrombissement bruyant se fait entendre. Peut-être que ce sera assez pour les éloigner ?

Non, il faut mener l'expérience jusqu'au bout. Elle doit apprendre à lâcher le caillou dans une direction choisie, sans s'assommer elle-même et sans atteindre le séchoir. Par prudence, elle s'en éloigne de quelques mètres. Elle prend une languette fermement dans sa main et l'autre, celle qu'elle lâchera, entre le pouce et l'index. Elle fait tournoyer; un tour, deux, trois tours; un goéland s'amène malgré le bruit; elle lâche la languette et le caillou vole en l'air très loin du goéland. Quand même, ce dernier a bien vu le caillou arriver à grande vitesse et il a changé de direction.

De toute évidence, elle devra se pratiquer pour obtenir le résultat souhaité. Elle lâche un soupir. Dans ce coin de pays, il n'y a rien de facile. Puis elle hausse les épaules. Après tout, elle a le temps. Elle regarde le tas de cailloux et identifie un arbre à vingt mètres. Elle place un caillou dans la fronde, la fait tourner. Elle lâche le caillou qui roule à dix mètres devant elle. Elle fait la tête, découragée. « Merde ! » Redressant l'échine, elle recommence l'exercice.

Ainsi, pendant que le poisson séchait, Nadine a pratiqué l'art de la fronde. Au deuxième tas de cailloux, elle touche l'arbre à tous les trois ou quatre coups. Ce n'est pas demain qu'elle frappera la tête d'une perdrix. Malgré le piètre résultat, le vrombissement constant a tout de même gardé les goélands loin des poissons.

La journée passe vite alors que Nadine s'entraîne et alimente le fumoir. Elle doit tourner les poissons et se réfugier régulièrement sous son abri pour protéger son corps des chauds rayons du soleil. La fin de l'après-midi arrive sans crier gare. Nadine ramasse le poisson séché et le met en sécurité dans les sacs hermétiques. Ensuite elle transporte tout son matériel, y compris les structures du séchoir, de la plage à son logis.

Nadine termine cette belle journée par un plongeon dans l'eau froide de la rivière pour se rafraîchir, se laver, démêler ses cheveux et brosser ses dents. Pendant qu'elle relaxe dans l'eau et masse ses épaules endolories par la pratique de la fronde, Nadine fouille sa mémoire. Comment fait-on du savon artisanal ? Des herbes odorantes, de la graisse animale et une forme de produit caustique. Elle n'est pas certaine. Bon, elle vérifiera l'information dans Wikipédia une fois qu'elle sera de retour à la maison.

C'est à la lueur du feu qu'elle fait l'inventaire de ses possessions. Son chapeau crotté porte encore les traces de la boue noire, mais il protège efficacement son visage du soleil. Elle a deux chandails à manches courtes ainsi que deux pantalons avec le bas qui se détache. Son bagage contient aussi deux soutiens-gorge, deux petites culottes, un chandail à manche longue, trois paires de bas, une ceinture et une paire de bottes. Elle a un imperméable et un pantalon de pluie ainsi que des lunettes de soleil dans leur étui. Elle possède aussi le briquet plein aux trois quarts, un petit poêle, une bonbonne de gaz, sa machette, son chaudron maintenant un peu cabossé, sa tasse, son assiette, son couteau de poche ainsi qu'une fourchette et une cuillère. Elle a sa gourde et le filtre. Dans ce coin, tout cela est un véritable trésor.

Il lui reste une seule camisole. L'autre est devenue une débarbouillette, quelques tampons pour les ampoules, un bandeau pour ses cheveux et un panier de la fronde. Elle a sa tente, une lampe-chandelle, un tapis de sol, un sac de couchage, un matelas, et bien sûr, un sac de montagne.

Elle possède cinq sacs hermétiques. L'un pour la mousse sèche, deux autres, le poisson séché, puis un quatrième contient des herbes et des racines; quant au cinquième, il est vide. Il lui reste quatre enveloppes de repas secs, des noix et fruits séchés ainsi que quelques biscuits.

En cours de route, elle a fait l'acquisition d'un bâton de pèlerin, d'une dizaine de dards, d'une fronde et d'un fémur qui lui sert de massue. Elle a une trentaine de lanières en peau d'orignal y compris celles qu'elle a récupérées en défaisant le séchoir.

Son butin s'est accru dans les derniers jours. Avec fierté, elle réalise qu'elle a amélioré son sort. « Je suis de plus en plus riche ! » Son attitude un tantinet capitaliste la surprend. Nadine baisse la tête et soupire. Elle n'a personne avec qui partager cette richesse. Elle ne peut même pas faire du troc. Les larmes lui montent aux yeux, mais elle résiste de toutes ses forces. Elle ne laisse pas le découragement l'envahir. « Je ne lâcherai pas. »

Elle serre les dents. Partir tout de suite… Retourner chez elle le plus vite possible... Elle avale difficilement. Cette fois, elle ne cédera pas à cette impulsion. Elle se souvient de son erreur dans l'immense forêt. Elle aurait dû s'arrêter pour se reposer et panser ses plaies. Sa témérité et sa hâte de trouver la civilisation l'avaient placée dans une mauvaise posture qui aurait pu lui coûter la vie.

Elle n'est pas prête à partir tout de suite. Son expérience du plein air lui indique qu'une journée supplémentaire sur ce site lui sera bénéfique. D'abord, il y a ses pieds dont les ampoules ne sont pas assez guéries. Puis ses muscles endoloris par l'exercice physique inhabituel de la dernière semaine ont encore besoin de repos. Alors, cette fois, elle sera raisonnable et elle attendra une autre journée avant de partir à nouveau sur la route.

Assise devant le feu, elle compte les jours depuis son réveil sur la montagne qu'elle continuait d'appeler, un peu ironiquement, le « mont Logan ». Elle en est à la huitième journée. C'est le 1er mai… Soudain elle ne peut retenir ses larmes. Son cœur s'arrête de battre quelques secondes. C'est aujourd'hui leur anniversaire de mariage. Alex et Nadine, ils se sont juré fidélité, alors qu'ils avaient à peine vingt ans, il y a de cela 35 ans. Elle a la mort dans l'âme. Depuis leur mariage, jamais ils n'ont été séparés ce jour-là, célébrant ensemble ce moment important. « Jusqu'à ce que la mort vous sépare… disait la formule. Alors, il me suffit de rester vivante, pour te retrouver Alex ! »

Qu'est-ce qu'elle fait là toute seule ? Ce n'est pas du tout ce qu'elle voulait faire de sa vie… Sa retraite, ce n'était pas pour vivre une aventure seule en plein bois. Elle souhaitait une vie un peu plus calme et douillette près des siens.

Que fait Alex en ce moment? Est-ce qu'il pense à elle? Est-il à sa recherche ? Est-il mort de peur pour elle ?

Dévastée, elle laisse tomber son corps sur son lit. La face dans le sac de couchage pour éponger ses pleurs, Nadine crie sa douleur : « Alex ! Alex ! Viens me chercher ! Ne me laisse pas toute seule ici ! » Elle finit par s'endormir avec de grosses larmes coulant le long de ses joues et de gros soubresauts qui secouent autant son âme que son corps.

Chapitre 11

Montréal — janvier 2011

— Tu veux un biscuit ? demande Nadine qui ne tient pas en place.

Alex la remercie et replonge le nez dans son livre. Elle se lève pour attiser le feu dans le foyer sans qu'il en ait vraiment besoin, revient s'asseoir sur le bout des fesses pour se relever quelques minutes plus tard pour chercher son thé. Elle fait le tour de la table du salon, chasse du bout du doigt un grain de poussière invisible.

Son petit manège dure déjà depuis deux heures. De temps à autre, Alex lève les yeux pour observer la fébrilité de sa femme, mais il ne force pas la conversation. Un autre que lui aurait laissé éclater son impatience. Alex connait sa Nadine. Il valait mieux attendre qu'elle soit prête à expliquer ce qui l'agite tant. Entretemps, son agitation évacue un trop-plein d'énergie. Quand le calme reviendra, qu'elle aura tourné vingt fois l'idée qui la ronge dans sa tête, sa fougueuse compagne s'expliquera.

Le dernier roman de Chrystine Brouillette est pourtant passionnant. Il a hâte de voir comment Maude Graham, l'héroïne du roman, réagira quand elle comprendra qui est le meurtrier. Soudain, il ne sait pas pourquoi, mais le calme retombe et la pièce redevient silencieuse. Il lève les yeux et aperçoit Nadine, assise en face de lui, sur la table du salon. Depuis combien de secondes est-elle là? Il tente de décoder son humeur : confiante, satisfaite, espiègle ? Elle attend qu'il cesse sa lecture. Bon, il devra attendre pour terminer son chapitre, mais, sans l'avouer, l'attitude de Nadine l'intrigue autant que l'enquête palpitante du bouquin. Lentement, un peu pour allonger le suspense, il place son marque-page, referme le livre et le dépose à côté de lui. Il croise les bras et regarde sa femme avec un demi-sourire.

Il allait enfin découvrir la cause de toute cette tempête intérieure. D'ailleurs, elle n'attend pas qu'il parle et elle saute, comme à son habitude, directement dans le vif du sujet.

— Devine quoi… Je prends ma retraite.

Alex cache sa surprise. Il reconnaît le ton de voix et la détermination dans cette toute petite phrase. Cela ne donnerait rien de discuter de cette décision. Il adopte le même ton.

— Quand ça ?

— À la fin du mois.

Alex se penche et prend les mains de sa femme entre les siennes. Il n'est pas homme à la décourager; cette décision arrive un peu subitement. Que s'est-il passé qu'il ignore ?

— C'est rapide, non ? Tu veux en parler un peu plus ?

Nadine éclate de ce rire franc qui la caractérise. Maintenant que l'idée qui trottait dans sa tête depuis des semaines est exprimée verbalement, elle se sent mieux. Alex affiche un visage songeur, les sourcils fronc— és. De ses yeux noisette, il observe sa femme intensément. Comme pourrait-il comprendre en quelques secondes ?

— Tu sais, j'y pense depuis des mois. J'ai fait tous les calculs et je peux me le permettre.

— Je ne suis pas inquiet pour l'argent. Je m'inquiète pour toi. Ton travail a toujours été très important. Tu as toujours du monde qui t'entoure, une place appréciée de tous. Tu n'as pas peur de t'ennuyer ?

De ses grands yeux bleus, Nadine sourit à son mari; encore une fois, cet homme généreux n'a que le bonheur de sa femme en tête.

— Non. Tu sais, prendre sa retraite veut dire seulement qu'on arrête de faire les activités rémunérées que l'on faisait avant. Ça ne veut pas dire qu'on cesse d'être actif.

— OK. Alors, qu'est-ce que tu vas faire de tes journées ?

— Je prépare cette retraite depuis des années. Je veux dessiner, je veux écrire. Je pourrai mettre à profit la chambre que j'ai aménagée depuis quelque temps.

— C'est vrai que tu passes de belles heures dans la « salle des arts », comme tu l'appelles. Par contre, si tu y passes la majorité de ton temps, tu seras seule avec tes crayons et ton iPad. Tu aimes le monde et tu as de la difficulté à t'en passer. Tu as même hâte de revenir de voyage afin de revoir ton monde. Tu vas trouver cela difficile, je crois.

— Tu as raison et je suis réaliste. J'aurai besoin de voir du monde. Je devrai trouver des groupes de peinture et je participerai à des ateliers d'écriture. Puis, je garderai mes amis. Je les verrai plus souvent, c'est tout.

Alex est perplexe. Pourquoi si rapidement ? Or, si sa femme a pris sa décision, c'est sans appel. Il n'est pas réellement en désaccord avec la décision, mais il craint un coup de tête.

— T'en as parlé avec Marie ? Ou Bernard ? Avec les enfants, Dominique ou Anne ?

— Non. Tu es le premier avec qui j'en parle. Marie va appuyer ma décision. Bernard est médecin et son travail, c'est toute sa vie; c'est certain qu'il aura de la difficulté à comprendre que l'on puisse quitter un bon emploi quand on peut encore pratiquer sa profession. Même s'il ne comprend pas, il acceptera ma décision, j'en suis certaine.

— Bon. Et moi ? Tu sais que j'ai l'intention de travailler encore une dizaine d'années.

— Je comprends. Pour toi c'est différent. Tu as ta firme d'ingénieurs-conseils et tu as encore beaucoup de plaisir à faire ton travail, surtout maintenant que notre fille marche sur tes traces.

— Si tu n'aimes plus ton travail, tu peux changer d'organisation. Tu l'as fait il y a cinq ans.

— Ce n'est pas l'organisation que je n'aime pas, c'est le travail lui-même. Je veux faire autre chose. C'est comme cela que je vois ma retraite, faire autre chose sans avoir de comptes à rendre à personne… excepté moi-même.

Alex se lève. Il l'entraîne et la prend dans ses bras pour l'étreindre très fort.

— Si c'est ce que tu veux, si cela te rend heureuse, alors c'est important que tu la prennes cette retraite. Tu as bien fait de te décider.

C'est ainsi que Nadine a changé sa vie, comme elle le dit souvent. Travailler apporte de la satisfaction alors que créer lui procure du bonheur. Lorsqu'elle entre dans sa petite pièce juste à elle pour quelques heures, elle se sent vivante et trouve dans ses petits talents des formes d'expression qu'elle n'avait jamais eu l'occasion de cultiver. Son jardin secret s'épanouit. Comme si Nadine avait plusieurs vies qui, comme des *pop corn*, se permettaient de transformer leurs graines en quelque chose de plus grand qu'elle. C'était beau, c'était bon et c'était complètement elle.

En quelques mois, sa vie a pris du relief, s'est remplie d'activités, est devenue une sorte de renaissance. Nadine faisait ce qui la passionnait. Elle n'a jamais regretté sa décision.

Chapitre 12

Jour 9 — 23 juillet

La loutre de mer qui habite l'embouchure de la rivière s'avance dans l'océan avec ses petits à la recherche du petit-déjeuner familial. Nadine retient son souffle pour ne pas les effrayer. La journée s'annonce belle. Sa tisane goûte les feuilles de framboisiers et les aiguilles d'épinette; curieusement en harmonie. En elle aussi cohabite cette sensation ambiguë de n'être nullement chez soi et de se sentir bien quand même face à cette mer tranquille. Sa pensée vogue loin. Dessiner… Elle aimerait faire le croquis de ce petit paradis sans chaise longue, sans bière fraîche ni un bon livre.

Qu'est-ce qu'elle aurait donné il y quelques années pour ce calme absolu, ce retour a la nature ? C'est pour vivre pleinement ces doux moments qu'elle a pris sa retraite. Depuis, elle en a noirci des tablettes de croquis… Par beaux jours, elle quitte la maison avec ses cahiers et ses crayons, pour visiter un coin de son pays qu'elle aime. Elle choisit quelque chose de particulier, un effet lumineux, une ombre qu'elle n'avait pas encore vue, un objet hétéroclite, une histoire humaine, un personnage typique ou atypique. S'enveloppant dans la frénésie créatrice, elle écrit, elle dessine, elle prend en photo une scène éphémère pour en conserver l'impression trop volatile. Elle aime regarder la vie qui s'exprime devant elle. Puis, des heures plus tard, elle revient chez elle avec ses gribouillis qui forment des bouts de l'histoire humaine. Un jour, elle en fera un recueil, ou quelque chose d'autre, cela reste encore imprécis...

Depuis son arrivée ici, Nadine cherche à imprimer dans sa mémoire des images parce qu'elle sait que rien ne pourra l'aider à prouver ce qui aura été vrai. Pas d'appareil photo ni de coffret d'artiste. Cela l'amène à se gaver de toutes les belles images qui bombardent son cerveau. Pour emmagasiner ces impressions de toutes sortes qui se tamponnent depuis ce premier matin.

Elle boit lentement le reste de tisane, le regard perdu sur l'immense océan. La veille, elle s'est fait la promesse de se reposer aujourd'hui. Mais, au cours des derniers jours, elle a compris que certaines activités doivent être accomplies avec une régularité qui protège la vie. Elle détache ses yeux de cette mer envoûtante et elle se dirige vers sa première caverne.

Elle y a le feu à maintenir, avant même d'entreprendre sa journée.

Une petite marche sur la grève pour dégourdir ses jambes, une pratique de tir à la fronde pour améliorer son habileté puis une visite dans les bois pour ramasser le reste de framboises, cueillir quelques herbes, explorer le bord de la rivière. Elle fait une provision d'apios, qu'elle apportera sur la route. Elle fouille sans succès la forêt pour remplacer ses noix, une source importante de protéines dans son alimentation, dont la réserve est presque épuisée. Elle classe et ensache précieusement sa récolte puis décide de faire sa lessive. Elle brasse d'abord ses vêtements à grands coups d'eau saline et elle rince dans la rivière tout ce qui peut être rafraîchi, blanchi, débarrassé des traces d'errance.

Ainsi elle se retrouve nue sur son matelas mousse, sous la toile qui la protège du soleil, à regarder ses vêtements se balancer au vent. Le plaisir de porter des vêtements propres, même s'ils ne sentiront pas l'assouplissant, la réconcilie avec son éducation de femme moderne. Même le sac de couchage, accroché à une branche d'arbre, prend l'air.

Observant la situation, Nadine se met à rire aux éclats. « Ce serait tellement drôle si la civilisation me retrouvait là, en ce moment. » Elle imagine l'air ahuri d'Alex l'apercevant toute nue sur cette plage.

Pendant que ses vêtements sèchent, elle doit préparer son départ. Oui, une autre étape devient essentielle, pour trouver… un sens à tout cela !

Elle explore l'idée de rester sur place comme le préconisent les nombreux manuels de survie en forêt. La personne perdue conserve mieux son énergie et peut contrôler son environnement immédiat. Il faut laisser des signes pour qu'on la retrouve facilement, comme de la fumée par exemple. C'est aussi plus facile pour les sauveteurs de trouver une personne immobile en forêt plutôt qu'une personne en mouvement constant.

Or, elle est restée quatre jours entiers, presque cinq, à la première caverne. Personne n'est venu à elle malgré les feux qu'elle a maintenus tous les jours et toutes les nuits. Pire encore, elle n'a toujours pas trouvé, ni vu, de trace de cette civilisation qu'elle recherche.

Son instinct lui dicte d'avancer, de trouver cette civilisation par elle-même. Elle partira. Elle quittera cet endroit, même si elle l'apprécie beaucoup.

Pour confirmer sa décision, Nadine s'adresse au vent qui siffle à ses oreilles. « S'il fait beau, je pars demain; s'il pleut, j'attendrai la prochaine journée ensoleillée. » Elle n'est pas à une journée près, et elle préfère commencer cette nouvelle portion de son voyage sous le soleil.

Quelle direction prendra-t-elle ? Nadine regarde au nord, à l'est, à l'ouest et au sud. Elle descendra vers le sud, enfin plutôt vers le sud-ouest. Elle suivra la plage, qu'elle voit s'étirer loin vers l'ouest puis, elle ira vers le sud. Aura-t-elle plus de chance de trouver un semblant de civilisation vers le sud que le nord ? Elle n'en sait rien. Par contre, vers le nord, elle ne voit que la mer. Vers le nord-est, il n'y a que des escarpements rocheux à l'allure infranchissable. Alors elle ira vers le sud.

Nadine a maintenant de la nourriture sèche pour plus d'une semaine, pourvu qu'elle collecte des fruits, des herbes et des racines le long du chemin. Puis, si elle arrive à trouver de la viande fraîche ou du poisson frais, elle peut étirer sa réserve sur au moins deux semaines. Ces provisions seront-elles suffisantes ? Plus qu'elle n'en mangera sans doute, mais l'incertitude la rend prévoyante.

Se souvenant amèrement de son expérience de la dernière semaine, elle favorisera sa sécurité et sa santé. Limiter le temps de marche de chaque journée. Ses ampoules aux pieds n'étant pas complètement guéries, il serait très imprudent de pousser sa limite et de risquer de se blesser à nouveau. Elle commencera à marcher tôt le matin pour profiter de la fraîcheur, puis elle s'arrêtera au plus tard en milieu d'après-midi. Cela lui donnera le temps de monter un camp sécuritaire, chercher suffisamment de bois pour maintenir un feu toute la nuit, se reposer et prendre le temps de bien s'alimenter.

Elle a calculé dix jours. Peut-être qu'elle en marchera quatorze, si les conditions sont faciles et qu'elle ne s'épuise pas trop. Ainsi, elle marchera entre 150 et 200 kilomètres avant de devoir s'arrêter à nouveau pour quelques jours. Elle ne veut pas pousser sa réflexion aussi loin. Elle trouvera une civilisation d'ici là. N'est-ce pas?

Nadine s'habille avec des vêtements un peu raides qui grattent un peu et qui sentent le grand air. Elle plie soigneusement les autres et les place dans le sac de montagne. Heureusement qu'elle a une ceinture, car son pantalon est maintenant trop grand pour elle. Elle a perdu au moins 10 kilos dans les neuf derniers jours de son aventure.

Elle a fait une dernière visite à la rivière pour pêcher du poisson. Le saumon est l'un de ses mets favoris; il est nourrissant, gras et riche en protéines. Il lui apporte donc tout ce dont elle a besoin. Ce sera son dernier repas frais avant un bon bout de temps.

À la fin de cette magnifique journée, Nadine s'assoit à l'entrée de sa première caverne. Elle regarde la marée qui monte tandis que le soleil descend à l'horizon. C'est à la fois beau et paisible. Elle sent la nostalgie l'envahir. Depuis son arrivée, l'absence des siens et l'éloignement de Montréal pèsent lourd sur son âme. Demain matin, elle partira d'ici, laissant derrière elle ce coin de terre qui l'a vue renaître. Elle a aimé ce plaisir solitaire d'être responsable à 100 % d'elle-même. Le souvenir de sa première caverne sera important. Les goélands vont lui manquer. Elle soupire profondément pour empêcher les larmes de couler sur ses joues; à quoi bon déchirer son âme encore plus ?

Reprenant son humeur, Nadine termine son dernier projet de la soirée et de son séjour à la première caverne. Elle a préparé quelques bouts de bois qu'elle a attachés avec des lanières : son « journal ». Sa mémoire lui servira à raconter ses aventures après son retour à la maison. À défaut de pouvoir écrire précisément ce qu'il lui arrive chaque jour, elle comptera. Ainsi, Nadine attache ensemble six bouts de bois. Le premier porte la date du 23 avril, gravée au couteau et représentant la dernière nuit au chaud dans son lit avec Alex. Le deuxième bout de bois porte sept marques allongées, pour le rappel de sa première semaine d'aventure. Sur le troisième elle a tracé deux entailles, hier et aujourd'hui. Neuf petits signes qui ne pourront jamais exprimer parfaitement toutes les angoisses, les apprentissages, les petits bonheurs, les dangers affrontés, pas plus que le chemin parcouru. Nadine se sent réconfortée parce que l'exercice lui permet de rationaliser le temps en fonction d'un outil, un calendrier, qui lui rappelle cette civilisation qu'elle ne trouve plus.

Intentionnellement, elle choisit de tenir un journal pour quatre semaines supplémentaires. Consciente que c'est plus long que les dix jours prévus, elle ne veut pas tenir pour acquis qu'elle trouvera la civilisation le lendemain ou dans le prochain kilomètre. Ainsi, elle évitera de sentir cette déprime qui la guette à chaque fin de journée. Il sera plus facile de vivre le prochain bout de chemin si elle assume qu'elle couchera dehors le soir venu. Ce journal l'aidera à réaliser que la route sera longue. Si la civilisation apparaît entretemps, elle en sera fort heureuse et agréablement surprise.

Son journal contient donc cinq semaines en tout, soit trente-cinq jours. Elle veut graver son journal de bois tous les soirs. Après tout ce temps à marcher vers le sud, si elle n'a toujours pas trouvé la civilisation, elle devra revoir sa stratégie. Cette pensée lui donne des sueurs froides et fait trembler ses mains. Elle préférerait ne pas y penser, mais dans la situation actuelle, ce serait comme se laisser ballotter au vent et cela augmenterait l'insouciance, où le danger peut se cacher. Rester réaliste et pragmatique l'aidera à y faire face physiquement et mentalement, si cela devenait nécessaire.

Enfin, le soleil se couche de l'autre côté de la mer et les bruits de la nuit s'installent. Déterminée à se lever tôt, Nadine a presque tout rangé. La caverne redeviendra vacante. Quelqu'un l'occupera-t-elle après elle ? Y reviendra-t-elle un jour ? Sur le mur du fond, là où le petit courant d'air frais passe, Nadine veut apposer sa signature. Elle retire un tison des abords du feu, le broie pour en faire une sorte de craie noire puis, elle pose sa main sur le charbon de bois. Lentement, dans un geste qui pourrait avoir été posé il y a 25 000 ans, elle imprime sa main puis, en dessous, elle écrit les lettres malhabiles :

« Je suis vivante ! » Et elle signe N A D I N E.

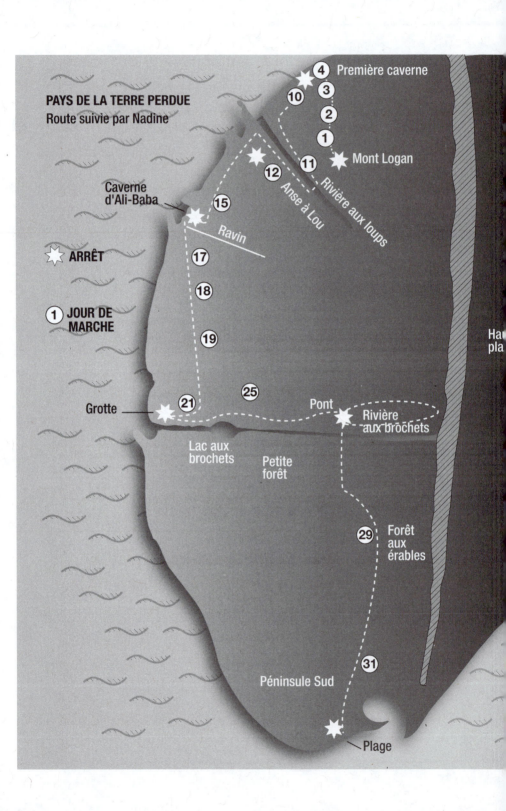

Chapitre 13

Jour 10 — 24 juillet

« Je veux trouver la civilisation ! Je veux partir tout de suite ! J'en ai marre de ce silence ! » Elle engueule le vent qui s'en fout éperdument. Il fait la sourde oreille. L'air se laisse aspirer puis suit le fil invisible de son chemin vers la montagne, laissant derrière lui des vaguelettes sur la mer et un petit bruissement dans les feuilles qu'il froisse. Inutile de s'en prendre aux courants d'air. Elle aussi va faire de l'air…

Nadine est tendue. Elle est habitée par cette frénésie des jours de début de randonnée. Elle n'arrive pas à dormir longtemps au cours de la nuit qui précède le jour du départ. Aujourd'hui ne fait pas écart à son caractère énergique. C'est comme si son corps était survolté pour qu'elle puisse tout faire en un temps record puis partir. Elle a des fourmis dans les jambes. Son cœur palpite d'excitation. Elle a hâte de partir. Son séjour à la première caverne a assez duré. Il est

.

temps de pousser son chemin plus loin, avancer dans sa quête.

La nuit s'étire encore. Sur la plage silencieuse, on voit fondre les dernières étoiles. Le soleil apportera bientôt sa lumière éclatante, transformant complètement ce coin de paradis. Dans l'aube naissante, un petit morceau d'humanité exprime sa vie : un feu brûle encore. Des ombres sur les murs de pierre imitent sans le savoir l'agitation fébrile de la résidente.

Nadine bouge sans arrêt, tantôt à gauche, tantôt à droite, au fond de son logis, quelques pas dehors; tout pour passer le temps qui s'égrène trop lentement. Depuis un bon moment, elle aiguise sa patience pour « faire arriver plus vite le moment du départ », comme si elle tirait sur le temps de ses deux mains. Son sac de montagne est prêt, le chaudron plein d'eau est à côté d'elle. Le soleil va-t-il enfin oser se montrer ? Elle attend ce moment qui lui permet de voir où elle marche. D'un geste vif, elle vide l'eau sur le feu et elle écarte les cendres mouillées pour s'assurer que tout est éteint. Elle place le chaudron dans son sac de montagne. Accroupie, elle le vérifie une dernière fois en y sécurisant ses nouveaux outils. Elle se redresse et elle hisse son fardeau sur ses épaules. Elle attache solidement la sangle sur son abdomen. Ainsi, elle ne blessera pas son dos ni ses épaules durant sa marche.

Avec fierté, elle jette un dernier regard dans la caverne, construite de ses mains. Elle sourit en voyant l'empreinte de sa main noire sur la roche grise. Dehors, entre la plage et son logis, elle voit le cairn et la grande flèche en roches pointant vers le sud-ouest. Pour permettre à ceux qui la rechercheraient de savoir qu'elle est bien vivante. Elle part dans l'aube naissante qui étend son manteau brumeux sur l'horizon, sans se retourner. Reviendra-t-elle un jour à cette première caverne qui l'a vue renaître ? Son corps en mode « pilote automatique de marcheuse », ses idées se bousculent dans sa tête, sans même qu'elle n'y prenne garde.

Les derniers jours l'ont changée. Son audace l'a poussée dans une marche totalement insensée entre la montagne et la mer. Partie sur un coup de tête, elle a mal évalué les risques et les conséquences. À la suite de trois jours d'une marche extrêmement difficile en forêt, elle a repris son aplomb malgré la situation alarmante dans laquelle elle se trouve. Les derniers jours de repos lui ont apporté le temps nécessaire pour y réfléchir profondément. Se méfiera-t-elle de son tempérament à l'avenir ? Elle le devrait…

Mais l'humain est un être complexe. Si son attitude téméraire l'a portée à foncer tête baissée dans l'aventure, elle lui a aussi probablement sauvé la vie. Une marcheuse prudente, perdue en forêt, aurait attendu que les sauveteurs la retrouvent. Ainsi, elle aurait épuisé ses réserves de nourriture et aurait dû par la suite accomplir cette marche de trois jours; l'épuisement et la solitude l'auraient plongée dans des conditions encore plus dangereuses. La passivité est aussi dangereuse que la témérité !

Comment peut-elle trouver le juste milieu pour assurer sa sécurité tout en restant dans l'action ? Utiliser son instinct, maîtriser intelligemment sa fougue et son audace tout en écoutant la voix de la sagesse et de la prudence. Elle soupire. « Ce ne sera pas facile avec ce foutu caractère de rebelle ! Au point que lorsque je n'ai personne pour contrecarrer mes plans, je me contredis moi-même ! » Cette idée la fait sourire. Elle se réconcilie avec sa personnalité. Tout est utile en somme…

Elle marche rapidement, en prend conscience. Elle s'arrête et se retourne. Elle ne voit presque plus la première caverne. Le soleil resplendissant lui montre cette tache de sable blond que repoussent les vagues de la mer. Sa première caverne n'est plus qu'une petite roche grise perdue dans le vert de la forêt. « C'est un lieu magnifique, mais j'espère ne plus jamais revenir ici. »

Certes, elle n'oubliera jamais cet endroit où elle a découvert sa grande capacité à vivre seule dans la nature. Sa ténacité face à l'adversité est beaucoup plus grande qu'elle ne l'aurait cru. Puis elle a trouvé en elle une immense résilience, cette capacité de certains humains d'absorber les évènements que la vie place sur leurs chemins et d'intégrer les apprentissages qui en résultent pour grandir un peu plus chaque fois. Cette pensée achève de la calmer.

Sa volonté de survivre s'est renforcée. Nadine comprend mieux son immense besoin de vivre. Elle veut vivre intensément, avec les siens, sans ce gros chagrin causé par l'absence de sa famille et de ses amis. En cet endroit, elle a pleuré toutes les larmes de son corps. Plutôt que de la plonger dans la dépression, cette expérience a décuplé sa détermination. Elle veut retourner chez elle. C'est en poursuivant sa route qu'elle arrivera à retourner à Montréal, avec les siens, dans son monde bien à elle.

Le repos des derniers jours a guéri ses pieds et ses mains. Il a soigné ses courbatures et jeté une grande sérénité sur son âme. Le sourire aux lèvres, Nadine marche sur la plage qui s'étend loin devant elle.

Elle reprend sa randonnée vers le sud-ouest. À sa droite, la mer est calme. Seul un petit frisson parcourt les flots sous l'influence d'une brise fraîche. À sa gauche, dans la forêt, les oiseaux se réveillent sur le doux matin. Au-dessus de sa tête, les goélands volent en tous sens et chahutent. Une danse pour lui dire au revoir ? Suivront-ils longtemps sa progression du haut des airs ? Se sont-ils attachés à elle comme elle l'a fait avec eux ? Elle lève la tête pour mieux les observer. « Adieu les gars ! Vous allez me manquer !.»

Nadine commence une nouvelle étape. Elle préfère rester positive et parler « d'aventure » plutôt que d'avoir des idées comme « dans quel pétrin je me trouve » ou « c'est la plus mauvaise blague qui existe ». Elle ne comprend toujours pas ce qui l'a amenée à se réveiller seule sur le haut du mont Logan. Jamais Alex et ses amis ne la placeraient volontairement dans une situation pareille. Ils auraient planifié un jour ou deux peut-être, mais certainement pas une semaine, encore moins dix jours. Puis, elle le sait, ils auraient surveillé sa progression, assuré sa sécurité. Elle est persuadée qu'en ce moment, ils la recherchent avec autant d'énergie qu'elle-même tente de rentrer chez elle. Pour les aider, elle suit son instinct qui lui dicte de trouver par elle-même le chemin du retour.

Avec une certaine fierté, elle constate que la marche est beaucoup plus facile aujourd'hui. Son corps est habitué à la vie dure. L'exercice physique intense et quotidien des derniers jours, ainsi que la perte de poids, l'ont mis en forme. Elle a répondu efficacement à ses besoins alimentaires en trouvant suffisamment de protéines et d'hydrates de carbone pour conserver la masse musculaire dont elle a besoin pour poursuivre l'aventure. Ainsi elle porte le sac de montagne plus facilement en dépit de tous les outils supplémentaires qu'il contient. Elle respire mieux et l'effort l'essouffle moins vite. Elle est en santé et la vie coule ardemment dans ses veines.

« La vie est belle ! Ne t'en fais pas Alex, je reviens chez nous… bientôt ! »

La femme d'âge mûr a fière allure à marcher sur cette plage. Elle porte un pantalon raccourci de couleur marine et un t-shirt bleu pâle. Ses bottes tachées, avec ses bas rendus gris qui en dépassent, dénotent son expérience de la vie au grand air. Son chapeau tout en guenille couvre son teint de blonde et ses lunettes de soleil protègent ses yeux bleus. À la ceinture pendent son couteau et sa boussole à gauche et la fronde à droite. Dans sa poche de pantalon, quelques cailloux s'entrechoquent. À son mollet est attachée sa machette. De la main gauche, elle tient son bâton de pèlerin. Ses cheveux de couleur plus sel que poivre, qui poussent sans bruit, volent sous le vent léger à chacun de ses pas, malgré le bandeau qui les retient.

On voit bien la pochette de la tente orange, bien attachée en haut de son sac de montagne ainsi que le matelas en dessous. D'un côté du sac, on remarque le fémur d'orignal qui lui sert de massue et de l'autre côté, les dards qu'elle a si patiemment fabriqués.

Pendant que le soleil grignote le ciel, Nadine marche sur une plage sans fin. À certains moments, alors que la marée haute ne lui laisse qu'un peu d'espace, elle retire ses bottes et ses bas pour marcher dans la mer. Même avec de l'eau jusqu'aux chevilles, la marche sur le sable tassé est facile et agréable. Nadine aime faire de la route.

Le paysage change lentement. Elle le perçoit au loin. Elle s'avance sur la plage de sable aussi loin qu'elle peut. Puis elle s'arrête pour évaluer la situation. Un groupe de rochers bloquent sa route. La montagne dépose ses pieds dans l'eau, étirant les jambes loin dans la mer. De ses yeux vifs, elle observe les environs. La mer a mangé une partie de la forêt et morcelé le littoral rocheux.

Comment peut-elle éviter l'obstacle ? Elle lève la tête pour mieux observer la paroi qui s'élève de quelque 40 mètres. Elle place son sac de montage en sécurité entre deux roches, puis elle grimpe agilement pour atteindre un plateau. De là-haut, elle a un excellent point de vue; respectant le vertige qui l'assaille toujours quand elle se retrouve en hauteur, elle s'assoit face à la mer, le temps de faire un tour d'horizon.

Peut-elle attendre que la marée descende pour faire le tour par la plage ? Comme la marée ne descend que depuis peu, l'attente durerait plusieurs heures. De plus, elle voit que ces rochers s'avancent profondément dans la mer et très loin vers le sud-ouest. Il serait très difficile de franchir cette barrière sur toute sa distance, le temps d'une marée. Le risque qu'elle reste coincée sur une plage entre deux rochers est trop grand; pire, elle pourrait devoir s'accrocher à la falaise pour éviter la noyade.

Ainsi, elle décide de s'éloigner de la plage pour continuer sa route, en passant par la forêt qu'elle voit au-dessus de sa tête. Y a-t-il un passage vers le sud ou l'ouest ? Alors elle grimpe un peu plus haut jusqu'à la forêt pour voir ce qu'elle peut y trouver. Nadine atteint un palier solide, plus plat, en bordure de la forêt. Marchant en direction sud à travers la forêt de conifères, elle trouve rapidement un sentier. Il n'est pas très large, mais le crottin présent sur le sol indique que des orignaux l'utilisent, tout comme quelques prédateurs, probablement des loups. Le sentier semble traverser la montagne d'est en ouest.

« C'est bon. La chance est de mon côté. »

Elle s'apprêtait à poursuivre sa route quand son cœur bondit dans sa poitrine. Son air se rembrunit. « Quelle imbécile ! » Dans sa frustration, elle est en rogne contre elle-même. Si elle avait gardé son sac de montagne sur ses épaules, elle aurait pu reprendre directement son chemin. Malheureusement, elle l'a laissé en bas sur la plage. Elle doit faire demi-tour pour aller le chercher. Elle déteste cette perte de temps. « Allons ! Il faut ce qu'il faut. » Elle marche sur environ 400 mètres vers l'est où elle trouve un petit chemin qui mène à la mer.

Le fond de gravier délavé qui couvre le sol indique un ruisseau à sec. Rapidement, elle récupère son sac de montagne et refait le chemin inverse pour retrouver le sentier aux orignaux.

Elle est veinarde même si elle a perdu du temps. Mais que serait-il arrivé si elle avait dû marcher plus loin pour trouver le sentier ? Et si elle n'avait pas trouvé le petit ruisseau pour retourner à la plage ? Décidément, elle devra modifier ses habitudes. Dorénavant, son sac de montagne la suivra partout où elle ira.

Encouragée, elle s'arrête quelques minutes pour avaler un peu d'eau, puis elle repart dans le sentier en direction sud-ouest. La forêt est composée surtout d'épinettes. Elle a reconnu aussi, au passage, quelques bouleaux jaunes. Des oiseaux chantent dans les arbres, les écureuils courent le long des branches. Du coin de l'œil, quand la forêt lui donne l'espace, elle observe de grosses perdrix. Un lièvre surgit et la fait sursauter. La forêt est si dense qu'elle ne voit plus qu'à quelques pas devant elle. Ce rideau de végétation chasse le sentiment de sécurité qui l'habitait depuis le matin. Elle fait du bruit afin d'éviter de surprendre un animal qui pourrait être dangereux.

Loin de la plage et de la mer, le vent s'est éteint. Il fait chaud et l'humidité est pesante. Rapidement, le corps de Nadine se couvre de sueur. Elle chemine ainsi environ une heure, examinant la piste, les alentours et en écoutant attentivement les bruits de la forêt. Elle tient solidement son bâton de pèlerin à deux mains, tant pour battre son chemin que, éventuellement, pour se défendre. De temps à autre, elle entend les vagues qui cassent sur les rochers à sa droite. Cela la rassure. Le sentier la conduit dans la bonne direction sans s'éloigner de la mer.

Un peu plus loin, la forêt s'ouvre sur une grande clairière. Il y a des bleuets partout. Son estomac gargouille. « J'ai faim ! » Opportuniste, Nadine sort le chaudron bossé de son sac de montagne pour ramasser les fruits même s'ils sont petits et que plusieurs ne sont pas encore mûrs. Ils accompagneront très bien son déjeuner. Elle ajoutera aussi quelques feuilles tendres à sa tisane.

Elle est presque immobile dans une talle de bleuets lorsqu'un groupe d'orignaux s'avance. Sans bouger, Nadine observe ces gros mammifères, une mère et ses deux petits. Elle est surprise. Les femelles peuvent avoir deux petits à la fois, mais c'est inhabituel. À l'instar des humains qui peuvent aussi avoir des jumeaux, voire même plus, cela nécessite beaucoup d'énergie, surtout au cours de la première année. En nature, cela augmente considérablement les risques de mortalité infantile. Non seulement la femelle doit dépenser plus d'énergie pour les allaiter, mais ces derniers deviennent des proies faciles pour un loup ou un lynx. La mère, qui les élève seule, a plus de difficultés à les défendre, tous les deux, contre un ou des prédateurs.

Nadine regarde ce spectacle sans bouger. Le moindre mouvement de sa part les ferait fuir. Les orignaux n'ont pas une bonne vue. Même ses vêtements bleus ne les dérangent pas. Il est fort probable qu'ils ne la voient même pas. Comme ils ont le vent dans le dos, ils ne la sentent pas non plus. Les bêtes passent si près qu'elle a le goût d'allonger le bras pour flatter l'un des petits; seul son instinct de survie l'empêche de provoquer le courroux de la mère. Bientôt, ils s'engagent dans le sentier en direction sud-ouest, juste devant elle.

Pour leur donner de l'espace et du temps, Nadine décide de prendre son déjeuner dans la clairière. Ayant marché longtemps depuis son départ de la première caverne, elle choisit un repas plus soutenant au lieu de ses habituels noix et fruits séchés. Ainsi elle sort de son sac le repas d'œufs séchés.

Elle place le petit poêle au gaz en sécurité sur une roche plate, pour faire chauffer un peu d'eau. Sa deuxième camisole lui sert de nappe sur laquelle les bleuets sont déposés, le temps de préparer le repas principal.

Nadine regarde le sachet intact d'un air perplexe. Des œufs ! Cela fait changement du poisson ! Quand en aura-t-elle à nouveau dans son alimentation ? Les poules ne courent pas les bois ici ! Elle a vu tellement d'oisillons depuis son arrivée qu'elle sait que tous les bébés sont nés. De toute façon, elle crèverait de faim avant d'en manger. Bien sûr, ce serait très nourrissant, mais cela nuirait à la survie de l'espèce. Elle ne serait pas capable de faire cela.

Nadine verse l'eau chaude directement dans le sachet. Puis, avec sa fourchette, elle met un morceau dans sa bouche. « C'est tellement bon ! » Elle sourit. N'est-ce pas le même repas qu'elle a trouvé insipide, il y a de cela une semaine? Elle ne fera plus de remarques négatives quand Alex les proposera pour leur petit-déjeuner en montagne. Elle a faim. Elle déguste lentement, assise sur une roche, ses pieds sortis de ses bottes pour les reposer.

Nadine observe tout ce qui se passe dans la clairière. Elle entend l'eau qui coule en cascade à sa gauche, là où le sentier disparaît au sud-ouest. Un porc-épic se dandine en bordure du bois, des écureuils et des oiseaux s'affairent dans les arbres. Juste à côté, deux arbres portent des fruits. Des pommes peut-être ? Ou des poires d'amélanchier ? Elle n'est pas certaine. De toute façon, les fruits sont encore trop petits pour la cueillette. La forêt sent bon la résine d'épinette.

Nadine dépose le reste de bleuets dans le sac hermétique qui, il y a moins d'une heure, contenait un petit-déjeuner. Puis elle l'a fourré dans son sac de montagne, sur le dessus, pour éviter qu'ils ne s'écrasent durant sa marche. Elle remet ses bottes, replace son fardeau sur ses épaules et reprend la marche en direction du sud-ouest. En ce début d'après-midi, la chaleur humide l'accable. En quelques pas, elle devient moite. Cela lui rappelle cette longue randonnée en Amazonie équatorienne, il y a deux ans. Nadine, Alex et leurs amis ont marché de longues heures dans l'air chaud et humide de cette immense forêt. Ils étaient continuellement en sueur et leurs vêtements étaient aussi détrempés que s'ils avaient marché dans la rivière avec de l'eau jusqu'au cou. Devant la perte importante d'eau et d'éléments minéraux, ils devaient mettre un sachet complet de *gastrolyte* par litre d'eau. Ici, au moins, même si la sensation de chaleur est intense, il ne fait pas encore 50˚ C.

En milieu d'après-midi, le sentier dépasse la zone de forêt. Tout d'un coup Nadine se retrouve tout près de la mer, sur une plage. Elle a réussi à dépasser les rochers qui sortent loin dans la mer. Elle les voit maintenant au nord-est de sa position, derrière elle. Par contre, le débit rapide tombe en cascade dans la mer et les pierres bloquent le chemin vers le sud. Elle aperçoit les orignaux qui s'alimentent en pateaugeant. À l'arrivée de Nadine, la mère lève lentement la tête pour observer la nouvelle venue. Du haut de sa stature, l'orignal n'a pas peur. Nadine s'éloigne un peu.

Elle regarde autour d'elle, observe longuement la rivière. « Merde ! Un autre obstacle. » Nadine est découragée. Elle examine rapidement la situation. Elle devra trouver une solution qui, pour le moment, ne lui vient pas à l'esprit. Sagement, elle décide d'arrêter sa randonnée pour la journée. Nadine est satisfaite. Elle a fait un bon bout de chemin. Elle se dirige vers la plage où un bain dans la mer fera disparaître tant la sueur que la fatigue de la journée.

Puis, la routine s'installe. Trouver un lieu sécuritaire pour la tente et dégager un emplacement pour construire le foyer de pierres. Ramasser du bois et de la mousse pour le feu. Installer la tente. Puis Nadine se promène sur la plage pour relaxer ses muscles, pratique le lancer à la fronde et mange un dîner composé de saumon séché, de tubercules d'apios et de bleuets.

Avant que le soleil ne descende trop dans la mer, elle explore les alentours en prévision de sa journée du lendemain. Elle cherche une méthode pour traverser la rivière tout en garantissant sa sécurité. Les abords sont escarpés et le courant très fort. Est-ce qu'elle pourrait traverser à pied ? Non, Nadine ne s'y risquera pas; plus tôt, elle a vu le gros orignal dans l'eau jusqu'au cou presque partir avec le flot. C'est trop dangereux, trop risqué.

Il lui reste une solution. Demain, la randonneuse devra remonter la rivière jusqu'à ce qu'elle trouve un endroit plus sécuritaire pour la traverser. Elle perdra un temps précieux. Cette fois son instinct la pousse vers la sagesse plutôt que la témérité.

Une fois sa décision prise, Nadine peut enfin se détendre. Elle prend le temps pour déguster une dernière tasse de tisane où flottent les feuilles de bleuets auxquelles elle a ajouté des feuilles de thé du Labrador. La vue du coucher de soleil sur la mer réchauffe son cœur. Est-ce qu'Alex le regarde aussi de Montréal, assis sur leur patio, un café à la main ? Non. Il doit être fou d'inquiétude. Sa recherche doit prendre tout son temps.

Se sentant un peu plus proche des siens à la suite de cette journée, Nadine glisse son corps dans son sac de couchage et, bien camouflée dans sa tente orange, elle se laisse aller dans un sommeil bien mérité. Pendant un bon bout de temps, ses sens sont bercés par les sons de la nature qui viennent de la rivière aux eaux vives, des vagues sur la plage, des feuilles qui bruissent dans le vent tout autour. Quelques hululements lui confirment que les oiseaux de proie chassent sous le couvert de la nuit.

Malgré la fatigue, elle n'arrive pas à s'endormir. Elle sort, sans bruit. Le ciel s'ouvre comme un parapluie constellé d'un milliard d'étoiles. Ce ciel qu'aucune pollution de l'humanité ne dérange est trop lumineux, crée une image de voûte céleste comme on en fait au cinéma en 3D…

Le feu crépite, lançant des petits éclairs qui sifflent. Un grillon dans l'herbe. Des grenouilles qui coassent en bordure de la rivière. Elle apprécie ce calme, mais se prend à désirer les bruits d'une ville frénétique alors que pendant des années, elle a cherché le calme, le retour à la nature. Nadine se souvient qu'un ami un peu zen lui a souvent répété : « Tes pensées ont un pouvoir réel, tu sais. Ce que tu désires, tu vas le créer ! » Est-ce le cas, présentement ?

Nadine ajoute du bois sur son feu et retourne dans son habitacle. Elle a peut-être un pouvoir qu'elle ne soupçonnait pas encore, de transformer ses pensées en réalité… Admettant que cela aurait pu marcher une fois, parce qu'elle adore le calme, pourrait-elle renverser maintenant ce prétendu don afin de revenir dans l'atmosphère bruyante et rocambolesque de Montréal ? Sa vie endiablée d'avant quoi !

Chapitre 14

Jour 11 — 24 juillet

Nadine avance avec peine dans une forêt vivante. Sur leur pied unique, les épinettes sautent d'un point à un autre, formant un labyrinthe qui se referme dès qu'elle aperçoit un sentier. Chaque branche tente de l'agripper. Son sac trop lourd la ralentit. Elle suffoque et sent que sa tête tourne… Elle veut crier, mais aucun son ne sort de sa bouche.

Nadine sursaute et ouvre les yeux.

Le soleil tape sans merci sur sa petite tente orange. Nadine a mal dormi. Elle sort de ce cauchemar avec la nausée. Les arbres se liguaient contre elle, comme s'ils devenaient ses ennemis. Cette journée lui pèse. Les membres encore engourdis par le sommeil, elle sort la tête de sa tente. Le ciel est rempli de petits nuages. Le vent lève les vagues qui se coiffent de capuchons blancs. « Tant mieux. » Il fera moins chaud pour sa randonnée en forêt. Aujourd'hui, elle veut remonter la rivière vers un endroit où elle pourra traverser de façon sécuritaire. Puis, elle reviendra vers la mer pour continuer son chemin vers le sud.

Nadine est inquiète. Un mauvais pressentiment s'accroche à son âme et elle ne peut le secouer. Combien de kilomètres devra-t-elle parcourir dans sa journée ? Quelle sera la qualité du terrain? Trouvera-t-elle un sentier ? Peut-être devra-t-elle passer une nuit au cœur de la forêt ? Elle frissonne. Elle croise ses bras et ferme les yeux pour chasser l'affolement qui menace. Elle ne peut ignorer cette possibilité; elle doit même s'y préparer. L'idée ne l'enchante pas. Elle respire lentement pour chasser l'angoisse. Elle ne peut tout de même pas rester ici !

Elle regarde la rivière qui serpente loin dans la montagne vers l'est. De chaque côté s'étend ce rideau végétal très dense composé surtout d'épinettes. Sa randonnée d'aujourd'hui sera beaucoup plus dure que celle d'hier. Nadine regarde le ciel, la rivière, la forêt puis la rivière à nouveau. Le souvenir de cette pénible journée, dans la grande forêt au nord, s'infiltre dans sa tête et la fait trembler. Elle respire profondément en fermant les yeux quelques instants. Pourquoi ce pessimisme ? Lentement, elle sent l'énergie revenir dans son corps.

« Bon ! Plus vite je commence cette longue journée, plus vite je la terminerai. Allez ! Hop au boulot ! »

Maintenant que la routine est bien installée dans sa vie de vagabonde, elle accomplit ses tâches du matin avec une économie d'efforts. Une fois prête à partir, Nadine fait le tour du terrain, pour ne rien laisser derrière elle. Être obligée de revenir chercher un article dont elle aurait besoin serait une perte de temps inacceptable; si elle oublie quelque chose, elle devra s'en passer. Elle vérifie à nouveau.

Nadine tente de s'encourager. « J'y arriverai ! Ce n'est qu'une journée un peu difficile. Demain ce sera plus facile. C'est certain. » Son sac sur le dos, son chapeau sur la tête, son bâton de pèlerin en main, elle s'approche du cours d'eau et commence à remonter la rivière. Elle fait route vers l'est et le soleil frappe son visage de plein fouet. Elle ne voulait pas marcher à travers les arbres avec ses lunettes de soleil. Elles sont donc dans leur étui, dans son sac, pour les protéger.

Elle marche au fond de cette forêt mature qui complique sa route. La rivière aux bords escarpés est trop profonde pour que Nadine puisse marcher dans l'eau. Il n'y a aucun sentier pour faciliter sa randonnée. Elle avance dans un espace où elle doit zigzaguer entre les formes serrées, sans oublier plusieurs arbres déracinés qui jonchent le sol, avec leur cime en partie noyée dans la rivière. À plusieurs endroits, Nadine est obligée de tracer son chemin à coups de machette. Elle s'essouffle et cela ralentit considérablement sa progression. Le sol humide garde ses bottes détrempées. La montée est de plus en plus accentuée. La sueur coule dans son visage et dans son dos, ajoutant à l'inconfort que lui apporte cette journée.

En moins d'une heure, même en progressant lentement, Nadine est en nage. Ses bras et ses jambes portent les lacérations infligées par les branches d'épinette qui la fouettent de tous côtés. Ses vêtements sont tachés de gomme d'épinette. Son cauchemar revient la hanter.

A-t-elle une alternative ? Elle doit traverser la rivière pour poursuivre son chemin. Elle serre les dents, fronce les sourcils, essuie la sueur qui brûle ses yeux du revers de la main et chemine dans la sombre forêt, une foulée à la fois.

Quand le soleil atteint le milieu de sa course, elle profite d'un tronc d'arbre un peu plus sec pour s'arrêter. Le terrain est boueux et, depuis son départ, elle n'a pu s'asseoir nulle part pour reposer ses jambes. Elle a faim et soif. Elle mange une poignée de noix, la dernière de sa réserve de Montréal. Elle boit de l'eau. Elle ferme les yeux et tente de maximiser cet instant de repos. Mais elle ne s'arrête pas trop longtemps dans cette forêt dense qui la rend de plus en plus inconfortable. Très vite elle reprend sa marche sur ce terrain difficile.

De l'autre côté de la rivière, le terrain semble plus facile. Il y a bien sûr ces épinettes serrées, mais le terrain paraît plus sec et moins encombré. Elle voit moins de troncs d'arbres couchés au sol. Elle a hâte de traverser, mais le cours d'eau est encore trop large et trop profond. Plus Nadine monte dans la montagne, plus la rivière devient un torrent violent et bruyant.

Nadine continue malgré la fatigue. Il n'y a aucune autre solution. Elle ne peut monter son camp à cet endroit. Sortir d'ici avant d'étouffer…

Pour continuer sa route vers le sud, elle doit trouver un passage. Mais elle craint de devoir marcher le long de cette rivière jusqu'à sa source, probablement en haut de cette montagne au sommet dénudé qu'elle aperçoit, de temps en temps, entre les arbres. Pendant un instant, elle se demande si c'est le mont Logan. Elle aurait fait tout ce chemin pour revenir à son point de départ ? « Ce n'est pas possible. J'aurais vu la mer à l'ouest de là-haut. » Le mont Logan doit être un peu plus à l'est.

Nadine poursuit sa route en observant la forêt autour d'elle. Convaincue qu'elle devra dormir en forêt la nuit venue, elle cherche un arbre, un gros chêne par exemple, dans lequel elle pourra se réfugier à l'abri des prédateurs. Elle ne voit que les épinettes serrées, totalement inappropriées pour ses besoins.

La forêt devient de plus en plus oppressante et Nadine sent la peur l'envahir peu à peu. Elle entend des animaux qui se promènent dans les bois. Ils sont petits et rapides. Il ne s'agit donc pas de grands mammifères comme l'orignal ou le chevreuil. Soudain, un mouvement, une ombre l'attire. Elle voit une fourrure grise entre les arbres. Un loup. Nadine s'arrête et observe autour d'elle. Elle a la gorge serrée. Son cœur bat la chamade. Son sang se glace. Avec peine, refusant que la panique brise ses défenses, elle réfléchit.

Normalement, les loups ne s'attaquent pas aux humains. Mais ils l'épient depuis un bon moment. Elle réalise que ces animaux qui l'entourent sont plus forts, plus rapides, plus nombreux et surtout, plus sauvages qu'elle. L'horreur de sa situation la fait trembler. Ces prédateurs sont capables de détecter l'odeur de la peur. Cela la rend encore plus vulnérable et augmente considérablement le danger. Son instinct lui dicte de s'éloigner d'eux le plus vite possible. Ne pas courir. Ne pas paniquer. Faire vite. Rester calme. Faire vite. Respirer. Mettre un pied devant l'autre... « Facile à dire ! »

Un seul moyen... traverser la rivière le plus tôt possible et retourner vers la plage. Les loups la suivent de loin et se contentent de l'observer. Nadine n'est pas dupe. C'est une question de temps avant qu'ils se décident à l'attaquer. Même si les loups chassent généralement la nuit, ils peuvent le faire bien plus tôt dans la journée si une proie facile se présente. Or, elle est seule et beaucoup plus fragile qu'un orignal ou un chevreuil. Elle est la proie. Elle revoit l'animal à demi dévoré dans la forêt au nord… Face à une meute de loups, elle n'a aucune chance de s'en sortir.

Elle continue jusqu'à ce qu'elle trouve un coin où la rivière forme une cuve entre deux chutes, l'une qui vient de l'est et qui lui tombe presque dessus, l'autre qui dévale la pente vers le bas à l'ouest. Le courant est plus faible à cet endroit même si la rivière est très profonde et large d'au moins 20 mètres. Nadine peut traverser à la nage sans difficulté. Mais que peut-elle faire avec le sac de montagne ? Il est très lourd et risque de l'entraîner rapidement vers le fond du bassin.

Les loups se rapprochent. Nadine entend les grognements, des signaux entre eux. Elle sort sa fronde et quelques cailloux. La forêt lui laisse peu de place pour l'utiliser; son tir sera moins fort et moins précis. La fronde tourne en vrombissant. Les bêtes s'arrêtent, surpris par le son. Nadine lâche et le caillou frappe un arbre. Le son sec fait reculer les prédateurs. La femme lance deux autres cailloux avant qu'un loup en reçoive un dans le front. La meute se retire un peu plus loin.

Nadine n'a plus de doute. Elle doit traverser. Maintenant. À cet endroit. Elle ramasse une dizaine de branches qui traînent par terre et les attache avec des lanières pour faire un semblant de radeau. L'installation est précaire et ses effets seront mouillés. Mais son sac restera à flot. En vitesse, elle attache plusieurs lanières bout à bout pour faire une courroie qui lui permettra de tirer ce radeau de fortune.

Les loups s'approchent à nouveau. Ils n'ont pas eu peur très longtemps des cailloux. Leur stratégie s'est ajustée. Ils l'entourent complètement. Dès qu'elle décochera un caillou vers l'un d'eux, les autres en profiteront pour l'attaquer. C'est brillant. Elle est coincée. Elle ne peut pas gagner cette bataille. Elle doit fuir. Elle n'a pas le temps de faire d'essai. Elle enlève ses bottes pour les mettre sur le radeau de fortune avant que les loups referment le cercle un peu plus. Ils sont si proches qu'elle sent l'odeur forte de bêtes sauvages. Si son radeau se brise, son sac et ses bottes se retrouveront en bas de la rivière. Elle prend le risque, sinon c'est la certitude de servir de repas à la meute. Elle saute dans l'eau froide et souhaite désespérément que les loups ne la suivent pas.

La rive sud n'est pas très loin, mais l'eau qui descend de la montagne est glacée. Elle claque des dents. De froid ? D'effroi ? Nadine nage avec vigueur, tantôt en poussant le radeau, tantôt en le tirant. Si ce n'était de la courroie installée à la hâte, elle aurait perdu plusieurs fois tout son avoir.

Soudain, ses pieds touchent le fond. Bientôt, elle sort de l'eau sur la rive sud. Elle a tout son matériel avec elle. Elle a réussi ! Ouf !

Elle regarde sur l'autre rive. Une dizaine de bêtes grises l'observent. Une grosse meute qui tourne en rond, de dépit. Sa peur n'a baissé que d'un cran. Les loups peuvent nager comme les chiens quand c'est nécessaire, mais ceux-là n'ont pas l'air de vouloir la suivre. Peut-être que l'effort de traverser à la nage dans l'eau glacée de la rivière leur demanderait trop d'énergie. Ainsi, Nadine est devenue, à leurs yeux, une proie trop compliquée à chasser.

Elle respire mieux. Elle est soulagée. L'effet de l'adrénaline, qui a pompé tant d'énergie dans ses muscles au cours de la dernière heure, commence à s'estomper et laisse la place à une grande lassitude. Son corps voudrait dormir, mais elle n'a pas le loisir d'arrêter pour se reposer ni reprendre son souffle.

Les loups la surveillent toujours. Elle n'a pas l'intention de s'attarder pour voir ce qu'ils feront. Elle remet ses bottes mouillées. Elle défait rapidement le radeau de fortune pour récupérer les lanières en peau d'orignal qui lui ont été encore une fois si utiles. Elle remet son fardeau sur son dos et empoigne son bâton.

Gelée tant par l'eau froide que par la frousse qu'elle venait d'avoir, elle tremble de tous ses membres. Elle a de la difficulté à bien mesurer les racines et les roches qui jonchent le sol. Elle trébuche plusieurs fois. Elle respire profondément pour calmer les battements de son cœur. Puis elle se retourne, regarde les loups et, pour se donner du courage, elle lève le poing dans les airs :

— Je suis désolée les gars, mais je ne serai pas votre dîner ce soir.

Puis, un sourire crispé sur les lèvres, elle leur tourne le dos pour poursuivre son chemin.

Machette et bâton en main, elle reprend la route malgré la fatigue, cette fois en direction de la mer.

Quelques minutes plus tard, elle trouve un sentier qui se dirige vers l'ouest. Il est bien aménagé et Nadine peut y marcher d'un bon pas. Chaque mètre parcouru l'éloigne des loups. Selon l'angle du soleil, elle estime qu'il est plus de quatre heures de l'après-midi. Elle n'a rien mangé depuis le petit-déjeuner sauf quelques noix. Elle n'arrête pas. Elle veut mettre toutes les chances de son côté pour sortir de la forêt avant de monter un camp. Dormir dans une forêt dangereuse est tout simplement insensé et suicidaire. Elle pousse son corps s'aidant de son bâton pour allonger ses foulées.

Ses vêtements n'arrivent pas à sécher et sont inconfortables. Elle marche. Un kilomètre de plus. Un autre encore. Elle entend la mer quelque part en avant, mais elle lui semble être encore si loin. Elle est si fatiguée que toute son énergie ne sert qu'à surveiller le sol jonché de roches d'où sortent continuellement des racines. Elle doit éviter de tomber. Elle fixe ses bottes, aussi sales et délabrées que leur propriétaire. Regard fixe, mâchoires crispées, Nadine ressemble à un automate.

Le soleil commence sa dernière course vers la mer. Il descend trop vite à son goût, ce qui amplifie sa peur. Elle a de la difficulté à respirer. Sa tête tourne. La forêt, les loups, la nuit. Mauvaise combinaison. Elle ne veut pas mourir. Sur sa route, il n'y a aucun arbre assez gros pour qu'elle puisse s'y réfugier pour la nuit. Dans cette forêt dense, l'alternative serait de faire un feu directement dans le sentier et de dormir à la belle étoile. L'intuition du danger est partout. Pour se rassurer, elle tâte la poche de son pantalon dans laquelle elle a placé son briquet. Il y est. Après la baignade, va-t-il fonctionner ? Si le soleil tombe de l'autre côté de sa planète, elle devra l'utiliser pour préparer son camp. Il se videra plus vite. Elle ne veut pas. Elle en a trop besoin.

Elle marche encore.

Puis, au moment où le soleil s'approche de l'horizon et que le désespoir commence à s'emparer d'elle, la mer apparaît, à cent mètres à sa droite. Enfin ! Nadine quitte alors la piste de chevreuil et elle découvre un groupe de rochers en bordure de la mer.

Le vent lui fouettant le visage, elle admire les dernières minutes du jour. La boule incandescente qui lance ses rayons sur la mer pour l'enflammer va s'y perdre jusqu'à demain. Il ne lui reste qu'une petite demi-heure pour monter un camp sécuritaire. Même si elle tombe de fatigue, la routine la rassure. Le feu. Le bois. La tente. Le souper. Se laver.

Les vêtements secs endossés, assise devant le feu, ses tremblements causés par le froid et la peur diminuent peu à peu. Elle a mal partout. Sa tasse de tisane à base d'aiguilles d'épinette l'aide à se calmer. Cette journée d'angoisse et de terreur est finie. Est-ce que la nuit sera aussi terrifiante ? Et si les loups décidaient de traverser la rivière ? Ils la trouveraient facilement. Par précaution Nadine a allumé trois feux devant de sa tente qu'elle a appuyée à un rocher.

La nuit s'étant complètement installée, Nadine se retire dans sa tente pour dormir. Elle entend encore les loups hurler au loin. Elle couche tout habillée, sans enlever ses bottes, sur son matelas. Elle se couvre avec le sac de couchage pour tenter de calmer ses tremblements. Elle essaye de s'assoupir.

Elle ne dormira que d'un œil. Elle gardera les feux vifs en y ajoutant des branches régulièrement. Elle voudrait percer le langage des loups, pour s'assurer qu'ils ne viennent pas trop près. S'ils s'approchent pour l'attaquer, sa tente ne la protégera pas beaucoup. Elle devra se battre à la machette. L'idée ravive sa terreur.

Dormir en se concentrant seulement sur le bruit de la mer. Rationaliser sa peur des loups. Ne surtout pas rêver aux loups... Donner au corps le même rythme que les vagues, onduler, se balancer, respirer dans cet univers sans humain. Seule sur ce coin de terre. Épuisée par la lutte quotidienne, elle ferme les yeux sur l'idée que, demain, elle poursuivra sa recherche de la civilisation. Elle s'endort avec l'assurance de s'être approchée de son but, retrouver sa famille.

Chapitre 15

Montréal, 15 octobre 1983

Pourquoi les enfants naissent-ils toujours en plein milieu de la nuit ? Quelle est l'explication ? Cela ne fait aucun sens.

Assise dans sa nouvelle chaise berçante, celle qu'Alex lui a achetée en vue de l'arrivée du bébé, Nadine n'en peut plus d'attendre le jour J. L'horloge grand-père, qui fait partie du décor dans le grand salon depuis quatre ans, sonne sept coups. Elle a ses premières contractions. Elles sont encore légères, mais le message est clair : bébé s'en vient.

Elle en oublie son livre, qu'elle lisait depuis quelques minutes. Le pincement léger l'a d'abord fait sursauter. Puis, une grande joie a illuminé son visage. « Quel grand soulagement ! » Pour elle, l'attente se termine. Avec son caractère bouillant et un tempérament hyperactif, elle trouve difficile de suivre les ordres du médecin qui lui recommande de « rester tranquille et attendre ». « Qu'ils essayent eux ! Juste pour deux minutes ! » Là, maintenant, elle entre dans l'action et, l'expérience aidant, elle sait ce que la vie attend d'elle. Dans quelques heures, elle bercera doucement le poupon dans ses bras. Les yeux fermés elle se laisse imprégner par ce plaisir anticipé.

Alex donne le bain à Dominique, leur fils de deux ans. Leurs cris remplissent la maison de joie. Nadine sourit d'un air taquin. Il y aura de l'eau partout dans la salle de bain et, cette fois, ce n'est pas elle qui essuiera le dégât. Elle attendra encore quelques minutes pour leur annoncer la nouvelle. Elle laisse ainsi son fils se gaver de l'amour de son père encore un peu. Rien ne presse. Ils ont tout le temps voulu pour se rendre à l'hôpital.

Elle attend depuis si longtemps. Ce bébé a pris tellement son temps pour arriver que Nadine a l'impression d'être enceinte depuis 18 mois. Maintenant que le travail est commencé, elle se sent remplie de sérénité et de paix. Ils vont enfin savoir.

Depuis le début de la grossesse, ils se questionnent : un petit frère pour Dominique ou une petite sœur ? Un deuxième garçon ou une petite fille pour Nadine et Alex ? Un garçon s'appellera Frédéric; une fille, Anne. Dominique veut un petit frère. Maintenant que leur petit garçon est dans leur vie, Nadine et Alex aimeraient bien vivre l'expérience d'avoir une fille. Bien sûr, la nature a décidé depuis un bon moment, mais ils ne sauront que dans les prochaines heures. Avec leur attitude enthousiaste face à la vie, ils aimeront ce deuxième enfant qu'ils ont tant désiré, peu importe son sexe.

Son ami Bernard, médecin de famille, lui a parlé des ultrasons, une nouvelle technologie, pour obtenir une image de l'enfant. L'échographie s'implante à Montréal et bientôt à Québec.

Dans quelques années, cet examen deviendra une routine pour toutes les futures mamans. Mais pour le moment, les examens sont réservés pour les grossesses à risque, avait-il précisé à Nadine.

Lentement, elle monte l'escalier pour se rendre à sa chambre. Par des gestes simples pour économiser ses forces, Nadine sort la petite valise et y place tout ce dont elle aura besoin pour son séjour à l'hôpital. Elle dépose la valise refermée, prête pour le départ, sur le lit; Alex s'en occupera plus tard.

Puis elle se dirige vers la chambre de son fils pour préparer ses vêtements. Il en aura besoin pour quelques jours. Elle laisse le sac de voyage rempli sur le lit de l'enfant.

Dans la salle de bain, tout à côté, les cris de Dominique et de son père se mélangent aux bruits des éclaboussures d'eau. Quel jeu ont-ils inventé ? Elle aime entendre ses deux hommes jouer ensemble et rire aux éclats. Ils sont drôles dans leur bonheur. Lequel est le plus jeune des deux ? Elle serait incapable de le dire…

Puis, lentement, elle redescend au premier étage, s'y prenant à deux fois pour laisser passer une contraction plus puissante. Elle appelle sa mère.

— Maman ? C'est le temps. On va passer une belle nuit.

— Enfin ! Il était temps. Je passe chercher Dominique. Je serai chez toi dans une dizaine de minutes.

— Prends tout ton temps.

— OK. Je t'aime ma grande !

Au moment où Nadine raccroche le téléphone, Alex sort de la salle de bain avec son fils et se rend dans la chambre pour lui mettre son pyjama. L'enfant, roulé dans une grosse serviette de ratine et plié en deux sur l'épaule de son père, rit aux éclats. Puis le silence. De toute évidence, Alex a vu la petite valise.

— Nadine !

Elle voit son grand mari descendre les marches, quatre à la fois, avec un regard complètement épouvanté. Pourquoi les hommes réagissent-ils toujours ainsi à la naissance de leurs enfants ? Nadine, soulagée que ce moment soit enfin arrivé, affiche un calme inhabituel chez elle ; par contre Alex ne tient pas en place.

— Est-ce que c'est le temps ? Oh boy ! Il faut y aller ! T'as le numéro de ta mère ? Est-ce que j'ai de l'essence dans l'auto ? Elle est où ta valise ? Je vais chercher ton manteau. Non, il faut d'abord appeler le médecin.

L'homme bouge en tous sens, tournant même sur lui-même deux fois. Puis il s'arrête pour observer sa femme.

Devant l'air ahuri de son mari, Nadine éclate de rire. Alex a le visage tout rouge, les yeux exorbités, les deux bras ballants. Il respire bruyamment. Il est proche de l'état de panique comme ce fut le cas à la naissance de Dominique. Heureusement, elle a toute sa tête. Calmement, elle l'aide à sortir de sa terreur.

— Tout va bien. Nous avons le temps. Ma mère s'en vient chercher le petit.

— Je suis en train de faire un fou de moi ! Encore.

— Je t'aime.

— Je t'aime aussi.

Du haut de l'escalier, Dominique s'impatiente :

— Papa ! Froid !

— Bon ! Pour le moment, va t'occuper de Dominique. Pendant ce temps, je vais appeler à l'hôpital pour qu'on informe le Dr Matthieu. Ça te va ?

— Papa ! Papa !

— Bonne idée. Tu n'as besoin de rien ?

Dominique commence à pleurer.

— Non, vaut mieux que tu t'occupes de Dominique tout de suite.

— OK… Si tu le dis.

Trois heures plus tard, Nadine est allongée dans un lit de la maternité de l'Hôpital général de Montréal. La longue attente est bien entamée. Les contractions se rapprochent.

Alex, assis sur la chaise droite à côté du lit, tient un peu trop fort la main de sa femme. Des billes de sueur glissent sur le front du futur père, malgré la température plutôt fraîche de la salle. Ses cheveux hirsutes, les yeux hagards, le souffle court, il est incapable de contrôler sa nervosité.

— Alex, tout va bien. Dans quelques heures, notre deuxième bébé va être dans nos bras.

— Comment peux-tu être si calme ? Moi je n'en peux plus et il reste encore des heures à attendre.

Une contraction empêche Nadine de répondre tout de suite. Soudain, le visage d'Alex devient blanc comme un drap.

— J'aimerais pouvoir prendre la douleur à ta place.

Nadine sourit. Puis une autre contraction la fait grimacer. Alex serre les doigts de sa femme encore un peu plus. Il ravale puis regarde la parturiente d'un air taquin un peu forcé.

— Les contractions se rapprochent. Je pense que c'est le temps de respirer comme un petit chien.

Ils ont pratiqué cet exercice pendant les cours prénataux, suivis avant la naissance de Dominique. L'infirmière expliquait alors les choses de façon si loufoque qu'ils devaient faire de gros efforts pour rester sérieux, comme les autres futurs parents. Cinq semaines de rire réprimé ont marqué cette première préparation à la maternité.

Malgré la douleur, Nadine n'a pas pu faire autrement qu'éclater de rire.

Quelques heures plus tard, Alex et Nadine apprennent que la nature leur a fabriqué une magnifique petite fille de 6 livres et 5 onces[2], née à 1 h 46 du matin et qui a d'excellents poumons. Anne fait une entrée remarquée !

Le lendemain, alors que Nadine récupère de l'accouchement et que sa fille vient de prendre son boire, elle admire la plus belle image qui existe. Alex tient sa fille entre ses grands bras et lui fait des gazouillis.

---

2   2,9 kilos

Nadine a les yeux pleins d'eau tant elle est émue par cette scène.

Alex lève ses yeux noisette, lumineux de bonheur, vers sa femme.

— Elle est tellement belle. Tu crois qu'elle va nous donner du fil à retordre durant son adolescence ?

— C'est ta fille. C'est sûr qu'elle va nous en faire endurer.

— Je pense qu'elle ressemble plus à sa mère. Son adolescence va être terrible.

— Peut-être… tous les gars vont lui courir après…

Alex jette un regard totalement affolé vers sa femme :

— Ah non, il n'en est pas question. Je vais m'asseoir sur le perron avec mon fusil ! Il n'y en a pas un qui va oser l'approcher.

Nadine éclate de rire.

— Ce sera la pire adolescence qu'une fille peut vivre et à coup sûr, l'enfer pour son père !

Informé de l'arrivée de sa petite sœur, Dominique avait simplement répondu « OK ».

Nadine observe ce petit bout de femme dans les bras de son père. Comment sera sa vie ? Que deviendra-t-elle ? De quelle couleur seront ses yeux ? Portera-t-elle les cheveux longs ? Seront-ils de bons parents ?

Quand un enfant naît, c'est un miracle de la vie. On ignore totalement la suite, mais on sait que l'amour y est en abondance.

Pour que cette petite merveille se rende harmonieusement jusqu'à l'âge adulte, les parents devront travailler sans relâche pour fournir à l'enfant tout ce dont il aura besoin pour grandir en santé. La petite fille est déjà aimée sans condition. L'enfant jouera et rira. L'adolescente s'affirmera avec énergie. L'étudiante bâtira son avenir. L'adulte aura le soutien de ses parents pour accomplir sa vie pleine et entière.

Mais toujours, la petite pourra se réfugier dans les bras de ses parents pour trouver amour, réconfort et consolation. Avoir un enfant... c'est pour la vie ! Pendant ces premières nuits sans sommeil, Nadine berce Anne en chantonnant les vieilles comptines que sa propre mère lui avait chantées. « Ce sera une enfant de la nuit... celle-là ! »

Chapitre 16

Jour 12 - 26 juillet

Anne, mon bébé, où es-tu, sanglote Nadine en se réveillant après quelques minutes seulement de répit ?

Elle serre contre elle, à la manière d'une poupée de chiffon, son chandail roulé en boule. La nuit terrifiante qui a suivi la traversée de la rivière aux loups restera l'une des plus agitées depuis son exil forcé. Cette peur incontrôlable s'est amplifiée sous les bruits tellement agressants de cette nuit. Dans la brume de son cerveau fatigué, les images de sa fille se sont glissées doucement pour la sortir de la torpeur, certes, mais cela la bouleverse encore plus. Les ravages de la peur s'abreuvent aussi de la solitude, de l'absence de sa famille, de plus en plus lourde à supporter.

Nadine sent les larmes monter. Le souvenir de la naissance de sa fille Anne rend l'éloignement encore plus déchirant. Elle aimerait la prendre dans ses bras

239

et sentir sur son cœur tous les petits bouts de femme, de l'enfant à l'adulte : Anne à sa naissance, le bébé qui commence à marcher, l'enfant à l'école, la fillette qui perd une dent, l'adolescente, l'adulte et la femme devenue maman à son tour.

Elle n'ose pas bouger de peur que son corps se déchire de douleur, mais la force des images fait réagir Nadine. Son subconscient lui rappelle qu'une vie meilleure l'attend avec sa famille et ses amis. Du revers de la main, la mère efface les larmes qui brûlent ses joues. Elle ne lâchera pas !

Elle ne peut rester coucher plus longtemps. Même s'il fait encore nuit, elle choisit de bouger plutôt que de s'apitoyer. Les hurlements se sont tus. Les bêtes sont-elles retournées à leur tanière ? Nadine sort de la tente pour alimenter les feux. Heureusement, il y a beaucoup de bois mort à sa disposition sur la plage.

Puis, réalisant qu'elle ne dormira plus, elle s'assoit en bordure d'un feu. Enroulée dans son sac de couchage pour combattre l'humidité, elle écoute les bruits de la nuit s'estomper. Elle respire mieux et le calme revient dans son âme. À son grand soulagement, les bêtes féroces se sont éloignées.

Elle a hâte de mettre une bonne distance entre elle et ce territoire occupé par des prédateurs vicieux. À la lueur des feux, elle défait le camp, prépare son petit-déjeuner et remet de l'ordre dans son sac de montagne. Quand l'aube arrive, Nadine est prête à partir.

Dès que la lueur du jour est suffisante, Nadine grimpe sur un gros rocher pour mieux observer les alentours. La plage est visible très loin au sud-ouest. Aujourd'hui, sa route sera plus facile. C'est bien. Elle est tellement fatiguée qu'elle ne supporterait pas de vivre une deuxième journée d'affilée dans la terreur.

L'absence d'eau douce la préoccupe. Avec tout l'énervement associé à sa rencontre avec les loups, elle n'a pas eu le temps de remplir sa gourde et il lui en reste moins du quart. Elle ne voit pas de ruisseau à proximité. Il n'est pas question de retourner vers le nord pour chercher la rivière aux loups; elle filera directement vers le sud. L'eau dans sa gourde devra tenir le plus longtemps possible, jusqu'à ce qu'elle trouve une autre source d'eau douce. Pour économiser ce qui reste, elle n'a pas bu cette tisane qui remplace maintenant son café matinal. Au cours de la journée, elle ne boira son eau qu'une lampée à la fois, attendant le plus longtemps possible entre deux gorgées.

Avant de quitter cette plage, Nadine consacre un peu de temps pour pratiquer avec la fronde. Sa journée terrifiante de la veille l'a convaincue de l'urgence de maîtriser cette technique de chasse. Sa survie dépend maintenant en grande partie de son habileté avec cette arme. Elle pratiquera donc l'art de la fronde tous les jours.

Nadine sourit. Avec la pratique, elle sera peut-être capable de tuer une perdrix. Voilà que sa gourmandise refait surface ! Elle salive en se souvenant de la perdrix si savoureuse de la première caverne.

Nadine regarde le ciel. Le temps est incertain. Il y a des nuages lourds dans le ciel. Annonceraient-ils de la pluie ? Demain peut-être… Le vent du large est fort et il la garde bien au sec en dépit de l'air lourdement chargé d'humidité. Elle regarde vers le sud. C'est le temps de reprendre la route pour une autre journée qui la rapprochera des siens.

La randonnée est relativement facile. Elle marche tantôt sur une grève de cailloux, tantôt sur du sable où elle enlève ses bottes et ses bas pour laisser les vagues lui chatouiller les orteils. Nadine se sent beaucoup plus relaxe aujourd'hui. Le grand espace sur la plage l'aide à libérer l'oppression qu'elle a ressentie dans la forêt.

À sa gauche, le décor change de teinte et de forme. Des conifères vert foncé, cordés en talle dense et impénétrable, la nature affiche maintenant un vert pâle et frémissant d'une variété de feuillus. La forêt plus ouverte est composée de saules, de peupliers et de frênes. Quelques sapins baumiers résistent à cette invasion et libèrent leur essence suave qui chatouille agréablement ses narines et lui rappelle un peu l'odeur d'eucalyptus.

Quelques kilomètres plus loin, elle trouve sur son chemin, un petit cours d'eau qui descend de cette forêt en flanc de montagne. Elle remplit sa gourde, trempe ses pieds et lave quelques vêtements qui, accrochés à son sac, sécheront dans le vent.

Puis elle continue sa randonnée. Elle présente une silhouette plutôt drôle. Quand elle arrive dans un nouvel endroit, les oiseaux se taisent et les écureuils se dressent pour l'observer. Est-ce la vue de ce personnage étrange, marchant sur deux jambes et habillé de couleurs vives, qui a cet effet sur les animaux ? Ou l'odeur qu'elle dégage peut-être ? Probablement un peu des deux…

À l'heure du déjeuner, Nadine profite de la présence d'un gros frêne jetant son ombre en bordure de la plage pour s'arrêter. Le temps s'est éclairci, la mer est belle et le soleil caresse doucement sa peau. « C'est beau ici ! » Elle mange quelques fruits et un morceau de saumon séché. Puis, la fatigue s'intensifiant, elle détache le matelas mousse et le place sous l'arbre. Elle veut profiter de ce coin d'ombre pour dormir un peu. Il est plus sage de récupérer après les heures de sommeil perdues dans la nuit à écouter les loups. Le grand air et la fatigue rendent ses paupières lourdes même quand elle marche. Elle dormira une heure ou deux, quitte à terminer sa journée de marche un peu plus tard en après-midi.

Elle s'endort sur l'image merveilleuse de cette petite baie à l'abri du vent du large où ses pas se sont arrêtés.

Elle ferme à peine les yeux qu'elle doit les ouvrir grand, l'instant d'après. Ses sens sont aux aguets. « Qu'est-ce qui se passe encore ? Maudit pays ! » Elle entend une suite de bruits, un braiment tendu, un hurlement, des piaulements et de grands bruits de bois qui s'entrechoquent dans la forêt toute proche. Un troupeau d'orignaux ?

La curiosité l'emporte ! La fronde et son couteau attachés à la ceinture, la machette et le bâton de pèlerin en main, Nadine s'approche lentement du lieu d'où provient le bruit. Accroupie sous un immense pin, elle regarde un gros orignal piétiner et braire fortement. Ha ! il y a un loup qui essaie de l'attaquer. Au souvenir de la journée précédente, l'angoisse lui serre le cœur. Nadine regarde vivement autour d'elle, mais elle ne voit pas d'autres bêtes. Un seul prédateur ? Étrange !

Puis elle observe cette bataille totalement inégale. Elle se demande même si elle ne devrait pas aider… le loup ou l'orignal ? « Pas évident ! » Elle reste bien tranquille sous le pin pour observer la suite des évènements avant d'intervenir.

Soudain, profitant de l'inattention du prédateur, l'orignal lui assène un grand coup avec ses bois. Nadine a vu la bête, dans un grand cri de douleur, voler à plusieurs mètres et tomber, déjà morte, tout près d'elle. Ho ! La ! L'orignal lève la tête, crie sa colère et quitte la petite clairière d'un pas majestueux.

Nadine reste pétrifiée. Lorsque son cerveau se remet à fonctionner, c'est seulement quelques mots qui apparaissent dans sa tête... Peau... Viande... Steak.... Os... Alors elle s'approche pour examiner la carcasse; c'est une louve.

Nadine doit faire vite, car dans la forêt, un animal mort attire rapidement les charognards et pas nécessairement des petites bêtes. De grosses corneilles tournoient déjà un peu plus loin.

D'abord la peau. Nadine n'a jamais fait cela ! « Il faut que je la prenne ! » Avec son couteau, elle fait une incision le long des jambes. Ce n'est pas si difficile. Puis elle complète l'incision le long de l'abdomen. « C'est comme éplucher un poisson, mais cela prend un peu plus de force. » Puis elle tire et gratte pour détacher la peau de la carcasse. Bon, ça y est. Elle roule la peau et la place de côté.

La viande maintenant. Elle examine la bête sans peau, mais elle n'arrive pas à se décider. Des corneilles s'approchent, attirées par l'odeur et il y a d'autres bruits dans la forêt. Nadine aura bientôt de la compétition.

À grands coups de machette, elle détache une jambe puis une deuxième. À défaut de lui fournir une belle viande, elle pourrait utiliser les os. Avec le sentiment de voler quelque chose, elle se lève rapidement pour s'éloigner. Elle va mettre son butin en lieu sûr.

Elle se frappe le front du plat de sa main déjà gluante et le barbouille sans s'en apercevoir. « J'oubliais de prendre la cervelle pour le tannage. » Comment fait-on ? Pas le temps… les charognards rôdent… OK ! Prendre toute la tête. Et vlan ! Deux ou trois coups de machette. Il y a du sang partout. Ça la dégoûte. Elle respire par la bouche pour ne pas sentir l'odeur. Elle réprime un haut-le-cœur. « Pourtant l'odeur est bien moins forte que celle de l'orignal de l'autre jour. Quand même ! Quelle mauviette je suis ! »

Le bruit dans la forêt s'intensifie. Comme si quelqu'un avait crié à un groupe d'enfants affamés : « À table tout le monde ! » La chaîne alimentaire fait la queue pour se servir. Nadine sait que la carcasse ne fera pas vieux os. Un peu plus loin, elle roule la tête et les morceaux de viande dans la peau. L'odeur qui se dégage du paquet lui lève le cœur, mais elle s'obstine à le rapporter à son campement. Elle n'a pas le luxe de faire la fine gueule ni de se prendre pour une princesse. Ici, elle doit d'abord survivre.

En route, elle rencontre un groupe de grosses corneilles qui l'ignorent. Tiens donc ! Elles sont attirées par autre chose. Une bête plus petite ? Un jeune loup peut-être ? Nadine les laisse tranquilles et elle poursuit son chemin.

Elle s'arrête brusquement. Elle entend du bruit devant, comme une petite plainte qui vient de cet arbre. Elle s'approche délicatement, se penche sous les feuilles, encombrée par son paquet sous un bras et le bâton de pèlerin dans l'autre main. Par mesure de prudence, le bout affilé pointe vers l'avant. Nadine aperçoit un louveteau tout sale, encore attaché au placenta par le cordon ombilical. La louve venait de mettre bas. Il est très tard dans la saison. Est-ce pour cela qu'elle n'a pas enfanté dans la sécurité de la tanière ? Les meutes ont des comportements très stricts. Ceux qui ne sont pas dans la norme, comme le fait d'avoir des petits en dehors de la saison, sont rejetés systématiquement.

Nadine hoche de la tête. Ce qu'elle croyait être une attaque téméraire de la part du prédateur, était plutôt une tentative de la louve pour défendre ses petits. Elle en a eu deux et, de toute évidence, l'autre est mort et sert de repas aux oiseaux.

Deux grosses corneilles tentent d'avancer vers le petit être même s'il est encore vivant. D'un coup de bâton, Nadine leur fait savoir qu'elle ne les laissera pas s'approcher du bébé.

Nadine se penche au-dessus de la petite bête. Avec le bout de son doigt, elle lui fait téter un peu d'eau. Il bouge un peu. Son cœur de mère fond. Elle n'est pas capable de laisser mourir le petit louveteau, sans tenter de le sauver. D'un coup de couteau, elle coupe le cordon ombilical, puis elle attache le bout avec une lanière qu'elle sort de la poche de son pantalon. Elle place le louveteau, une petite boule d'environ un demi-kilo, dans son chandail qu'elle a coincé dans son pantalon en resserrant la ceinture. Son paquet sous son bras et son long bâton de pèlerin en main, elle retrace ses pas vers la plage, laissant ainsi toute la place aux carnassiers qui devenaient trop agressifs à son goût.

Arrivée à son camp, Nadine dépose le petit loup sur la peau de sa mère dans un coin à l'ombre, là où elle a essayé de dormir il y a moins d'une heure. Elle doit lui donner à manger pour qu'il survive. Qu'est-ce que l'on donne à un louveteau naissant ? Elle n'a pas de lait ni de biberon. Bon, sa dernière camisole prend du service. Elle trempe un bout de tissu dans l'eau et le dépose dans la petite gueule. Avec ses réflexes de bébé bien en place, il tète avidement le bout de tissu. « De la soupe peut-être ? Un bouillon de saumon… » Pourquoi pas ? De toute façon, si elle ne réussit pas à le nourrir, il mourra.

Pendant que le petit louveteau reste immobile, Nadine s'affaire. Elle prépare un feu. Heureusement, il y a beaucoup de bois sur la plage et elle n'a pas besoin de retourner dans la forêt pour chercher des branchages. Rapidement, le chaudron contenant de l'eau, du poisson séché et quelques morceaux d'apios, chauffe sur le feu. Avec la fourchette et la cuillère, elle brise les morceaux pour en faire une bouillie.

Le petit loup a faim et il se plaint comme un bébé humain. Alors, les réflexes de mère de Nadine se mettent en branle; car les bébés, elle connaît cela. Elle se souvient des premiers jours de ses enfants comme si c'était hier. Puis il y a les petits-enfants, quatre en tout, deux filles et deux garçons. Elle s'en est beaucoup occupée à leur naissance.

Elle soupire. Elle a hâte de les revoir pour leur raconter ses aventures. Avant que l'angoisse causée par l'absence des siens s'empare d'elle, elle prend le louveteau dans ses bras et se dirige vers le bord de la mer pour le laver. Il se laisse faire. Évidemment, il est si faible qu'il n'a pas la force de se débattre.

De retour près du feu, avec la petite bête frissonnante sur les genoux, Nadine trempe le bout de tissu dans la bouillie au saumon encore tiède et l'approche du petit museau. Il renifle un peu le bout de tissu puis l'attrape avec sa gueule. Après quelques tétées, il ferme les yeux et s'endort.

Nadine a peur que le nouveau-né meurt malgré ses efforts. Alors elle reste assise au coin du feu, le bébé loup sur les genoux, une main sur le petit cœur pour en surveiller les battements.

Il se réveille quelques minutes plus tard et elle lui donne à nouveau de la bouillie. Quelques tétées et il s'endort à nouveau. Le manège se répète plusieurs fois au cours de l'après-midi. Puis, satisfaite que le cœur du bébé loup ne s'arrête pas, Nadine le dépose près du feu, sur la peau de sa mère. Réalisant qu'elle ne poursuivra pas sa route plus loin ce jour-là, elle monte son camp pour la nuit.

Il fait beau et elle dormira dehors, près du feu, cette nuit. Ce sera plus facile. Le louveteau est encore très fragile, et comme un bébé naissant, il faudra chauffer la bouillie pour le nourrir toutes les deux ou trois heures, peut-être plus souvent, car elle ne lui donne pas le lait nourrissant de sa mère.

Pour ne pas attirer les carnassiers durant la nuit, elle déplace la peau de la louve, la tête et la viande à l'écart de son camp. Elle hisse son paquet haut dans un arbre pour éviter qu'il soit facilement accessible.

De retour au feu, le loup est réveillé et se plaint à nouveau. Encore un peu de bouillon. Cette fois, il en mange un peu plus. Puis il s'endort à nouveau. Nadine l'enveloppe dans sa camisole pour l'aider à conserver sa chaleur et le couche à côté d'elle. Pendant que le bébé dort, elle mange un peu de poisson et quelques fruits. Est-ce que les loups mangent des fruits ? Sûrement pas, car ils sont carnivores.

Et c'est ainsi que la nuit les enveloppa, deux cœurs solitaires prêts à accepter une autre vie malgré la différence. Quelque temps plus tard, Nadine se glisse dans le sac de couchage et elle s'endort, au bord du feu, avec son petit loup tout chaud dans les bras.

Plusieurs fois dans la nuit, elle se lève pour nourrir, tantôt le feu, tantôt le loup. Sur son journal de bois, l'entaille de cette journée comprendra une petite coche de plus, pour noter l'arrivée du louveteau dans sa vie.

Le cœur de Nadine accepte ce petit être, encore plus vulnérable qu'elle. Au milieu de cette nuit enfumée, Nadine veille. Son protégé s'appellera « Lou » et elle passe les heures creuses à lui raconter d'où elle vient, à lui dire qui elle est, à se prendre au jeu des histoires où s'expriment ses aventures des derniers jours.

Les deux orphelins se laissent bercer sans savoir ce que l'avenir leur réserve. Nadine vit cet instant comme si elle retrouvait d'instinct le rituel maternel qui existe depuis la nuit des temps.

Chapitre 17

Montréal — octobre 1993

— Maman, quand est-ce qu'on mange ? Lance Dominique en se dirigeant tout droit vers la cuisine.

— Dans une heure… répond Nadine sans s'énerver devant l'appétit d'ogre de son fils de douze ans.

L'horloge vient de sonner ses quatre coups. Nadine se frotte les yeux, fatiguée d'avoir buché toute la journée sur ce dossier. Installée au sous-sol, où elle partage un espace de bureau avec Alex, cette journée loin du va-et-vient lui a permis de se concentrer, ce qui n'est pas toujours possible en entreprise.

Elle entend le bruit des portes, le choc des ustensiles, l'eau qui coule. Dominique est un chapardeur très efficace. En moins de deux minutes, il remplit une large assiette de victuailles, un repas complet en somme, mais une simple collation pour ce grand adolescent. Sa croissance a été fulgurante. Ses grandes jambes arpentent le salon où il se laisse tomber sur le fauteuil puis, de ses longs doigts, il joue avec la télécommande.

Un roi ! Avant que Nadine ait le temps de le rejoindre, il a croqué une pomme, grignoté quelques chips et trouvé le poste avec les dessins animés.

En voyant sa mère arriver, Dominique avale d'un trait la dernière bouchée. Devant l'air interrogateur de sa mère, il précise :

— Ah ! Ça ? C'est juste une collation.

Nadine ne répond pas tout de suite. Le sourire aux lèvres, les yeux pleins d'amour pour l'adolescent, elle observe son fils en pleine transformation. Son visage affiche un air taquin.

— Est-ce que tu auras réellement faim avant demain matin ?

L'adolescent braque ses yeux sur sa mère avec une expression qui semble dire : « De quoi parles-tu ? Je vais mourir de faim si je ne mange pas d'ici une heure tout au plus… »

Puis il fixe les yeux de sa mère. En ce début d'adolescence, il a mis quelques secondes pour comprendre l'ironie de cette conversation.

Le fils et la mère rient de bon cœur. Par contre, Nadine sent, dans l'excitation de son fils, que la question du souper ne résonne pas juste de son estomac et en cache une autre.

— Pourquoi veux-tu savoir l'heure du souper ? D'habitude, sachant que le réfrigérateur est toujours plein, tu ne t'en inquiètes pas autant.

— Il y a une manifestation ce soir à l'école et je veux y participer.

Nadine s'y attendait. En après-midi, elle avait reçu un appel d'un membre du comité de parents. La conversation ne s'était d'ailleurs pas très bien passée. Elle espère que son adolescent a plus de discernement que l'adulte avec qui elle a discuté.

Nadine s'assoit sur le sofa en face de son fils.

— C'est à quel sujet cette manifestation ?

Le visage de Dominique se couvre d'un air inquiet. Il craint soudainement que sa mère refuse qu'il y participe en raison de l'heure tardive.

— Tu sais maman, les parents sont invités aussi. Tu peux venir avec moi.

— Peut-être. Mais d'abord, pourquoi tiens-tu à y participer ?

— La direction de l'école a suspendu Akhim parce qu'il porte un turban. Ça ne se fait pas ! Si on les laisse faire, demain ou un autre jour, ils me suspendront parce que j'ai les cheveux roux !

Ce n'était pas tout à fait la réponse que Nadine attendait. Elle en est si surprise qu'elle doit prendre quelques secondes avant de poursuivre la conversation.

— Es-tu certain que c'est la raison pour laquelle la direction l'a suspendu ?

Dominique regarde sa mère de ses grands yeux bleus.

— C'est ce que l'on dit à l'école.

— Qui dit cela ?

Se croyant très autonome pour ses douze ans, Dominique commence à s'impatienter face aux questions de sa mère. Après tout, c'est lui qui va à l'école.

— Mais maman ! Tout le monde le sait !

Nadine comprend la réaction de son fils, vivement influencée par la pression du groupe, une façon de s'intégrer tellement importante à l'adolescence. Mais elle doit l'aider à faire un pas de plus dans son éducation. Elle prend donc quelques secondes avant de répondre sur un ton plus doux.

— Ah ! Donc… si tous tes amis le disent… c'est la vérité. C'est ça ?

Dominique jette un regard perplexe à sa mère. Si son cerveau était un mécanisme, elle entendrait le bruit des roues d'engrenage chauffer à bloc tant elle voit les idées défiler dans les yeux de son fils. Puis, quand il parle enfin, ses propos montrent tout le chemin que ce jeune cerveau a parcouru en quelques secondes.

— Toi, tu sais quelque chose d'autre ?

Nadine est fière de son fils qui admet si facilement que ce qu'il croyait une vérité il y a quelques instants n'est qu'une impression de celle-ci, largement colportée par d'autres.

— Je ne sais pas pourquoi on a suspendu Akhim. Sauf que, tenant compte de ce que tu m'as déjà raconté, il pourrait y avoir une autre raison.

Dominique dévisage sa mère avec intensité.

— Qu'est-ce que tu veux dire ?

— N'est-ce pas Akhim qui, il y a un mois, a battu ton ami Anouk ? Ce dernier n'a-t-il pas passé plusieurs jours à l'hôpital suite à cette agression ?

L'adolescent ne parle pas. Il réfléchit intensivement. Nadine poursuit ses explications.

— Ne m'as-tu pas dit qu'il y avait des couteaux dans sa case ? Tu ne parlais pas du kirpan que portent les Sikhs, mais d'autres armes blanches.

— Donc, tu penses que sa suspension n'a rien à voir avec son turban ?

— Je n'en suis pas certaine, mais je pense qu'il pourrait y avoir une autre raison pour expliquer cette suspension.

— Mais, quand on a parlé au directeur adjoint, il n'a rien expliqué. Il n'a pas nié notre affirmation !

— Est-ce que tu penses qu'il pouvait vraiment vous dire pourquoi Akhim été suspendu ?

Dominique reste songeur. Nadine sent le doute s'installer dans l'esprit de son fils. Patiente, elle lui laisse le temps de terminer sa réflexion avant qu'il continue de déduire par lui-même.

— C'est sûr que si je devais être suspendu, je n'aimerais pas ça que la direction de l'école en donne les raisons à tout le monde.

Un large sourire exprimant toute la fierté qu'elle ressent pour son fils s'étire sur le visage de Nadine. Son fils vient de démontrer sa capacité à réfléchir pour analyser une situation aussi compliquée.

— Maintenant que tu comprends tout cela, est-ce que tu veux encore participer à la manifestation ?

Le doute s'affiche sur le visage de l'adolescent. Nadine comprend son hésitation à participer à une manifestation basée, possiblement, sur une interprétation erronée de la situation.

— Si je te disais que le comité de parents veut utiliser la suspension d'Akhim pour faire exclure de l'école les douze autres étudiants Sikhs ? Est-ce que cela changerait ta réponse ?

Dominique se lève d'un bond et, les deux poings fermés par la colère, il crie son indignation.

— Maman ! Ils ne peuvent pas faire cela ! Ce n'est pas juste ! C'est de la discrimination !

— Tu as raison. C'est pour cela que ton père et moi avons décidé d'aller à cette rencontre ce soir.

Dominique fixe son regard sur sa mère. Ses grands yeux d'adolescent expriment de la fierté pour ses parents.

— Je veux y aller aussi !

— J'y comptais bien !

Satisfait de sa discussion avec sa mère, Dominique retourne son attention à son assiette que l'intensité de la discussion lui a momentanément fait oublier. D'un bond, il s'assoit sur le tapis pour écouter son émission préférée. De jour en jour, il devient un peu plus un adulte, plus conscient de ce qui l'entoure. Mais, il est encore un jeune ado, capable en une seconde de se glisser dans la peau de l'enfant qu'il n'est plus tout à fait.

Ce soir-là, les interventions d'Alex, de Nadine et de Dominique ont largement influencé les décisions de la horde de parents inquiets. Akhim subira sa suspension, sans qu'on en connaisse vraiment la raison, et les autres Sikhs poursuivront leurs études sans être importunés.

Un peu plus tard en soirée, le fils a retrouvé sa mère, assise dans le grand salon, en face du foyer où s'éteint lentement un feu, sa dernière tisane de la soirée dans les mains et un livre ouvert sur les genoux.

— Merci Maman. Aujourd'hui j'ai compris que je dois faire ma propre opinion sur les évènements. Je n'aurai pas toujours toutes les informations, je devrai composer avec cela.

— Être adulte c'est un peu ça… accepter d'être confronté à des idées différentes de la sienne tout en comprenant que chacune est une vérité pour quelqu'un d'autre et qu'il faut la respecter.

— Et tout ça, tu l'apprends dans les livres alors ? ajoute-t-il en regardant le titre de l'ouvrage en cours de lecture.

— En partie. Tu vois celui-ci a été écrit par Harper Lee. Son roman traite d'une grave injustice raciale survenue en Alabama dans les années '30. Un Noir, accusé du meurtre d'une jeune Blanche, est déclaré coupable par un jury composé uniquement d'hommes blancs; alors que la preuve démontrait le contraire. Comme tu as pu voir ce soir, le sujet est encore d'actualité. Le livre est très bien écrit et il a gagné le prix Pulitzer de la fiction en 1961. Je trouve dommage que l'auteur n'ait écrit aucun autre roman depuis. Tu pourrais le lire, toi aussi…

Dominique dépose un baiser sur la joue de sa mère.

— Bonne nuit, maman.

— Bonne nuit, mon grand !

En quittant la pièce, Dominique n'a pas vu la larme qui a coulé sur la joue de sa mère. Une larme d'impuissance face à la vie qui sort trop rapidement son fils de l'enfance et la bouscule. Une larme de fierté qui démontre déjà la grandeur de cet homme en devenir.

Chapitre 18

Jour 13 — 27 juillet

— Sois patient… ta bouillie s'en vient, lance Nadine en s'activant autour du chaudron qui commence à fumer.

Lou a faim. Sa plainte ressemble à un bougonnement d'impatience, comme s'il était insulté d'avoir à attendre sa nourriture. Nadine le fait patienter un peu. Il n'en mourra pas. Le petit être est tout de même un animal sauvage. Elle devrait se méfier et… ne pas trop s'y attacher. Trop tard ! En quelques heures, il est venu combler un vide et elle l'a littéralement adopté.

Pour plusieurs mois, le jeune loup sera totalement dépendant d'elle. Elle doit s'en occuper et le protéger comme elle le ferait si c'était un jeune chiot ou un petit chaton. Mais, contrairement aux chats et aux chiens qui sont domestiqués depuis des millénaires, les loups demeurent des animaux sauvages difficiles à apprivoiser. Lou devra un jour retourner vivre dans son habitat naturel.

Il sera adulte en deux ans. Sera-t-elle capable d'observer les changements qui feront de lui un loup ? Elle et Alex ont si bien su le faire pour leurs enfants à l'adolescence. Saura-t-elle reconnaître ces étapes qui font grandir et vieillir, qui transformeront cette jeune bête en un animal adulte pleinement capable de prendre sa place dans une société de loups ?

Elle se rappelle chacune des étapes de la vie de ses enfants, les opportunités pour favoriser leur développement physique, émotif et social. Ils ont été des parents attentifs. Saura-t-elle faire de même avec Lou ? Pour le moment, elle ne peut répondre à cette question. Elle hausse les épaules et revient aux pleurs insistants qui ponctuent le silence.

Le louveteau demandant son attention très souvent, elle n'a pas dormi beaucoup au cours de la nuit. Elle a pris ce temps pour réfléchir. Pourquoi a-t-elle ramassé la petite bête dans la forêt sans en mesurer tous les effets ? Son instinct de mère et de grand-mère, évidemment. Elle n'a pas résisté. Pourtant, les conséquences sont lourdes. Hier, elle n'avait qu'à s'occuper de sa propre survie; aujourd'hui, sa responsabilité est double.

Que fera-t-elle avec ce bébé loup une fois qu'elle sera revenue chez elle ? Pourra-t-elle le garder à la maison ? Obtenir une licence pour animal domestique alors que Lou est un animal sauvage ? Devra-t-elle le remettre à un zoo qui sera mieux en mesure de s'en occuper ? Cela la désolerait beaucoup parce qu'elle déteste voir ces animaux sauvages privés de leur liberté.

En acceptant de prendre ce petit être sans défense à sa charge, elle lui a sauvé la vie. Le geste en soi en valait la peine. Mais elle souhaite vivement que sa décision de le garder ne vienne pas réduire leurs chances de survivre dans ce coin de terre qui lui *garroche* des épreuves quotidiennement.

Aujourd'hui, sa responsabilité est claire. Soit elle s'occupe de Lou, soit il meurt. Elle fera tout pour lui permettre de vivre. Nadine réfléchit. Pas de route aujourd'hui; elle laisse son camp là où elle l'a installé hier. Elle tourne sa tête pour mieux observer les alentours. Le bord de la mer fait une anse bordée du côté nord-est par une montagne qui a les pieds dans la mer; du côté sud-ouest, une longue pointe de terre s'avance dans la mer en demi-arc. La petite plage est donc relativement bien abritée contre les intempéries. La nuit dernière, elle n'a entendu aucun prédateur, sauf quelques oiseaux carnassiers qui s'attaquent plutôt aux petits rongeurs.

Cet arrêt temporaire lui donne le temps aussi de réfléchir à des projets qui trottent dans sa tête. Elle tannera la peau de la louve avant qu'elle se dégrade. Puis elle examinera la chair de loup pour évaluer sa comestibilité. Elle a déjà lu que la viande de carnivore est coriace et présente un goût très prononcé. Par contre, de mémoire, aucune de ses lectures ne déconseillait d'en manger. Son corps, qu'elle soumet à une vie rude, a besoin de protéines animales. Cette viande devrait lui en procurer.

Elle tourne la tête pour voir Lou enroulé dans sa camisole. Le nouveau-né a besoin de repos. Il dort encore beaucoup. Partir trop vite, même si Nadine le transportait dans son chandail, réduirait ses chances de survie.

La bouillie au poisson est prête. Le chaudron étant occupé pour nourrir Lou, elle mange des fruits et du poisson séché au lieu d'un repas chaud. Elle se prépare une tisane qu'elle fait bouillir directement dans sa tasse de métal déposée près du feu.

Alors que Lou dort à nouveau, Nadine récupère son ballot dans l'arbre. Aucun voleur n'y a touché durant la nuit. Elle étend la peau de la louve sur la plage, fourrure en dessous. Elle place des roches sur les coins pour la garder en place. Aussi délicatement que possible, elle gratte avec son couteau pour enlever toute la chair. Ce long travail qui lui donne mal au dos nécessite plusieurs voyages à la mer pour laver la peau, le couteau, ses vêtements et ses mains.

Une fois l'opération terminée, elle réfléchit au tannage. Elle a lu plusieurs livres où il était question de la vie des Amérindiens et, bien évidemment, du tannage de peaux. Ayant choisi de ne jamais chasser, Nadine a porté peu d'attention à tous ces détails. Le fait que la méthode existe lui a suffi. En ce moment, elle aimerait en savoir plus. Malheureusement, elle doit se contenter d'explorer par elle-même la façon de faire.

Accroupie près de la peau, les genoux dans le sable, Nadine examine la tête de la louve. Une odeur nauséabonde s'en dégage. Elle commence à se putréfier. Les yeux sont vitreux et la langue noire. Nadine maitrise à peine les haut-le-cœur. « Jamais je ne m'habituerai ! Je refuse de chasser ! » Seule sa détermination pour comprendre le processus de tannage la motive. Intuitivement, elle sait que cet apprentissage est important.

Les Amérindiens utilisaient la cervelle des animaux pour arrêter la putréfaction. Comment ? Le cerveau au complet ? Une partie seulement ? Doit-elle faire une opération supplémentaire ? Faire bouillir la solution peut-être ? « Merde ! Je suis trop citadine pour savoir ça, moi ! » Elle ferme les yeux pour chasser le malaise. Elle doit essayer. Si sa tentative n'est pas concluante, elle perdra la peau et c'est tout. Puis elle lève la tête quand une constatation lui traverse l'esprit. Qu'arrivera-t-il si elle réussit ? Que fera-t-elle de cette peau quand elle aura compris comment faire ? Elle ne l'utilisera probablement plus jamais. Fait-elle cela pour rien ?

Elle ouvre les yeux grands en riant. Elle a pourtant dormi plusieurs années sur cette taie d'oreiller qu'elle a cousue chez les sœurs. Bon. Il faut ce qu'il faut. Elle verra plus tard son utilité. Pour le moment, il faut simplement « laisser la place à l'apprentissage ».

Comment fait-on pour ouvrir le crâne sans tout perdre ? Elle commence par dégager le cou par de petits coups de machette et de couteau. Nadine a mal au cœur, mais elle s'acharne. Trouver le moyen. Elle décide d'y aller plus fort. Elle place la tête sur la peau, le cou en l'air. Puis, tenant la machette à deux mains, elle donne un grand coup qui résonne jusque dans ses épaules. Le crâne s'ouvre un peu. Elle donne un deuxième coup de machette qui libère complètement l'intérieur de la tête; le cerveau et une autre masse plus gélatineuse tombent sur la peau. Nadine repousse la tête de la louve pour le moment; elle l'apportera plus tard dans la forêt pour que les charognards s'en occupent. Puis, avec la machette, qu'elle utilise comme une grosse spatule, elle transforme la matière tombée sur la peau en soupe visqueuse qu'elle étend uniformément sur la face intérieure de la peau. Peu habituée à cette tâche, elle travaille lentement malgré l'odeur âcre qui s'en dégage.

Puis elle roule la peau, la fourrure à l'extérieur, et elle la dépose à l'ombre de sa tente. « Ça suffit pour le tannage aujourd'hui. Je n'en peux plus de cette odeur ! » De toute façon, le processus n'est pas instantané et il faudra attendre un bout de temps pour que la matière cérébrale fasse son œuvre sur la peau. Elle attendra donc au lendemain pour continuer ce projet. Nadine baisse la tête et elle soupire en réalisant qu'elle devra rester à cet endroit au moins une journée de plus. Elle voulait poursuivre sa route au plus tôt, mais c'est peut-être mieux ainsi. Cela donnera plus de temps à Lou pour prendre des forces.

Elle se dirige vers la mer pour tenter d'enlever l'odeur de la bête morte qui colle à sa peau et à ses vêtements. Elle frotte avec du sable, mais elle ne réussit qu'à ajouter une odeur de poisson pourri qui fait compétition à l'odeur âcre. Pour le moment, elle n'y peut rien. Une fois de retour à Montréal, elle se lavera longtemps dans son savon à l'odeur de miel. Elle jettera ses vêtements malodorants et elle en achètera d'autres.

Un peu plus tard, Nadine vient s'asseoir à côté du feu. Lou, bien nourri, dort paisiblement près d'elle. Son regard perplexe enveloppe les pièces de viande qu'elle a dégagées des os de la louve. Ce n'est pas poison, mais est-ce comestible ? Les activités de l'avant-midi l'ont laissée avec des nausées importantes et elle n'a pas vraiment faim. Mais elle doit manger. Elle ferme les yeux et, pendant un instant, elle entend son ami Bernard, médecin et adepte de la longue randonnée, lui rappeler sans cesse « Nadine, tes noix sont bonnes pour les protéines végétales qu'elles t'apportent en randonnée, mais ce n'est pas assez. Il faut aussi des protéines animales. » Il serait content de voir qu'elle a fini par comprendre le message. Par contre, son ami a oublié de lui laisser une recette pour apprêter cette viande qu'elle ne connaît pas.

Chez elle à Montréal, elle la ferait bouillir, à feu bas pour l'attendrir et en y ajoutant des herbes pour améliorer le goût. Mais son unique chaudron contient la bouillie de Lou. Alors, elle place une roche plate et lisse, en équilibre sur d'autres cailloux, au-dessus du feu. Quand la pierre est suffisamment chauffée, Nadine y dépose quelques minces morceaux de viande. Elle y ajoute des feuilles d'angélique et d'oxalis pour adoucir le goût.

N'ayant plus d'apios, elle a cherché des quenouilles au bord du petit ruisseau qui coule à 50 mètres de son camp. Cette plante est comestible dans toutes ses parties et remplace très bien les pommes de terre. Nadine choisit quelques morceaux de rhizome qu'elle ajoute à la viande. Elle veut en tester le goût.

Assise près de son feu, sur un tronc d'arbre qui lui sert de banc, elle attend que la cuisson fasse son œuvre. « Ça sent bon. » Du bout des dents, elle déchire un morceau de viande et le garde sur sa langue. « Ça goûte fort et c'est un peu tignasse, mais c'est bien meilleur que j'aurais cru. » Les rhizomes de quenouille ont un goût plutôt fade. « Bien sûr, ce ne sont pas des carottes ! Ni du brocoli ! » Mais, à défaut de pâtes alimentaires, ces rhizomes sont une excellente source d'hydrate de carbone. Son repas manque d'épices et de sel, mais l'estomac de Nadine ne s'en formalise pas et en redemande. Elle est satisfaite de cette expérience culinaire qui lui apporte de la variété au niveau de son alimentation. Docteur Bernard serait fier d'elle.

Pendant qu'elle mastique ces nouveaux aliments, son cerveau continue de travailler. Elle peut faire cuire toute la viande pour en manger pendant qu'elle demeure à cet endroit. Pour la conserver, elle la remisera dans un sac hermétique, dans l'eau froide. Son « frigo-ruisseau » garantira autant leur fraîcheur que le gros réfrigérateur dans sa cuisine de Montréal.

À son départ, dans quelques jours, elle laissera le reste sur place, à la vue des charognards qui s'en occuperont avec plaisir sans doute. C'est sûrement la meilleure solution.

Satisfaite, l'estomac plein, Nadine se concentre sur une autre question. Comment utiliser les os ? En le nettoyant, ce bout de fémur, plus petit que celui de l'orignal, lui servira de pilon. Nadine passe lentement les os au-dessus de la flamme pour les débarrasser de la chair et des tendons qui y collent encore. Une odeur de chair brûlée s'en dégage, mais Nadine poursuit son activité. Avec du sable, elle termine le polissage. Puis, elle les rince dans le ruisseau. Elle a maintenant quelques outils supplémentaires, très propres. Il ne lui reste qu'à décider ce qu'elle en fera.

Elle a mené tous ses projets de la journée à terme. Nadine passe le reste de l'après-midi à se promener autour de son camp, tantôt en traînant Lou dans son chandail coincé dans son pantalon, tantôt en le laissant au coin du feu. Comme elle doit le nourrir souvent, elle ne fait que de courts voyages ici et là. Chaque fois elle rapporte quelque chose au camp : des petits fruits, des herbes, des racines, et bien sûr du bois pour le feu. Dans la forêt, elle a vu des porcs-épics, dont la chair est succulente. Puis, derrière son camp, en haut du ruisseau, il y a un barrage de castors. Elle se refuse de chasser à outrance, ce qui serait un gaspillage, alors elle laisse ces bêtes bien tranquilles.

Pendant au moins une heure, Nadine pratique son tir à la fronde devant un Lou qui se plaint. Il pleurniche presque comme un bébé humain. Nadine a tout de même poursuivi sa pratique; Lou devra s'habituer à ce son s'il veut rester avec elle.

Pour son dîner, Nadine cuisine la bouillie de poisson pour Lou et de la viande de loup pour elle-même. Quelque part, au fond d'elle-même, même si sa réserve de nourriture sèche baisse plus vite qu'elle ne le voudrait, il y a quelque chose qui empêche Nadine de nourrir Lou avec des morceaux de la chair de sa mère.

En soirée, assise sur son tronc d'arbre, sa tisane au bord du feu et Lou sur les genoux, Nadine contemple le magnifique spectacle du soleil qui se couche de l'autre côté de la mer, dans une farandole de couleurs allant du rose au violet, se reflétant sur les nuages qui couvrent l'horizon par petites talles. Sa réflexion se porte à nouveau sur la mère de Lou. C'est déjà rare qu'une louve accouche en saison chaude alors que les petits naissent généralement en mai ou juin. Il est encore plus inhabituel qu'une louve accouche seule sans la protection de la meute, surtout en dehors d'une tanière. Normalement, seule la compagne du chef de meute enfante et on la nourrit et la protège pendant les deux mois qu'elle allaite ses petits. Ainsi Nadine est convaincue que la mère de Lou a été repoussée par la meute et a ainsi été obligée d'accoucher en plein jour, sous un arbre.

Une autre pensée lui traverse l'esprit... Et si les loups avaient une adolescence comme les humains? Elle se souvient de celle de ses enfants... Dans son esprit pragmatique, il est clair que tous les animaux, surtout ceux vivant en société comme les loups, vivent une forme de crise d'indépendance pour affirmer ce qu'ils sont, ou du moins ce qu'ils deviendront. Pour les humains, l'adolescence est aussi une ouverture sur le monde, aux valeurs qui s'y rattachent; on y précise la place qu'on veut y prendre. Comment s'exprime cette période chez les loups ?

Saura-t-elle comment aider Lou à passer à travers cette crise existentielle ?

Elle flatte la tête de Lou, enroulé dans sa vieille camisole. Un sourire s'étire sur ses lèvres, en même temps que monte en elle un amour inconditionnel pour ce bébé loup. Peut-elle l'adopter ? Lou serait un peu comme son propre fils. Elle l'élèvera jusqu'à ce qu'il soit adulte, quitte à se battre pour le garder chez elle à Montréal. Puis, un jour, elle s'arrangera pour qu'il puisse rejoindre une meute, en toute liberté. Mais, ce n'est pas pour demain. Pour le moment, Lou est trop faible pour se déplacer lui-même.

Nadine prend une grande respiration pour chasser la tristesse qui envahit son cœur depuis quelques heures. Le cafard se glisse sournoisement sous sa peau. Ce soir, elle ne peut oublier les siens. Quand elle a quitté Montréal, c'était en avril, mais ici, la nature lui indique que c'est la fin de juillet. Ainsi, elle a perdu plusieurs semaines de sa vie elle ne sait où.

Elle ne veut pas s'imaginer l'angoisse que les siens ont vécue pendant ces semaines de recherche. Elle ne veut pas penser à Alex, mort de peur pour elle, sans doute aussi brisé par le chagrin et l'incompréhension qu'elle l'a été. Elle secoue la tête pour chasser cette tension négative. Elle prend Lou endormi dans ses bras et se lève debout pour bouger. Elle marche un bon moment sur la plage, pour reprendre le calme dont elle a besoin pour survivre à cette misérable aventure.

Le calme revenu dans son cœur, résolue à s'en sortir, elle retourne s'asseoir près de son feu de camp. Demain, elle finira le tannage de la peau, elle mangera du loup et elle réunira tous ses effets en vue de partir le plus vite possible pour continuer sa route vers le sud, en quête de la civilisation. Demain, elle et Lou s'apprivoiseront un peu plus. Sur la planète du Petit Prince, c'est une rose qui a ému le mouton. Sur ce coin de terre, Nadine n'a pas de mouton, ni de rose, mais un loup qui va lui enseigner sans doute un tas de choses.

Chapitre 19

Jour 14 — 28 juillet

— Merde ! Pas de la pluie ?

Elle est tellement déçue. Ses plans sont à l'eau ! La nature lui rend encore la vie misérable. Lou, toujours affamé, l'a réveillée plusieurs fois au cours de la nuit, mais chaque fois qu'elle sortait dehors, elle était soulagée de constater que les nuages bas et lourds tenaient bon. C'était vrai il y a une heure. Maintenant, il pleut beaucoup.

Pour l'instant, le petit animal dort, encore enroulé dans la vieille camisole. Elle n'a plus de bouillie. Elle devrait se lever, repartir le feu en dépit de cette pluie et préparer cette nourriture qui semble si bien convenir au petit loup. Elle ferme les yeux. Encore un moment. Elle n'a pas le goût de sortir son corps du sac de couchage qu'elle trouve très douillet en ce moment. Elle le remonte au-dessus de sa tête, comme une couverture, pour oublier le jour… et la pluie.

Peine perdue. De toute façon, avec l'averse qui tombe, elle doit sortir pour inspecter les installations du camp, s'assurer que tout est encore sécuritaire. Nadine repousse la couverture, enfile son pantalon de pluie et son imperméable, et met ses bottes. Avec un dernier soupir, presque un frisson, elle sort de la tente. Le feu est éteint et le bois est complètement détrempé. Elle est découragée. Elle a le goût de pleurer.

Elle devra peut-être utiliser le petit poêle au gaz pour faire le petit-déjeuner. Quel gaspillage. D'abord, elle cherche un endroit un peu plus au sec. Sachant que Lou dormira encore une bonne heure et qu'il est en sécurité dans la tente, elle se dirige vers un groupe de rochers à 100 mètres au nord-est. Elle trouve un surplomb rocheux suffisamment large sous lequel elle peut abriter un feu et rester elle-même relativement au sec.

L'emplacement gardera le feu à l'abri. Elle commence par construire un foyer surélevé avec des pierres superposées, puis elle retourne chercher un peu de mousse sèche de son sac de montagne. Elle a pris la précaution de garder une petite réserve de bois dans la tente au cours de la nuit. Quelques minutes plus tard, un feu s'embrase; il fume beaucoup et il siffle parce qu'elle y a ajouté du bois mouillé. D'autres morceaux à brûler sont accotés au foyer, pour sécher lentement, avant que Nadine ne les utilise pour alimenter son feu.

La chaleur la réchauffe, assèche ses vêtements, et remet un peu de confort dans sa journée très mal partie. Pendant que son corps absorbe l'énergie du feu, Nadine s'active à préparer le petit-déjeuner. Alors qu'elle entend la petite plainte, déjà familière, la bouillie de Lou est prête et des morceaux de viande cuisent sur une roche plate pour sa mère adoptive.

Hors de la tente, la petite bête frissonne. Le petit louveteau de deux jours est tellement petit et fragile qu'il perd sa chaleur très rapidement. Nadine le transporte dans son imperméable, bien enroulé dans sa vieille camisole. Lou sort à peine sa petite tête lorsque Nadine lui présente le bout de tissu plein de bouillie. Pendant que Lou tète, Nadine mange des morceaux de viande qu'elle accompagne de fruits. Accomplissant ces gestes lents et répétitifs sans y penser, elle planifie sa journée qui sera, de toute évidence, très compliquée. Cette pluie fine tombera une bonne partie de la journée. Elle terminera le tannage de la peau de loup. Elle la lavera d'abord dans la mer, puis elle la rincera dans le ruisseau. Elle accomplira facilement ces deux étapes sous la pluie froide.

Par contre, le séchage sera une toute autre histoire. Normalement, il lui faudrait construire un cadre dans lequel elle tendrait la peau et qu'elle laisserait sécher à l'air libre. Cette opération peut demander plusieurs jours si le temps est beau. Dans l'humidité… Peut-être devrait-elle attendre une journée ensoleillée ? Non ! Elle n'attendra pas. Elle reprendra la route le plus vite possible. Elle a besoin d'une solution alternative.

Si elle boucanait la peau en utilisant du bois vert comme elle l'a fait pour le poisson ? Est-ce que le bois mouillé donnerait le même résultat ? Il faut essayer pour le savoir…

Après son repas, Nadine couche Lou dans la tente et le glisse dans son sac de couchage pour qu'il soit au chaud. Il dormira un bon deux heures, peut-être même trois. C'est le bon moment pour commencer son projet. Elle enlève ses bottes et ses vêtements imperméables qui ne lui seraient d'aucune utilité pour l'activité. Ayant ramassé la peau de la louve, elle se dirige vers la mer en frissonnant un peu dans l'air froid. Les vagues sont hautes, courtes, et nuisent aux mouvements de Nadine. Malgré tout, en s'assurant qu'elle ne la perd pas dans les flots, l'apprentie tanneuse de peau repousse le tissu cérébral qu'elle a appliqué la veille. Malgré ses efforts, tant dans la mer que dans le ruisseau, elle n'arrive pas à éliminer complètement l'odeur de charogne qui y colle. Elle devra s'en accommoder. Elle roule la fourrure gorgée d'eau et, de peine et misère tant la peau est lourde, Nadine l'apporte vers le feu.

Tant bien que mal, avec des branches encore gorgées d'eau et des lanières, Nadine monte une structure suffisamment près du feu pour boucaner la peau et assez haute pour éviter d'y mettre le feu. L'eau s'égoutte lentement sans qu'elle ne tombe sur le feu.

Elle se recule pour regarder l'effet. La peau est tellement détrempée que ça prendra plusieurs jours pour la faire sécher. « Bon, il est encore tôt. Ce serait dommage de la laisser ici en raison de son poids. » Elle verra demain. Puis elle décidera ce qu'il convient de faire.

Lou commence à gémir dans la tente. Elle a terminé son projet juste à temps. En allant le chercher, Nadine en profite pour mettre des vêtements secs qu'elle recouvre de son imperméable et ses pantalons de pluie. Elle met des chaussettes et ses bottes. Bien au chaud et au sec, elle boit une tisane chaude pendant qu'elle nourrit le petit loup.

Pour la première fois depuis sa naissance, Lou ne s'endort pas immédiatement après la tétée. Il s'est installé en boule dans la camisole, caché du vent par l'imperméable ouvert de Nadine d'où ne sort que sa petite tête. On dirait qu'il observe ce qui se passe autour. Il renifle l'air et ses yeux fixent intensément le feu. Voit-il déjà ?

Bien que Nadine possède plusieurs textes sur le sujet, elle n'arrive pas à se souvenir de tous les détails

du développement d'un louveteau. Les loups naissent aveugles et ils sont très fragiles les deux premiers
mois. Comme les humains. Elle aimerait en savoir
plus. Pour le moment, elle se contente de savoir qu'il
commence à utiliser son odorat et ses yeux. Le reste
arrivera en son temps.

Lou ne mangera pas de nourriture crue, ni solide,
avant deux mois. D'ici là, il lui faudra de la bouillie.
Même avec cette nourriture presque liquide, il aura
besoin de protéine animale. En conséquence, qu'elle
le veuille ou non, Nadine devra apprendre à chasser
si elle ne trouve pas bientôt le chemin de Montréal.
Elle a froid dans le dos. Non ! Elle retournera chez
elle.

Quand ils quitteront cet endroit, Nadine devra tenir
compte que Lou est incapable de marcher. Il est très
petit. Le bébé ne sera pas très confortable, dans son
chandail, lorsqu'elle se mettra en marche avec son
sac de montagne attaché sur son abdomen. Cela risquerait de le blesser. Même à un demi-kilo, son poids
s'ajoutera à celui des outils qu'elle a fabriqués sur la
route et à celui de la peau lourde qui fume au-dessus
du feu. Elle a travaillé fort et elle ne veut rien laisser
derrière quand elle reprendra la route.

Quand Lou s'endort à nouveau, elle le dépose en
sécurité dans la tente. Elle a maintenant une autre
période de deux heures où elle peut vaquer à ses

occupations. D'abord, fidèle à sa décision d'il y a quelques jours, Nadine pratique le tir à la fronde pendant une heure. Ensuite, elle grimpe dans les rochers pour observer la route qu'elle suivra le lendemain. La plage s'étire à perte de vue vers le sud-ouest. Au pire, là où quelques rochers s'avancent dans la mer, elle devra faire quelques bouts de chemin à marée basse ou marcher les pieds dans l'eau.

C'est en observant ce sable lisse, sur lequel elle passera la journée du lendemain, que l'idée surgit dans sa tête. Sur le coup, elle sent l'adrénaline pousser de l'énergie dans tout son corps. Puis sa théorie prend forme. Elle construira un petit travois. Cela permettra d'alléger son sac de montagne et procurera, du même coup, un petit lit douillet pour Lou.

Il n'en fallait pas plus pour la pousser dans l'action. En moins de deux, Nadine descend des rochers et, le sourire aux lèvres, elle part explorer la plage à la recherche de pièces de bois qui conviendront à ce nouveau projet. Un peu plus tard, revenue près du feu, elle examine deux grands morceaux longs de deux mètres environ et un autre plus court qui mesure moins d'un mètre.

Rapidement, avec des lanières d'orignal, elle réussit à monter un travois selon un plan qu'elle a dessiné dans sa tête. Par leur bout le plus mince, elle attache ensemble les deux morceaux longs; c'est la partie du travois qui traînera au sol. À l'autre bout, elle sépare les deux grandes pièces de bois par la troisième, plus courte, coincées en travers et fixées solidement avec les lanières. L'ensemble forme une sorte de triangle allongé dont les deux côtés plus longs se terminent en formant deux mancherons qu'elle empoignera pour tirer le travois.

Le panier maintenant. Elle en a besoin pour y placer ses effets. Attacher des pièces de bois de travers ? Impossible. Cela prendrait plus de lanières qu'elle n'en possède et rendrait le travois trop lourd. Elle aurait besoin d'un tissu assez solide pour servir de panier. Il y a le tapis de sol, mais elle en aura besoin pour maintenir en place tout son bagage sur le travois.

Une décharge électrique dans son cerveau lui donne la solution. La peau de loup ! Pourquoi pas ? Il faudra faire quelques trous de chaque côté, mais c'est faisable. Elle est encore détrempée, mais elle séchera un peu plus chaque jour. Nadine se remet au travail avec une énergie nouvelle.

Deux heures plus tard, la peau de la louve encore mouillée est attachée solidement à la structure du travois pour lui servir de fond. Il ne lui restait plus qu'à plier bagage et partir. Mais il est déjà trop tard dans la journée. Elle attendra au lendemain matin. Entretemps, elle fait quelques trajets sur la plage avec le travois pour vérifier sa solidité. Même s'il ralentira un peu sa marche, l'outil facilitera ses déplacements avec tous ses effets, ses outils et Lou.

En soirée, la pluie cesse de tomber et les nuages glissent lentement vers l'est. Le soleil réchauffe l'air encore chargé d'humidité et une brume épaisse se lève. Elle observe cette nouvelle situation en buvant sa tisane, la petite bête grise collée à son cœur.

Puis, en préparation pour la nuit, Nadine nettoie la place du feu près de la tente pour y transporter ce qu'elle a utilisé dans la journée. Elle place le travois en angle, près de ce feu, pour permettre à la peau de la louve de sécher encore un peu plus.

Nadine profite de la belle température pour marcher longuement sur la plage avec Lou dans ses bras. Elle veut se dégourdir les jambes et réduire l'excitation qui l'agite toujours la veille d'un départ en randonnée.

Elle apprécie la tranquillité de cette petite plage protégée tant par la forêt tout près et du banc de sable qui s'étire loin dans la mer en forme d'arc. La mer ne contenant aucun récif, l'endroit serait un lieu idéal pour y accoster. « J'aime ça ici. Merci Lou de m'avoir un peu forcée à l'apprécier quelques jours. » C'est vraiment beau; surtout quand le soleil couchant allume les millions de gouttelettes d'humidité dans l'air et les change en pépites d'or. Dans sa mémoire, cette anse calme et sablonneuse demeurera « l'anse à Lou ».

C'est ainsi que la journée se termine sur une note plus agréable. « Je pars demain matin. À la première heure. »

Puis, quand le soleil se couche, Nadine et Lou s'installent dans la tente. Elle allume la lampe-chandelle pour l'assécher et la réchauffer. C'est avec un sourire qu'elle voit Lou fixer intensément, de ses yeux pâles, la petite flamme. Il a déjà changé en deux jours. Elle profite de cette petite lumière pour ajouter la marque de la journée sur son journal de bois qui en compte maintenant quatorze. Deux semaines depuis qu'elle s'est réveillée sur le sommet d'une montagne.

Elle réalise amèrement qu'elle n'a pas pensé à Alex, ni à ses enfants, de toute la journée. Est-ce la même chose pour eux ? Ont-ils abandonné les recherches ? Ont-ils seulement fait des recherches ? Une simple larme coule sur sa joue, pour elle-même plus que pour les autres.

Plus que tout, elle aimerait qu'Alex soit ici. Son absence crée un trou béant dans son cœur et cela lui fait mal. Elle l'aime tellement. Son amour pour lui n'a pas diminué depuis leur première rencontre. Au contraire, le temps l'a rendu plus fort.

Elle sort la tête de la tente pour trouver l'étoile Polaire, qu'elle et Alex ont si souvent observée chez eux ou en randonnée quelque part dans l'hémisphère nord. Elle s'imagine qu'Alex la regarde aussi. De ses

doigts, Nadine souffle un baiser vers l'astre lumineux :
« Bonne nuit mon amour. »

Réconfortée, Nadine entre dans la tente et glisse son corps dans le sac de couchage. Elle s'endort avec Lou dans les bras. En se remémorant le début de sa relation avec Alex. Ces beaux moments font naître un sourire sur le visage fatigué; si elle avait eu les yeux ouverts, on y verrait mille étoiles scintillantes.

Chapitre 20

Québec - 4 septembre 1973

— Vas-y ! Parle-lui !

Le visage rouge comme une tomate, Alex s'est approché à la table que partageait la jeune fille avec ses deux amis, Claire et Laurier. Ce dernier, qui travaillait au même casse-croûte, savait qu'Alex était fou de Nadine et que cette dernière ignorait cette attirance. Il se fait un malin plaisir de taquiner son collègue.

— T'es ben rouge Alex ! T'as déjà pris un coup de soleil ?

La gorge nouée par l'émotion, Alex n'arrive pas à quitter des yeux le visage de Nadine. Feignant d'ignorer Laurier, il s'est adressé directement à la jeune étudiante qui le magnétise depuis un moment, malgré sa timidité.

— Bonjour.

— Allons Alex, ne sois pas si gêné. Parle-nous un peu, le trahit Laurier, taquin.

— Bon. Voilà ton hamburger le beau-parleur, et voici vos frites mesdames, dit le jeune serveur en déposant ses assiettes.

— As-tu regardé les belles filles qui sont avec moi ? Claire c'est ma blonde, alors tu ne lui fais pas la cour. Mais Nadine n'a pas encore de chum. Le savais-tu ?

Si cela avait été possible, Alex aurait fondu sur place. L'attitude de son collègue le rendait mal à l'aise. La tension le faisait suer à grosses gouttes sous son chapeau de cuisinier. Il était content de pouvoir contempler la jeune femme de ses rêves de près, mais il en voulait à Laurier de se payer sa tête devant elle.

Nadine avait observé la scène sans parler. Elle avait bien saisi le niveau de taquinerie entre les deux gars. Pourquoi Laurier l'avait-il présentée ainsi ? Qu'est-ce que cela change qu'elle n'ait pas de cavalier ? Elle n'en a que faire... Mais le copain de Laurier pense peut-être qu'elle en cherche un. Elle doit remettre ses pendules à l'heure ! Elle présente sa main au jeune homme qu'elle trouvait, sans l'avouer, très beau tandis que lui se dandine encore d'un pied à l'autre.

— Bonjour, je m'appelle Nadine.

À la seconde précise où il a touché sa main, Alex a compris que Nadine était la femme de sa vie. Il l'a regardée droit dans les yeux. Sa gêne s'est envolée d'un seul coup et les rougeurs de son visage se sont estompées. D'une voix claire et chaude, il a complété les présentations.

— Bonjour, je m'appelle Alex.

— Tu ne vas pas à notre école. C'est la première fois que je te rencontre.

— Non. Je demeure dans le bas de la ville. Je viens dans le quartier juste pour travailler.

— Tu travailles souvent ici ? C'est la première fois que je te vois.

Sur ces mots, Laurier a pouffé de rire. Mais Alex avait perdu sa gêne devant le visage souriant de Nadine. Il ignore complètement celui qui se paye sa tête.

— J'ai commencé il y a quelques semaines. Je dois ramasser de l'argent pour aller à l'université.

— Ne devrais-tu pas commencer par le CÉGEP ?

— Oui bien sûr. Je commence au CÉGEP de Limoilou en septembre, mais je resterai encore chez mon oncle. Il n'y aura pas trop de dépenses. L'argent c'est pour entrer à la Polytechnique de Montréal dans deux ans. Je travaille deux soirs par semaine et aussi les fins de semaine. Si je suis chanceux, il y aura peut-être plus d'heures à faire cet été.

Alors que le patron d'Alex se pointe, le charme de la conversation se brise. Il était ouvert à l'idée qu'Alex parle avec ses amis, mais il le payait pour cuisiner, non pas pour faire les beaux yeux aux filles.

— Alex ! Ça suffit il y a des hamburgers à faire !

— J'arrive patron ! dit-il en lui faisant un petit clin d'œil complice.

Mais avant de retourner à son poste, derrière le comptoir, Alex a regardé Nadine avec un sourire entendu.

— À bientôt alors ?

— Bien sûr. À bientôt Alex.

C'est avec un pas plus léger, comme son cœur, qu'Alex reprend son travail. Il sourit en laissant tourner dans sa tête les étapes de cette belle rencontre. Nadine est une fille de la haute-ville; encore pire, elle demeure à Sillery, le quartier le plus huppé de la ville. Mais elle n'a pas réagi négativement quand il lui a parlé de la basse-ville, le quartier des ouvriers. Laurier a raison sur un point : Nadine ne se prend pas pour une autre. Mais il ne sait pas s'il doit en vouloir à son copain ou le remercier pour cette introduction un peu ridicule.

Pendant tout le reste du repas, Nadine a tenté d'apercevoir Alex, occupé à fabriquer les plus savoureux hamburgers de Québec, au grand plaisir de Laurier et Claire qui la taquinaient continuellement. Alex de son côté profitait de toutes les occasions, entre deux clients, pour sourire en espérant que la jeune femme le regarde. Une fois ou deux, leurs regards se sont croisés.

Cette attirance toute nouvelle s'est renforcée en quelques semaines. Au CÉGEP de Limoilou, la rentrée scolaire se passait dans une cacophonie indescriptible, causée par l'agitation et la fébrilité des étudiants. Certains affichaient un air ahuri en cherchant désespérément leurs locaux de cours. D'autres criaient à tue-tête leur bonheur de retrouver leurs amis. Ceux qui amorçaient leur dernière année, plus calmes et presque blasés, observaient les nouveaux avec condescendance. Les nouveaux venus tentaient de mieux comprendre cette nouvelle aventure qui leur faisait un peu peur.

Pendant l'heure du dîner, les bruits grimpent de quelques crans. Nadine et Alex sont assis à l'une des longues tables de la grande cafétéria. Amoureux, ils se sont rejoints, un peu à l'écart, pour profiter de ce petit moment d'intimité relative.

Le capharnaüm dans la salle convient très bien au caractère bouillant et explosif de Nadine; elle regarde partout, veut tout voir, ne rien manquer. Alex observe le grand cirque avec un calme déconcertant. Le jeune homme étudie en sciences pures et la jeune femme en techniques infirmières. Ils ne suivent aucun cours ensemble, mais cela n'a pas d'importance. Ils sont simplement heureux de se retrouver lorsque c'est possible.

Nadine est heureuse. Elle regarde son amoureux et n'en revient toujours pas. Quelle chance ! Alex a transformé sa vie. Un sourire sur les lèvres, elle se rappelle leur première rencontre. C'était peut-être la première fois que Nadine le rencontrait, mais lui, il l'avait remarquée depuis quelque temps, car elle demeurait à deux pas du casse-croûte *Chez Ben*. Nadine s'y rendait souvent avec ses amis, mais elle n'avait pas remarqué ce grand garçon qui avait de la misère à se concentrer dès qu'elle apparaissait dans le resto.

Le patron en avait assez du manège d'Alex et, un beau jour d'avril, voyant que son jeune employé oubliait de tourner ses pains chaque fois que la jeune cliente se présentait, il opta pour le traitement de choc. La commande exécutée pour les trois amis, le patron avait planté dans les mains d'Alex les repas à servir et l'avait propulsé vers la table de Nadine. Il avait vu juste, puisque le nombre de pains brûlés fut réduit de beaucoup, après cette présentation mémorable.

Dans les semaines qui suivirent, Alex et Nadine se sont revus souvent. Elle s'arrangeait pour passer boire un coke quand il prenait sa pause. Lui guettait son arrivée et dès qu'elle avait franchi la porte, il demandait sa pause. Quand le mois de mai est arrivé, Alex a pris son courage à deux mains et lui a demandé de

l'accompagner à son bal de finissants. Puis, spontanément, il a accepté d'accompagner Nadine au sien.

Quelques jours plus tard, il a compris que quelque
chose clochait. Un obstacle se dressait entre eux…
Découragé, tout penaud, il appelle sa blonde. C'est
son frère Éric qui répond.

— Nadine n'est pas là pour le moment. Est-ce que je
peux lui faire un message ?

— Je suis Alex. J'aimerais qu'elle me rappelle SVP.

Au ton du jeune homme, Éric soupçonne que quelque chose ne va pas. Avec sa bonhomie habituelle, il
poursuit la conversation.

— Je suis Éric, son frère. À ce que j'ai compris, tu
tournes beaucoup autour de ma sœur ces temps-ci.
J'ai bien hâte de te connaître.

— Oui… est-ce que tu pourrais lui demander de
m'appeler ?

— Hé ! Ça n'a pas l'air d'aller. Tu ne vas pas casser
avec elle, j'espère. Tu sais, elle s'est attachée beaucoup
à toi.

— Ben non ! Je ne veux pas casser !

Puis, après quelques secondes de silence, qu'Éric
a respectées, le jeune homme a lâché un gros soupir.
Pourquoi ne pas expliquer à son frère son problème ?

— Je pense que je ne pourrai pas aller à son bal.

— Si c'est ton boss qui ne te donne pas congé, je peux lui parler.

— Non ce n'est pas mon boss. C'est moi.

— Comment ça ? Je ne comprends pas ! Allez ! Crache le morceau ! Pourquoi ne pourrais-tu pas l'accompagner ?

— C'est à Sillery. Laurier m'a expliqué que tous les gars porteront un smoking. Je n'en ai pas et je n'ai pas d'argent pour m'en acheter un.

Éric a éclaté de rire. Il était soulagé. Le jeune homme n'était pas en train de briser sa relation avec sa petite sœur. Il la savait très heureuse et ne voulait pas voir son cœur brisé. « Un smoking ! Ce n'est rien ça ! »

— Tu ne connais pas très bien ma sœur ! D'abord, elle ne se formaliserait pas du tout si tu arrivais en habit ordinaire. C'est avec toi qu'elle veut aller à son bal pas avec un smoking. De plus, si tu ne veux pas l'accompagner parce que tu ne serais pas à ton aise sans smoking, elle n'ira pas non plus.

— Tu as raison… Mais elle sera si déçue. Elle parle de ce bal depuis si longtemps.

— Hé ! Attends ! J'ai une idée ! C'est quoi la grandeur que t'as de besoin ?

— Je mesure six pieds et deux pouces et je porte du 34 de pantalon. Pour ce qui est du veston, je ne sais pas trop.

— Je pense que mon smoking t'irait bien. S'il y a des ajustements à faire, ma mère t'offrira sûrement de les faire. Quand peux-tu passer ici pour l'essayer ?

Alex hésitait… Seul dans la vie avec un oncle, il a un peu peur de s'introduire dans une « grosse famille » de six enfants. S'ils sont tous comme Nadine, ça doit grouiller dans les partys de famille…

— Je ne sais pas si je devrais… C'est compliqué tout cela. Je ne veux pas déranger…

— Hé ! Si ça peut te rassurer, je suis prêt à faire cela pour ma petite sœur. C'est ça la famille. Alors, quand est-ce que tu passes à la maison ?

Alex hésite encore… Éric pousse.

— Ce n'est pas poli de se faire prier. Ma sœur vaut bien que tu nous laisses t'aider. Non ?

— OK. Demain avant d'aller travailler ? Avant le souper ?

Nadine est allée au bal avec son Alex. Un peu inconfortable dans un smoking chic, retouché gentiment par la mère de la jeune femme, son malaise a fondu d'un trait quand Nadine lui a dit :

— Tu es le plus bel homme de la ville ce soir. Ce smoking te va à merveille !

Enfant unique, orphelin en bas âge et élevé par un oncle célibataire, Alex venait de comprendre toute la puissance d'une famille dont les membres se serrent les coudes pour embellir la vie. L'histoire du smoking venait de le faire entrer dans cette famille par la porte d'en avant. Il n'avait pas à se sentir gêné d'être ce qu'il était.

Assise dans la cafétéria, en face de lui, Nadine comprend qu'Alex est l'homme de sa vie. L'amour qu'elle ressent pour lui est incommensurable, solide et parfait. Elle lève les yeux pour empêcher les larmes de bonheur trahir ses pensées.

Dans l'allée, entre les longues tables cordées le long des murs, un jeune homme à la tête blonde et aux yeux bleus se dirige vers elle à grands pas. Un large sourire éclaire son visage. Elle se lève et fait deux pas ayant de lui sauter au cou.

— Bernard ? Qu'est-ce que tu fais ici ?

— Mais, je voulais te voir ma belle ?

Devant l'air taquin de son ami d'enfance, Nadine éclate d'un rire franc.

— T'es toujours aussi fou !

— Mais non ! J'ai décidé de venir te rejoindre à Québec !

Nadine rit de bon coeur. Elle remarque le visage perplexe d'Alex. Elle entraîne Bernard par la main dans le but de le présenter et, ainsi, rassurer Alex sur sa relation avec le grand blond. Soudain, le visage de Bernard se remplit de tellement d'amour qu'elle a peur. « Non ! Pas ça ! » Elle ne veut pas que son ami d'enfance soit en amour avec elle. La peur et la colère se glissent à tour de rôle sur le visage de son amoureux. Il interprète de la même façon le changement sur le visage de Bernard.

Elle ne veut pas de cette méprise ! Les yeux durcis par la crainte, elle dévisage son ami pour mieux comprendre. Il ne voit rien. Son regard amoureux se dirige plutôt quelque part derrière elle. Curieuse, elle se retourne et voit une jeune fille s'approcher d'eux. Elle a les cheveux bruns et porte des lunettes. Fascinée, elle regarde Bernard comme si personne d'autre n'existait au monde.

Le bonheur s'installe à nouveau sur le visage de Nadine en même temps qu'Alex comprend la méprise. Ce dernier, avec soulagement, passe sa main sur son visage pour y enlever la colère. Elle regarde avec affection son grand ami enlacer la nouvelle venue. Puis Bernard s'explique.

— En fait ma belle, c'est ma jolie blonde qui a décidé de venir étudier à Québec. Moi, j'ai suivi. Je te présente Claudine.

— Ha ! Il me semblait aussi que tu ne ferais pas cela pour ton amie d'enfance. Maintenant, je suis rassurée. À mon tour, je te présente mon ami Alex. Quant à toi, mon cher Bernie, tu aurais pu me dire tout cela quand on s'est vus, il y a un mois, à Sherbrooke. T'aurais pu aussi m'appeler en arrivant à Québec. Petit cachotier.

— C'est vrai. J'ai fait exprès. Je me suis tellement mordu la lèvre pour ne pas en parler que ton frère Marc a fini par me demander si j'étais malade. Je voulais vraiment te faire cette surprise aujourd'hui.

Puis les quatre jeunes gens se sont assis ensemble pour manger leur lunch. Alex reste sur ses gardes, encore un peu jaloux face à ce grand blond qui connaît si bien sa blonde. Il amène la conversation sur l'arrivée plutôt bizarre de ce couple dans la cafétéria.

— Tu sais Bernard, quand tu es arrivé, j'ai vraiment cru que tu faisais de l'œil à ma blonde. Que tu l'appelles « ma belle » m'a un peu dérangé.

— Quoi? Tu ne parles pas sérieusement ? Nadine et moi avons été élevés ensemble presque depuis le berceau. Sa mère était ma gardienne pendant mon enfance; par la suite, j'allais chez elle après l'école pour me faire garder. Mes parents sont tous les deux médecins et travaillent beaucoup. Je considérais les parents de Nadine comme mes parents d'adoption. Nous sommes nés à quelques jours d'intervalle, pratiquement des jumeaux. Je l'aime beaucoup, mais tu vois, c'est comme une sœur pour moi.

Alex observe l'éclat de soulagement traverser le visage de sa blonde. Il est satisfait et rassuré. Mais Claudine avait une question importante.

— Bernard, Nadine t'a appelé « Bernie ». C'est quoi ce surnom ?

— Elle fait exprès. Elle sait que je n'aime pas cela. Cela vient de notre enfance alors qu'elle n'était pas capable de dire Bernard et que moi je l'appelais « Dine ». J'ai un peu couru après, car je l'ai appelée « ma belle » et je sais pertinemment qu'elle déteste ce surnom que les profs avaient tendance à lui donner au primaire. C'était condescendant à son égard et tout le monde le savait. Elle a pris sa revanche en m'appelant « Bernie ». Claudine n'en demandait pas plus… Elle était conquise.

— J'aime ça ! Dorénavant je vais t'appeler Bernie.

Devant l'air furieux de son amoureux, la jeune femme a décoché un clin d'œil vers Nadine, ce qui scella leur amitié pour toujours. Les deux femmes allaient régulièrement unir leurs forces aux dépens de Bernard et d'Alex.

Lorsque la cloche sonne le début des cours, ajoutant à la cacophonie du moment parce que des centaines de chaises glissent en même temps sur le plancher de ciment poli, Alex conclut cette première rencontre :

— Nadine « ma belle », c'est le temps d'aller à nos cours.

— Ah non ! Tu ne vas pas m'appeler comme ça !

— Bien sûr ! Tu es très belle et tu mérites le compliment.

— Maudit Bernie ! Tu vois ce que t'as fait ? Alex va m'appeler comme ça astheure !

— Oui. J'entends et je suis bien content. Alex, tu es un véritable ami.

C'est dans le bonheur qui s'étend sur leur amitié que les quatre jeunes éclatent de rire, ajoutant leurs cris au brouhaha ambiant.

Avec le temps, les quatre amis ont continué de se fréquenter. Nadine et Alex se sont installés à Montréal deux ans plus tard. Bernard et Claudine ont poursuivi leurs études à Québec, mais quand Bernard a eu son internat en médecine à Montréal, ils ont rejoint leurs amis et y sont restés pour s'établir. Taquins et complices, ils forment un quatuor d'irréductibles inséparables.

Chapitre 21

Jour 15 - 29 juillet

La jeune amoureuse se blottit contre son prince… Ils vécurent heureux et eurent beaucoup d'enfants… Avec le mot FIN écrit en grosses lettres au bas de l'écran… son rêve s'envole. Nadine n'avait jamais réalisé que son conte de fées, elle l'avait vécu seconde par seconde. « Pourquoi mettre cela au passé ? Merde, je dois me dépêcher de retrouver ce qui fait mon bonheur, mon univers, ma famille, mon amoureux, ma vraie vie quoi ! »

Ses yeux s'ouvrent, comme mus par des ressorts. Il fait encore nuit. Le sommeil s'est enfui, chassé par cette urgence d'agir. Nadine sent l'empressement envahir son âme. Va-t-elle manquer le rendez-vous de sa vie par paresse ? Un autre bout de route, une nouvelle chance de rattraper ce qui lui manque tant. Il y a une sorte d'excitation dans cet appel urgent qu'elle ressent ce matin. Une intuition ? Que de personnes abandonnent à quelques mètres du but ! Pas elle.

Lentement, pour ne pas réveiller Lou qui dort, roulé en boule sur la camisole, elle sort la tête de la tente. Un milliard d'étoiles flottent dans le ciel, entre les rubans de nuages effilochés. « La journée sera belle. » À l'est, la nuit s'estompe sur un bleu pâle nimbé de rose. L'aurore offre un spectacle grandiose ! Elle le capte en quelques secondes puis rebondit.

Avec une économie de mouvement, elle ramasse ses effets et les place dans le sac de montagne. Lou, réveillé par les mouvements, observe la femme avec curiosité. Pendant que le petit-déjeuner réchauffe et que la petite bête frissonne au coin du feu, Nadine défait son camp. L'aube du quinzième jour; le dernier peut-être... la civilisation...

Avant même que le soleil se pointe, Nadine est prête à partir. Son fardeau s'est allégé. La tente, le tapis de sol, les dards et le matelas, attachés au travois, forment un petit nid pour Lou. Elle l'installe nerveusement, voyant la peur dans ses yeux gris. La vieille camisole, devenue sa doudou, l'odeur familière de la peau de louve et le mouvement oscillant de la marcheuse auront raison de ses craintes.

Quand le soleil inonde finalement la plage avec ses rayons éblouissants, Nadine et Lou n'y sont plus, n'ayant laissé qu'un feu éteint, des herbes froissées, des pas humains dans le sable et un étrange sillon continu se dirigeant vers le sud-ouest.

L'air sec et chaud du sud-est se transforme en un souffle de vent chargé de gouttelettes qui arrivent du large. Même à cette heure matinale, la température devient rapidement chaude et humide.

Nadine marche longtemps, tantôt sur le sable chaud, tantôt sur les galets ronds en traînant son travois. En milieu d'avant-midi, quand Lou se plaint de la faim, elle trouve un endroit à l'ombre d'un gros orme. Pendant que la bouillie chauffe sur le petit poêle, Nadine examine les alentours. Depuis deux heures environ, elle se déplace sur un terrain plat en pente douce, d'une largeur de 500 mètres, s'étendant entre la forêt et la mer. Un peu partout, il y a des rochers solitaires qui, comme d'autant de soldats, semblent monter la garde pour protéger la plage. Il est facile de les contourner, tantôt en passant à gauche, tantôt en passant à droite. Ailleurs, comme l'endroit choisi par Nadine, des talles d'arbres se sont installées. Elle reconnaît des ormes, des sapins baumiers, quelques pins, des saules et des arbustes; non, elle ne rêve pas, c'est une sorte de rosiers sauvages.

Assise sur un tronc débarrassé de son écorce par le travail du ressac, Nadine se déchausse. Elle laisse reposer ses pieds. Elle masse les muscles de ses jambes, de ses bras et de ses épaules pour soulager les raideurs. Elle est maintenant habituée aux longues marches, mais aujourd'hui, ses muscles s'adaptent à d'autres efforts. Elle doit faire une traction continue en plus de supporter son sac, moins lourd cependant.

Puis, une fois Lou nourri, Nadine le prend dans ses bras pour l'endormir, comme elle le ferait avec l'un de ses petits-enfants. Elle s'avance vers la mer dont le son relaxant ferme les yeux du louveteau. Puis elle le replace dans son petit nid sur le travois. Ses bas et ses bottes aux pieds, le sac de montagne sur son dos, elle repart. Une dizaine de kilomètres s'ajoutent à sa route avant que le soleil n'atteigne le zénith. Le paysage change encore. Bien sûr, il y a toujours les montagnes, loin au nord-est, rendues bleues par la distance. Les abords de la mer sont maintenant de 300 mètres, en pente douce vers un plateau qui s'étend jusqu'au pied d'autres montagnes visibles à l'horizon. Elles sont moins hautes que celles que Nadine vient de quitter, mais leurs sommets se terminent abruptement, bordés par une immense crête. Au loin à l'ouest, de l'autre côté de la mer, une mince ligne de terre apparaît. Ce bout de terre est-il de l'autre côté d'une large baie ? Est-ce l'autre rive d'un estuaire ? Comme le fleuve Saint-Laurent peut-être ? L'eau est encore salée et la marée très apparente. Ce n'est donc pas un lac d'eau douce.

Profitant du sommeil du petit loup, Nadine décide de poursuivre sa route une heure de plus. Longeant la mer, en direction sud-ouest, elle observe tout autour.

Le sable fait place à des galets ronds et glissants. La grève se rétrécit devant elle, formant une pointe fine qui se termine dans l'eau. Nadine s'arrête pour mieux examiner la situation. Elle ne peut poursuivre sa route vers le sud en passant par la plage maintenant trop étroite, alors que la marée monte. Elle ne veut pas prendre ce risque, surtout maintenant qu'un petit être sans défense dépend entièrement d'elle.

Une solution s'impose… grimper sur le plateau qui, vu d'en bas, lui semble libre d'entraves. Elle pourra y marcher facilement avec le travois. La montée est dégagée, même si la pente est raide. Elle l'estime à plus de 20 degrés. La bordure du plateau est, à cet endroit, à plus de 100 mètres au-dessus de sa tête. Une montée simple avec le sac de montagne… Y faire monter le travois ? Elle ne le sacrifiera pas. Il est trop utile. Elle recule de quelques mètres pour mieux apprécier… « C'est possible… en trois voyages… oui. Ça prendra un peu plus de temps… C'est faisable. »

Nadine installe le travois en sécurité le long de la paroi, suffisamment loin de la berge pour éviter la marée. Puis elle regroupe ses effets en trois tas. Le premier comprend la tente, le sac de couchage, le tiers de la nourriture, la moitié des ustensiles, quelques dards. C'est le plus pesant et elle le montera en premier. Un deuxième groupe comprend le matelas, le tapis de sol, un tiers de la nourriture, le poêle au gaz, une partie de ses vêtements et les autres dards. Elle montera le reste de ses effets avec le travois, en dernier.

En faisant ainsi trois allers-retours, Nadine s'assure qu'elle aura toujours à sa disposition le tiers de son matériel. Les environs semblent ouverts et libres de prédateurs. Mais dans la nature, on ne sait jamais. Elle se souvient amèrement de son arrivée sur la plage de la première caverne. Elle ne prendra pas de risque avec sa vie ni celle de Lou.

Quant au bébé loup, il ne la quitte pas, bien casé dans le chandail de la grimpeuse.

Nadine a mis une demi-heure pour arriver en haut de la paroi avec son premier chargement. Elle est trempée de sueur et passablement essoufflée. Sans perdre de temps, elle vide le sac de montagne sur une grosse roche, espérant que ses effets y seront à l'abri des prédateurs. Puis elle redescend d'un pas plus rapide vers le bas de la pente, n'ayant pris le temps que d'étancher un peu sa soif.

Une heure plus tard, elle arrive à nouveau sur le plateau. Cette fois, elle laisse le sac de montagne sur la roche, sans même le vider. Un peu d'eau et elle repart vers la plage. Fatiguée, mais satisfaite de sa décision, elle tient à terminer cette tâche avant de se reposer.

Traîner le travois sur le sol rocailleux est la tâche la plus difficile. Nadine peine et souffle fort. Elle ne lâche pas. Ce travois, pour une nomade, c'est comme posséder sa première automobile. Ses souvenirs arrivent en flash et lui font oublier les manœuvres… « Avant de conduire ma première voiture, je prenais le transport en commun ou je voyageais à pied. La clé magique crée un sentiment de responsabilité, certes, mais une foule de bienfaits, la rapidité, la liberté, la flexibilité, sans compter une économie de temps. Et la musique de la radio qu'on ouvre à tue-tête pour mieux chanter en dévorant les routes… » Nadine hoche de la tête. « Je garde mon travois même s'il n'a pas de lecteurs CD… en option de base. » Quelques pas encore !

Finalement, presque à bout d'énergie, elle touche au but. Lou, patient durant la manœuvre, laisse maintenant savoir qu'il a faim. Nadine l'installe sur la roche, au soleil sur la camisole. Elle lui donne un peu d'eau pour le faire patienter. Pressée par le temps, elle chauffe la bouillie sur le petit poêle pendant qu'elle grignote un bout de viande de loup. Puis elle range tout son bagage en partie dans son sac, en partie sur le travois. Lou reprend sa place sur son petit nid, et comme un bébé bien nourri, il s'endort aussitôt. Avant de poursuivre sa route, la randonneuse observe autour d'elle. « Quelle heure est-il ? » 15 h ? 16 h ? Elle a fait un long chemin depuis son départ de l'anse à Lou. Elle aimerait poursuivre sa route encore un bout de temps sur ce plateau où la marche semble plus facile.

Mais elle se souvient de sa promesse de ne pas trop en faire. Elle veut conserver assez de forces pour maintenir un bon rythme le lendemain. Elle chasse de sa pensée son intuition de ce matin... Qui vivra verra !

Toute son attention se concentre afin de trouver un endroit pour faire son camp le plus tôt possible. Devrait-elle rester près de la mer ? Se diriger vers la montagne plutôt que de rester à terrain découvert ? Quels prédateurs rôdent la nuit sur ce plateau ? Elle a besoin d'un lieu qui lui apportera une bonne protection.

Le territoire est trop ouvert aux vents et ne lui offre aucune protection. Elle doit poursuivre sa route encore une bonne heure supplémentaire avant que n'apparaisse le premier talus, un amoncellement de rochers entourés d'arbres, très loin en avant. Deux kilomètres, trois peut-être, droit devant, à mi-chemin entre la forêt et la falaise. Cela lui convient parfaitement. Elle y montera son camp. Encouragée, malgré la fatigue, elle reprend la route.

Depuis un bon moment, de gros nuages noirs se détachent des montagnes de l'est et recouvrent le ciel d'un horizon à l'autre. Ils menacent de décharger bientôt une grande quantité de pluie. Le vent prend de la force à chaque instant et ralentit sa progression. Elle n'aime pas cela. Lou gémit. Un cri de peur plutôt que de faim. Elle accélère le pas, court presque. « Merde...

je n'arriverai pas à ce talus avant que l'orage éclate au-dessus de ma tête ! » Elle sera obligée de monter son camp sous la pluie.

Elle ne peut gagner cette course contre la pluie, surtout avec la fatigue déjà accumulée. Un éclair zigzague très bas sous les nuages. Nadine ne peut rester sur le plateau, car rien ne la protège sur ce terrain dégarni. Son corps attirera la foudre comme un paratonnerre. « C'est trop dangereux ! »

La foudre s'abat à 100 mètres devant elle. L'arbre atteint explose sous ses yeux et s'enflamme. Le claquement est si violent que le sol frémit sous ses pieds et elle se retrouve par terre. Elle échappe les manches du travois, Lou culbute d'un bon mètre et se met à hurler de terreur.

C'est quoi ce monde de fou où les éclairs touchent le sol et embrasent les arbres sur place ? Sur ce plateau trop large et trop ouvert, sa peur reste coincée dans son corps et ralentit sa réflexion. Elle se sent menacée. L'orage se rapproche trop vite. Impossible d'atteindre la sécurité du talus avant que la foudre ne la frappe. Elle va mourir. Ses jambes de plomb n'arrivent plus à lui obéir.

Nadine sent l'adrénaline monter en elle. Elle replace le petit loup sur le travois. « Se mettre à l'abri ! Où ? Sous la surface du sol ! » C'est ainsi qu'elle voit, creusée dans le calcaire du plateau, une dépression qui se rend du milieu du plateau vers la falaise. Une sorte de chemin creusé par l'eau. Est-ce prudent de s'y réfugier ? « Rien à faire. Il faut fuir ! » Le ravin est sous la surface du plateau. Ce refuge lui permettra d'éviter les éclairs. La profondeur du ravin l'impressionne. Nadine s'imagine toute la quantité d'eau qui peut y circuler. « Avoir de l'eau par-dessus la tête... une eau qui tombe en bas… Une chute se formera ici après l'orage ? » Elle devra en sortir aussitôt l'orage terminé, sinon elle et Lou pourraient mourir noyés ou pire, être projetés en bas de la falaise.

Elle a l'impression de choisir entre deux scénarios dont l'issue serait la mort. Cela lui donne le vertige. Elle ferme les yeux quelques instants pour briser l'indécision qui étrangle son âme. Elle ouvre les yeux sur cet orage qui menace sa vie. Quand un autre éclair touche le sol à 50 mètres devant elle, laissant une forte odeur de soufre dans l'air déjà humide, elle n'hésite plus. Elle vire vers l'ouest et entraîne le travois dans le ravin.

Elle s'arrête à quelques mètres du précipice, où elle sera protégée des éclairs qui frappent tout autour. Lou gémit de peur et Nadine le prend dans ses bras pour le calmer et chuchoter quelques mots de réconfort dans ses oreilles. Quand il se calme, Nadine évalue sa situation. « Bon. Il ne reste qu'à attendre que passe cet orage. On en a vu d'autres, hein mon petit pou ! »

À ce moment précis, elle sursaute. Un coup de tonnerre terrifiant secoue les parois de grès friables qui l'entourent. Le ciel s'ouvre pour décharger une pluie torrentielle, inondant le plateau.

Nadine s'approche un peu plus du bord de la falaise, là où le ravin est plus profond. Elle regarde partout, cherchant une solution moins précaire. Une corniche ! Elle n'en croit pas ses yeux. Une sorte de plateforme étroite longe la face lisse de la paroi qui tombe au bord de la mer. Large d'au plus un mètre et demi, la surface permettra de les protéger de la pluie qui vient de l'est, des éclairs qui tombent du ciel et de l'éventuel torrent qui envahira tôt ou tard le ravin. Encouragée, soulagée par cette découverte, elle décide d'explorer cette corniche afin de s'assurer de sa solidité. Supporterait-elle son bagage, y compris le travois ?

À 20 mètres à peine du ravin, Nadine trouve une ouverture dans la paroi. Une caverne ? Une grotte ? Elle découvre une large fente dans le pli de la roche. Elle peut mettre tous ses effets dans cet espace assez grand, à l'abri du mauvais temps. Elle pourra même y faire son camp pour la nuit.

Délicatement, elle place Lou sur le plancher de la caverne et dépose son sac de montagne tout à côté pour le rassurer. Elle ressort dans la pluie torrentielle pour chercher le travois.

Épuisée, mais rassurée, le calme revient peu à peu en elle. Par l'habitude d'une routine qui l'a bien servie jusqu'à présent, elle trouve, pour le feu, quelques bouts de branches qui traînent au bord de l'entrée de la caverne. Déçue qu'il n'y en ait pas plus, elle récupère tout ce qui est à sa portée, vu les circonstances. Elle n'a pas eu le temps d'explorer son refuge. Pour le moment, elle ne voit ni trace de pas ni crottin. Elle est trempée jusqu'aux os et elle grelotte. L'orage était si menaçant, le danger si pressant, qu'elle n'a pas pris le temps d'enfiler son imperméable. En vitesse, elle retire ses vêtements mouillés et s'habille d'un pantalon et d'un chandail secs. Elle s'assoit à côté de Lou.

Maintenant en sécurité et au sec, elle tremble comme une feuille et claque des dents. Le stress tombe et le manque d'adrénaline se fait sentir. Elle prend Lou dans ses bras et le serre bien fort. Assis tous les deux devant le petit feu, collés l'un à l'autre, ils finissent par chasser la terreur. Pendant un long moment, la femme se contente d'écouter la pluie qui s'écrase comme des clous contre la paroi rocheuse. Elle tombe tellement dru que Nadine distingue à peine la mer, 50 mètres plus bas. Les éclairs claquent et se répondent, rendant le ciel incandescent. Une odeur de soufre et de fumée flotte dans l'air.

Nadine n'a jamais vu d'orage aussi violent. Est-ce un ouragan ? C'est terrible ! Chaque fois qu'un éclair touche le sol du plateau au-dessus de sa tête, les murs de la caverne tremblent tellement que quelques brins de poussière s'en détachent et tombent au sol. Elle a beau se rappeler que cette caverne existe depuis des millions d'années, elle a l'impression d'être dans un gouffre, qui pourrait se refermer sur elle à tout moment.

Lou et Nadine sursautent à chaque claquement. Elle a peur de cet orage qui crache l'eau et le feu, le tonnerre et la foudre. Pour occuper son esprit, elle installe le camp pour la nuit et prépare le dîner.

Quand la nuit étend son manteau noir, la foudre dessine toujours des éclairs zébrés au-dessus de la mer, tandis que Nadine étend son corps sur le matelas, y dépose le petit loup et les recouvre du sac de couchage. Elle est tellement fatiguée. Elle ferme les yeux. Pourra-t-elle dormir dans cet enfer orageux ?

Nadine sursaute dans la nuit. Elle ouvre les yeux. Elle ne voit rien. Le feu est presque mort. Elle se lève vitement et ajoute un petit bout de branche. Elle souffle les tisons pour raviver la flamme. Elle s'assoit sur son matelas. Quelque chose l'a réveillée en sursaut. Des yeux, elle fait le tour de la caverne. Un éclair jette une lumière crue sur les murs. Rien qui aurait pu la sortir de son sommeil si brusquement. Elle écoute les sons de l'orage. La foudre claque encore avec force sur le plateau et fait trembler son logis. Sa terreur prend forme : elle craint d'être emmurée vivante dans la caverne. Son instinct la pousse vers la sortie. Elle s'avance précipitamment et s'arrête dans l'ouverture, au bord d'un rideau d'eau qui tombe de la falaise. Deux pas de plus... c'est le vide !

Pendant qu'elle tente de calmer les battements de son cœur, elle identifie ce qui l'a réveillée si brutalement. À sa gauche, du côté du ravin, elle entend un bruit assourdissant. « Quoi encore ! Maudit coin de terre ! » Elle fait un pas sur la corniche pour identifier la cause. Le son est plus fort, infernal. Un éclair brille dans la nuit quelques secondes. Nadine voit. Elle est sans voix, la mort dans l'âme. Dans le ravin, la seule porte de sortie de l'endroit, un torrent se déverse en chute sur la paroi donnant vers la mer. Elle est restée là, immobile, tremblante, le cœur dans la gorge, les bras ballants, à regarder cet endroit qui, si elle y était restée, l'aurait entraînée dans la mort. Elle a regardé avec horreur ce torrent et cette chute, incapable de détourner son regard de cette image violente, implacable, du petit corps de Lou tombant dans ce ravin. Une fois le choc passé, elle n'a pu qu'apprécier sa chance. La vie est si fragile ici.

Une nouvelle page d'horreur défile dans sa tête... elle est piégée dans cette caverne. Elle est hantée par la sensation que les blocs de pierre l'écraseront à tout moment. Pas de panique ! Attendre que le ravin se libère de cette eau turbulente... Pourquoi n'a-t-elle jamais le contrôle sur sa vie ? Ce pays est une suite d'épreuves dont le seul but est de lui faire vivre un drame après l'autre, sans lui laisser le temps de reprendre son souffle.

Lentement, forçant ses muscles à obéir à sa raison, elle retourne se coucher sur le matelas. Le sommeil ne viendra plus. L'âme remplie de terreur, elle a la sensation d'être prisonnière de cette nature qui s'amuse à la torturer. Pour maîtriser ce torrent d'émotions qui la submerge, lui faisant douter d'elle-même, elle tente de se raisonner. « Je suis en sécurité... en sécurité dans cette caverne... rester près du feu... déposer ma tête sur le matelas... mettre la main sur le corps chaud de Lou... fermer les yeux... en sécurité dans ma caverne... »

Au matin, l'orage gronde encore au-dessus de son abri, comme si une main invisible retenait les nuages gonflés au-dessus de ce plateau. La lumière du jour naissant a ramené un semblant de quiétude dans l'âme de la femme, même si elle est toujours prisonnière des éléments. « Qu'est-ce que je fais maintenant ? »

Nadine déteste rester oisive. Son agitation fiévreuse s'alimente directement dans cette petite fissure de son insécurité. Bouger la soulage. Elle prend Lou dans ses bras et part explorer le trou qui forme une galerie dans la falaise. Quelques millions d'années d'usure ont comblé les plis de la roche avec des cailloux et du sable, offrant maintenant un sol égal, sec et plutôt sablonneux. Elle progresse à pas de loup, éclairant son chemin à l'aide de sa lampe-chandelle, ne trouvant aucun os ni empreinte qui démontreraient qu'un prédateur fréquente cet endroit. C'est bon signe.

Elle n'a pas trouvé de branchages, ni de mousse qui lui permettraient de garder le feu vivant. C'est son problème le plus sérieux pour le moment. La nuit prochaine sera insupportable sans un minimum de lumière et de chaleur. Elle ne veut pas utiliser le bout de chandelle restant, ni même son petit poêle à gaz, à moins d'une obligation vitale. Un feu de bois, dans sa caverne d'Ali Baba… L'ambiance du conte des Mille et une nuits la fait sourire. Se trouve-t-elle dans la caverne d'Ali Baba ? Il est où le trésor ? Il n'y a pas de mot secret pour l'ouvrir et les seuls trésors qu'elle contient sont les vies de deux êtres perdus qu'elle a protégées en s'y réfugiant. Nadine rit de bon cœur, sous les yeux inquiets de Lou qui entend ce son inhabituel pour la première fois. Elle rit encore plus fort. Ce rire nerveux lui fait du bien, l'espace d'un moment, le son dévale les murs puis s'éteint. L'écho la rassure, réduisant sa tension : Nadine a encore remporté une épreuve.

Son examen aboutit à un mur plein et elle fait demi-tour. Lou se plaint. C'est l'heure de sa bouillie. Elle le dépose près du feu, sur sa camisole et dès que son estomac est rempli, le bébé s'endort aussitôt.

Rester occupée… trouver du bois. Prenant son courage à deux mains, et faisant taire le vertige qui lui donne mal au cœur, elle enfile son imperméable et sort sur la corniche. À gauche, il y a le torrent qui s'est gonflé encore. À ses pieds, le vide. Non ! Elle ne regarde pas ! Elle se dirige lentement vers sa droite. Elle ramasse quelques branches mouillées et les ramène près du feu pour les faire sécher. Elle refait de courtes sorties pour récolter de quoi passer la nuit. Combien de temps encore durera l'orage? Elle se souvient de la nuit précédente… c'est essentiel de garder un feu constant. À Montréal, de tels orages ne durent que quelques minutes, puis ils font place au beau temps. Celui-ci n'a pas diminué de force depuis plus de 18 heures et, à voir les nuages lourds qui sont littéralement stationnés au-dessus du plateau, les conditions ne vont pas changer d'un coup de baguette magique.

Coincée dans la caverne d'Ali Baba, elle profite du temps à sa disposition pour inspecter ses possessions. Ses bottes ne sont plus étanches. Pourrait-elle trouver de la graisse animale pour les traiter ? Un castor bien gras ? Cela se mange aussi du castor… « Encore la gourmandise qui me gouverne ! » Plusieurs vêtements ont des accrocs et elle n'a rien pour les réparer. Son kit de couture est dans sa trousse de soins personnels, quelque part à Montréal. Son précieux contenu lui manque. L'odeur du savon, la subtile protection de son déodorant, la touche confortable de sa crème solaire, sa brosse à dents indispensable, son dentifrice qui goûte la menthe, sa brosse à cheveux qui démêlerait tous ces nœuds et ce petit tube de crème antibiotique qui aide à la guérison sans infection. Des objets dont on ne tient même plus compte dans la vie quotidienne. Nadine n'arrive pas à comprendre qu'Alex ait oublié cette trousse. « Il savait que jamais je ne pars sans cela. Un jour je saurai… mais pour le moment… la survie passe avant le confort. Je n'y peux rien ! »

Son travois a tenu le coup. Elle resserre quelques lanières pour le rendre plus solide. Elle est fière de cet accessoire qu'elle a construit de ses mains. Normalement, c'est son « ingénieur de mari » qui fabrique ces choses. Elle a hâte de lui raconter comment elle s'y est prise. « Il sera très fier ! »Tranquillement, une larme a fait son chemin sur sa joue. Elle s'ennuie beaucoup. L'inactivité et l'atmosphère oppressante de cette caverne accentuent son sentiment de solitude. Elle doit rester occupée pour éviter de s'apitoyer et perdre ainsi une énergie vitale. Elle décide de vérifier sa réserve de nourriture. Elle peut tenir environ quatre ou cinq jours. « Je ne peux pas croire que l'orage durera si longtemps ! Mais ici, je ne suis jamais sûre de rien ! » Elle voudrait marcher quelques jours avant d'être obligée de s'arrêter pour refaire des provisions.

Un air taquin se glisse dans ses yeux bleus. « C'est certain que je ne manquerai pas d'eau… » Elle regarde le chaudron qu'elle a placé sur la corniche, coincé entre deux roches pour ne pas qu'il vole au vent. La pluie torrentielle l'a rempli à ras bord trois fois en quelques heures. En ce moment, sa gourde est pleine d'une eau fraîche et claire… tombée directement du ciel.

Elle vérifie son matériel. La tente est encore en bon état. Le tapis de sol est sale et arbore quelques petites déchirures. Quant à son indispensable sac, il tient aussi le coup. La surface de nylon bleu est sale; des morceaux de gomme d'épinette s'y sont collés. Il y a un accroc sur le dessus, sans doute une branche. C'est conçu pour la vie dure ces sacs de montagne et celui-là est mis à rude épreuve. Il était tout neuf à son arrivée.

Son cœur bondit dans sa poitrine. Elle sent son pouls s'accélérer. « Comment cela se fait-il que je me souvienne maintenant que le sac de montagne est neuf ? » Elle est certaine de l'avoir acheté la semaine avant de se retrouver au mont Logan. Elle et Alex ont fait une visite spéciale au MEC, leur coopérative de plein air, pour remplacer son vieux. C'est comme si cette information lui manquait tout juste avant et qu'elle vient de surgir du fond de sa mémoire. Y en a-t-il beaucoup d'autres informations comme celle-là, cachées dans les replis de son cerveau? Peut-être qu'en les retrouvant, elle comprendrait ce qui lui est arrivé? Elle a le cœur lourd. Est-ce qu'Alex sait ce qui lui est arrivé ? Pourquoi ne vient-il pas la chercher? Quelque chose le retient? Elle ferme les yeux. « Non ! Je ne veux pas y penser ! Ça fait trop mal ! » Pour se calmer, elle inspire profondément et laisse l'air sortir lentement de ses poumons.

Une fois ses émotions sous contrôle, elle termine son inspection, nettoie ce qu'elle peut et refait les bagages. Elle veut être prête à partir rapidement. Par habitude, elle pratique le tir à la fronde une bonne heure dans le fond de la caverne. Cela lui fait du bien de bouger et de faire de l'exercice.

Lentement, l'intensité de l'orage diminue. Nadine sort sur la corniche pour vérifier l'état de la situation. Le ravin est toujours inaccessible. Maintenant qu'une simple pluie fine tombe, elle voit très bien la mer en bas de la paroi. Il y a une grève au pied de la falaise. Puis, un peu plus à droite, elle se rend compte que la plateforme descend vers le bas de la paroi dans une longue pente relativement facile à descendre.

Le bonheur que lui procure cette découverte lui redonne de l'énergie. « Lou ! Nous pouvons aller dehors ! Descendons en bas de cette corniche !

Hourra ! » Elle glisse Lou dans son chandail pour qu'il soit au chaud, enfile son imperméable et son pantalon de pluie, et descend au bord de l'eau. La marée commence à peine à descendre. C'est le signe que la grève restera accessible même à marée haute.

Nadine marche un bon moment, respirant profondément pour remplir ses poumons. Elle examine chaque coin, presque chaque caillou. Elle prend son temps pour retarder son retour à la caverne. L'air humide et le grand espace diminuent cette tension qu'elle ressent entre les deux omoplates.

La grève est une enclave entre deux immenses rochers qui descendent en falaise vers la mer et qui s'avancent loin dans l'eau. À moins d'être un alpiniste chevronné, il n'y a que deux moyens de sortir de l'endroit. L'un passe par la mer et exige un bateau. L'autre passe par le ravin. C'est la voie que Nadine devra prendre. L'eau du torrent est chargée de débris arrachés au sol du plateau. Il tombe encore en chute bruyante en bas de la falaise.

Elle passera donc une autre nuit dans la caverne d'Ali Baba et repartira quand le ravin sera dégagé. Demain ? Peut-être… Après-demain ? Elle verra… De toute façon, que peut-elle faire d'autre sinon qu'attendre.

Lou commence à gémir. Il a faim. Encore. Nadine aussi. De retour dans la caverne, elle décide de faire un festin avec le repas séché de bœuf Stroganoff. Une partie du bouillon servira de repas pour Lou. « Ce soir, je fête la vie ! Un petit rouge avec ça? Dommage… » L'idée l'attriste, car c'est le repas sec préféré d'Alex. Il comprendra qu'elle a pensé à lui, quand elle lui expliquera qu'elle l'a partagé avec un loup. Elle l'imagine… il lève sa tête de son livre et la regarde par-dessus ses lunettes de presbyte. Un seul mot dit avec son flegme habituel : « Vraiment ? » Bien sûr qu'il comprendra.

Malgré l'absence d'Alex et la douleur vive causée par l'éloignement, l'excellent repas apaise son âme. Même Lou ne s'est pas contenté de la tétée à la guenille. Il a déjà les réflexes pour « laper » du liquide. Nadine est contente. Dorénavant cela sera plus facile de le nourrir et de lui donner de l'eau.

Depuis leur départ de l'anse à Lou, deux autres marques se sont ajoutées à son journal de bois. Nadine est déçue par le peu de chemin qu'elle a accompli depuis son départ de la première caverne. Sa route a été ralentie par l'arrivée de Lou dans sa vie et par l'orage. Elle a donc perdu quatre longues journées au cours desquelles elle aurait pu parcourir entre 60 ou 80 kilomètres supplémentaires. Impatiente, elle n'aime pas mesurer son retard. Chaque heure perdue la garde loin de sa famille. Puis, elle tourne les yeux pour regarder Lou couché en boule au coin du feu. « Il en valait la peine. Je suis fière de ne pas l'avoir abandonné aux charognards. » Personne de sa famille ne lui reprochera son retard pour d'aussi bonnes raisons. Elle caresse sa fourrure et reprend espoir de le ramener avec elle.

Elle les fera quand même, tous ces kilomètres. Elle mettra juste un peu plus de temps pour les parcourir, pour retrouver la civilisation et rentrer chez elle. Sa famille comprendra. Elle prendra le temps de tout leur expliquer dès qu'elle aura pris une douche avec du savon. Lou peut bien la trouver sympathique; elle sent un mélange d'ourse mal léchée et de louve. Heureusement que la caverne d'Ali Baba est bien ventilée… Son trésor à elle marche à quatre pattes, il a un petit museau humide et des yeux irrésistibles. Et il a toujours faim !

Chapitre 22

Jour 17- 31 juillet

« Mais je rêve… de la vigne ici ! » Si Lou n'était pas aussi agité dans le travois, Nadine croirait que ce coin de terre l'a transportée quelque part dans le sud de la France. En fait, il s'agit d'un talus formant un cercle autour d'un pic rocheux. La vigne s'agrippe au décor et ses branches ploient sous les grappes de raisin. « Il n'y a pas de juste milieu ici. Un jour, c'est l'enfer qui me tombe sur la tête, le lendemain, c'est le pays des merveilles. » Évidemment, elle goûte. Les fruits sont sucrés et légèrement acides. Elle en avale dix, vingt, puis remplit le sac qui contenait le bœuf Stroganoff de la veille. « J'en aurai pour un bon bout de temps… » Elle cueille aussi plusieurs feuilles de vigne qui lui serviront d'enveloppe, comme du pain pita, pour faire cuire ses aliments en bordure du feu.

Nadine n'aurait jamais deviné, en se levant à l'aube, qu'à son retour sur le plateau elle ferait d'aussi belles découvertes. D'abord le ciel bleu d'une pureté inégalée avec un lever de soleil qui est apparu de façon spectaculaire. Il y a d'abord eu cette bande orangée à l'horizon, qui a soufflé une à une les étoiles. Puis, elle a vu apparaître l'or entre deux montagnes. L'astre était si éblouissant qu'elle est allée chercher ses lunettes de soleil. Elle a senti ensuite sur son visage les chauds rayons qui la caressaient à travers un léger brouillard d'humidité que dégageait le sol gorgé d'eau. Elle sent monter une émotion puissante, qui ne se nomme pas bonheur, ni extase… non, elle dirait qu'après cet orage torrentiel passé sous la terre, ce magnifique lever de soleil lui inspire une sensation de liberté comme jamais elle ne l'a éprouvée. Elle tend les bras vers l'avant et en plaçant ses deux mains ensemble, elle cueille le soleil comme dans une coupe. Elle en boirait une pleine portion de cet or liquide… Mais son petit protégé rompt le moment de grâce, la parfaite harmonie avec la nature qui lui fait tellement de bien.

Utilisant le petit poêle au gaz, elle prépare la bouillie pour Lou en mangeant ses raisins sucrés. Il y a de la résine en abondance sur certaines grandes épinettes, ramollie par l'humidité et la chaleur. Elle en décolle quelques morceaux, les place dans sa tasse remplie d'eau et qu'elle fait chauffer. Cette gomme, comme celle du sapin baumier, est utilisée dans la cuisine amérindienne et en pharmacie. Elle a hâte de goûter à cette nouvelle « tisane matinale. » L'infusion est amère, mais une fois qu'elle débarrasse le liquide des brins d'écorces qui y flottent, elle est satisfaite du résultat. Pour adoucir le goût, elle pourra y ajouter des feuilles de petits fruits ou même des raisins sucrés. Elle aime sa nouvelle recette au point de recueillir plusieurs gros morceaux pour terminer son repas du soir.

Pendant qu'elle marche sur l'immense plateau, Nadine est émerveillée par la beauté du paysage qui change presque toutes les heures. Elle aurait aimé que son bouquin sur les plantes comestibles du Québec soit dans son sac. Ce n'est pas un livre qu'elle traîne habituellement en longue randonnée, mais ces jours-ci, elle aurait apprécié pouvoir le feuilleter plutôt que de faire uniquement appel à sa mémoire. Elle se promet, qu'à son retour à la maison, elle le lira à nouveau très attentivement pour chercher le nom et l'utilisation des plantes qu'elle voit sur sa route et qu'elle n'ose pas cueillir par manque de connaissance.

Grimpée sur une grosse roche, oubliée au milieu de la plaine sans raison apparente, Nadine observe les alentours. Au sud, le plateau s'étend à perte de vue. À l'ouest, il y a la mer. À l'est, une chaîne de montagnes, qui ressemble à celle des Appalaches, dont les sommets s'alignent du nord au sud. Rondes et très boisées, ces montagnes laissent peu de place pour circuler, surtout avec le travois, à moins d'utiliser la machette. Au nord... Nadine baisse les yeux vers le sol. Elle ne veut pas y retourner.

Au loin vers le sud, elle remarque ce qui semble être un troupeau. Il est trop loin pour savoir de quel animal il s'agit. Demain elle y sera peut-être... Elle examine le large plateau, cherche la route idéale. Le meilleur chemin suit le centre du plateau, à mi-chemin entre les montagnes et la mer. Ici et là, des talus, des amoncellements de rochers ainsi que de petites zones boisées lui serviront de point de repère et lui donneront, au besoin, la protection nécessaire contre les orages monstrueux et imprévisibles ou seront parfaits pour monter son camp le soir venu.

Nadine reprend sa marche en direction sud. Un peu plus tard, dans le sous-bois d'une forêt de feuillus, elle trouve une talle de thé des bois. Comme une voleuse, elle ramasse quelques feuilles qu'elle enfouit dans sa poche de pantalon. Cela aussi servira pour la tisane même si elle doit l'utiliser avec prudence en raison de ses propriétés anti-inflammatoires; ce thé désaltère et il a aussi un effet calmant.

Nadine poursuit ainsi sa randonnée une bonne partie de la journée, n'arrêtant que pour nourrir Lou et étancher sa soif. Elle croise quelques ruisseaux qui coulent vers la mer. Ils sont petits et faciles à traverser, même avec le travois. Les abords de ces ruisseaux sont ravagés par la brutalité du dernier orage. Quand l'eau ruisselle des montagnes, ces cours d'eau se remplissent jusqu'à déborder et coulent violemment pour dévaler la falaise. Dans un jour ou deux, ils seront à sec.

Nadine frissonne. Son visage se rembrunit. « J'espère que ces orages ne sont pas trop fréquents. »

En fin d'après-midi, Nadine choisit un talus composé de rochers et de conifères. Suivant sa routine, elle allume le feu, monte la tente, ramasse le bois pour le feu et prépare son dîner composé de poisson séché qu'elle cuisine avec des herbes dans des feuilles de vigne sur la braise. Des raisins et une tisane au goût d'épinette complètent son repas. Lou n'est pas très exigeant : sa bouillie habituelle semble encore lui plaire.

Sa pratique journalière de la fronde porte fruit. Elle frappe maintenant les cibles qu'elle identifie avec une grande régularité. Son tir devient assez puissant pour casser une branche d'un centimètre de diamètre. Pourra-t-elle bientôt attraper un animal en mouvement ? Tuer un petit gibier ? Elle continuera de s'entraîner.

Assise sur une roche, son regard plonge dans les flammes rouges et orange. De temps en temps, le crépitement fait éclater un sourire sur son visage. Elle aime l'odeur du feu de camp. En randonnée, avec ses amis, le feu du soir est un moment précieux de la journée. Une occasion de discuter de tout et de rien ou pour refaire le monde. Ici, le feu est essentiel et elle doit le maintenir pour éloigner les prédateurs. La toile de la tente ne serait d'aucune utilité contre les griffes d'un lynx ou d'un loup. Même un ours curieux pourrait lui faire la vie dure, voire même la tuer. Mais chacun de ces animaux hésiterait à s'approcher des flammes.

Le feu est donc essentiel à sa survie, que ce soit en forêt, sur une plage ou sur cet immense plateau. Une inquiétude commence à devenir obsédante : le briquet se vide. Pour le moment, il est indispensable. Ne sachant pas combien de temps durera son expédition vers la civilisation, elle doit trouver une autre façon d'allumer son feu de camp.

Elle a vu, dans les reportages, différentes techniques pour faire du feu. Pas évident. On peut frotter deux bouts de bois. Elle a déjà essayé lors de son cours de survie en forêt, sans succès. La méthode est compliquée, difficile à maîtriser. On peut utiliser des étincelles produites en frappant une pierre très dure contre une autre contenant de la pyrite de fer. Il faut d'abord trouver les bonnes roches. Ces deux solutions, les plus faciles dans son esprit, exigent des heures de pratique, même dans des conditions idéales.

Elle ne peut attendre que le briquet soit vide. Dès demain, elle cherchera des pierres assez dures et elle fera des essais le soir venu. Elle vient tout juste de terminer la lecture du dernier livre que lui a offert son amie Marie. Elle connaît la couleur des roches dont elle a besoin et les lieux où elle peut les trouver.

Elle prend une gorgée de tisane, ferme les yeux. Les images de sa dernière rencontre avec son amie défilent dans sa tête. C'était le 14 janvier dernier, la veille de son anniversaire. Les deux femmes s'étaient retrouvées au restaurant. Quand Nadine a ouvert le cadeau que lui avait apporté son amie, les mots lui faisaient défaut. Elle comprenait, par l'allure du paquet, qu'il s'agissait d'un livre. Elle s'attendait à recevoir un bouquin sur les plantes ou les animaux qu'elle lirait passionnément plusieurs fois avant de le classer dans sa large bibliothèque. Quand elle a vu le titre, la surprise a été totale. Elle sentait les deux grands yeux verts et vifs de Marie qui l'observaient.

— Marie, tu m'as acheté un livre sur les roches et les minéraux !

— Oui… j'ai pensé que tu avais assez de livres sur les plantes, les ours, les orignaux, les loups et d'autres. Tu n'en as pas sur les roches, n'est-ce pas ?

— Tu sais, les roches, je marche dessus ou bien j'en fais le tour. Je n'ai pas encore eu le temps de les connaître.

— OK. Si tu préfères, je vais l'échanger contre un autre sujet.

Mais Nadine avait déjà ouvert le livre et feuilleté quelques pages. Marie savait que la curiosité naturelle de son amie prendrait le dessus. Elle était déjà conquise.

— Non. Ça va. Il a l'air intéressant…

Nadine avait d'ailleurs lu le livre en entier plusieurs fois dans les semaines qui suivirent. L'information sur la mécanique des roches l'avait fascinée. Elle avait compris les différences des sols montagneux qu'elle visitait partout dans le monde. Intéressée par la culture amérindienne, elle avait particulièrement apprécié le chapitre qui parlait de comment faire du feu et celui sur le clivage de la pierre pour la transformer en outil. Elle s'était promis d'essayer les deux méthodes un jour. Pour la création d'outils, elle devra attendre de revenir à Montréal. Quant à faire du feu, elle devait tester ses capacités le plus tôt possible. Elle est convaincue que les informations qu'elle a retenues de ses lectures lui seront très utiles pour trouver rapidement ce dont elle a besoin. Pour plus de sûreté, elle tentera également de faire du feu avec des morceaux de bois.

La nuit tombe vite sur le plateau. Nadine constate qu'il y a moins d'étoiles dans le ciel ce soir. Elle n'est pas étonnée parce que la pleine lune projette sa lumière pour créer une sorte de nuit blanche. Elle admire le paysage terrestre qui lui apparaît en image monochrome digne d'Ansel Adam. Ce pays de la démesure lui présente une autre face de sa puissance.

Il n'y a aucun nuage dans le ciel... une idée trotte dans sa tête... Pourrait-elle dormir à la belle étoile ? Elle sort son sac de couchage et son matelas de la tente et dépose ce dernier à côté de son foyer. Elle s'y couche sur le dos. « Le ciel est magnifique. Je ne veux rien manquer. » Ravie par le spectacle, elle hésite à fermer les yeux. Du bout du doigt, elle trace des chemins entre les étoiles... la Grande-Ourse... la Petite... La fatigue l'emporte. En serrant le petit loup dans ses bras, elle laisse Morphée l'amener au pays des rêves.

Sur la fin de la nuit, alors que le sol absorbe toute l'humidité, Nadine a transporté tout son grabat dans sa tente pour terminer sa nuit. Aucun des sons de la nuit ne l'effraie; la nature indomptable de ce pays a signé un traité de paix pour une nuit. Nadine retrouve facilement un sommeil profond, comme elle n'en a pas connu depuis des semaines.

Une petite langue lèche son oreille. Quelques grognements. « Lou... laisse-moi dormir encore... » Puis la réalité perce la brume de son cerveau à demi-réveillé. Elle s'assoit brusquement, son front percute encore une fois la petite lampe-chandelle. « Aïe ! » Elle regarde Lou. Il est debout à côté d'elle. Debout !

Lou est debout ! Ses petites jambes branlantes le soutiennent à peine, mais il est debout ! Et il n'a que six jours !

Elle le prend dans ses bras et lui gratte le dessus de la tête, entre les oreilles. « Bravo ! » Soudain, elle saisit la raison de son gémissement. Il y a une odeur animale très forte. Plusieurs bêtes. Elles sont trop près. Nadine ressent la tension monter entre ses omoplates et son cœur se serre. Mais l'odeur lui indique que ce ne sont pas des prédateurs. On dirait des chevreuils ?

Lentement, elle s'habille tout en tentant de calmer Lou. Elle devra le laisser dans la tente, car tout de même, c'est un loup et, malgré sa petite taille, il pourrait faire peur au troupeau. À sa vue, les bêtes pourraient s'effrayer et les piétiner tous les deux. Elle est surprise qu'elles restent si près. Le bébé ne dégage pas encore la forte odeur des loups adultes. Les chevreuils ne reconnaissent donc pas le danger qu'il représentera un jour.

Elle ouvre la fermeture éclair de la tente et jette un regard en douce. Elle voit une grosse tête de chevreuil, à deux mètres, en train de déchiqueter l'herbe. Envoutée par le spectacle, elle est incapable de bouger. Une vingtaine de bêtes broutent autour de son camp, paisiblement.

« Où est l'appareil photo ? » Dans le sac d'Alex. Il n'est pas là Alex. Sans photo, il ne la croira jamais.

Elle a dormi au milieu d'un troupeau de chevreuils ! Quand même ! Elle s'assure que ces grosses bêtes restent calmes malgré sa présence. Lentement, elle sort de la tente. Ils ne s'occupent toujours pas d'elle comme s'ils ne sentaient aucune menace. Pourtant, l'humain chasse le chevreuil; ils devraient donc la fuir. Une autre énigme... plus tard, elle y réfléchirait.

Pendant un bon moment, elle reste assise à l'indienne, en avant de la tente, au milieu du troupeau. Elle est complètement médusée par la situation. « Voyez donc cette belle fesse ! Combien de steak pourra-t-elle en tirer ? Un rôti cuit lentement sur la braise avec de l'angélique et de l'ail. » Nadine salive abondamment, imaginant l'odeur et le goût savoureux. Puis, le gémissement plus insistant de Lou semble irriter les bêtes. Le troupeau prend finalement la route du sud à la course.

La femme ne comprend pas ce qui lui arrive. Elle a toujours refusé de chasser, que ce soit avec une arme à feu ou un arc. Elle ne court les bois qu'avec un appareil photo ou ses tablettes à dessin. Or, ce matin, en les voyant, son cerveau veut trouver une façon de les chasser, ce qui lui permettrait de manger tout l'hiver... Et non de les observer en prenant des photos !

Avec l'immersion forcée des derniers jours, Nadine change peu à peu de comportements. Elle n'est pas certaine d'aimer la nature de ces changements. Depuis son arrivée ici, Nadine ne pense qu'à manger. Bien sûr, toute sa vie elle a été gourmande; elle avait juste à ouvrir le réfrigérateur, l'armoire ou le congélateur pour trouver de la bouffe. Au pire, elle devrait se rendre à l'épicerie, le boucher ou le restaurant pour manger. Ici, tout passe par la pêche, la cueillette et la chasse. Si elle veut calmer sa faim, elle doit consacrer une grande partie de sa journée à faire des provisions. La faim justifie les moyens !

Ce matin, Nadine aimerait bien déguster ses crêpes moelleuses avec ce petit coulis de sirop d'érable. L'idée lui met l'eau à la bouche. Mais elle se contentera de poisson séché et de fruits accompagnés d'une tisane à la gomme d'épinette et au thé du Labrador. Le café lui manque. Elle en aime autant l'odeur que le goût. Puis, le premier café de la journée est toujours un moment privilégié rempli de tranquillité et de paix.

« Assez ! Si je veux des gâteries, il faut que je me grouille pour retourner chez moi. Ça passe d'abord par un verbe d'action : marcher ! Jusqu'au prochain village. Hop ! »

Sans utiliser le briquet, elle allume le feu avec les tisons encore brûlants et elle sort Lou de la tente. Sur des jambes plutôt chétives, il se promène le nez par terre pour sentir l'odeur des chevreuils encore collée aux brins d'herbe. En digne représentant de sa race, il partirait après le troupeau si sa taille le lui permettait.

Puis, une fois le camp démonté, Nadine reprend la route vers le sud, son sac de montagne sur le dos, en traînant son travois. Lou, fatigué de tous ses efforts du matin, dort profondément.

Ce jour-là, la marche est plus lente. Elle a de bonnes raisons, mais cela l'agace quand même. Elle progresse en regardant le sol, cherchant des pierres dures pour les déposer sur le travois. Sa randonnée est également ralentie par le terrain qu'elle traverse, différent de celui de la veille. À cet endroit, une forêt de vieux feuillus, particulièrement de grands érables rouges matures, couvre tout le plateau. Les arbres sont hauts et il est facile d'y circuler, même avec le travois. Elle veut examiner chaque bout de cette forêt qui lui rappelle beaucoup les érablières des Cantons de l'Est, le coin de son enfance. Ainsi elle ralentit son pas et prend son temps.

Elle découvre des champignons. Loin d'elle l'idée d'en manger ! Bien sûr, chez elle, elle adore les cuisiner, particulièrement en sauce pour accompagner un steak... de bœuf. Mais elle les achète chez l'épicier. Elle connait très peu les champignons à l'état sauvage sauf pour le fait que toutes les sortes comestibles peuvent être confondues avec d'autres sortes qui rendent malade ou qui sont mortelles. Elle ne prendrait jamais le risque de manger des champignons qu'elle cueille-rait elle-même en forêt. Cependant, une fois séchés, les champignons deviennent un excellent matériel d'allumage, comme la mousse sèche, dont sa réserve est d'ailleurs presque épuisée.

Cette forêt est le plus grand garde-manger qu'elle n'ait jamais vu. Ici, des bouts de branches de cèdre qu'elle mettra dans sa tisane. Par là, un cerisier dont les fruits sont bien mûrs. Elle remplit une pleine tasse de ce petit fruit acidulé qui donnera un excellent goût au poisson ou à la viande. De petits gibiers croisent sa route.

Elle voit le lièvre en premier. Lentement, elle dégage sa fronde. Au vrombissement, le lièvre s'arrête com-plètement de bouger, se dresse sur ses pattes arrière, les oreilles en l'air. « Stupide animal ! » Sa curiosité lui coûtera la vie un jour ou l'autre. Nadine doit s'y prendre à trois reprises avant de frapper le lièvre. La petite bête curieuse ne s'est pas enfuie même si l'un des cailloux l'a frôlée de près. Touché à la tête, il tombe, sonné. D'un coup de couteau, Nadine lui tran-che la gorge. Ce geste, essentiel à sa survie, déclenche un torrent de larmes. Elle a de la difficulté à concilier son besoin de survivre et ses intentions de protéger la nature. Elle n'a presque plus de poisson séché et elle doit chasser chaque fois qu'elle le peut.

Un peu plus loin, elle détecte une petite famille de perdrix marchant maladroitement devant elle. Au vrombissement de la fronde, le groupe a pris son envol. Nadine tire un caillou en direction du groupe. Elle vise la première, mais elle atteint la troisième qui tombe mollement au sol. Lou semble se demander à quoi elle joue…

Nadine attache les deux bêtes, vidées, par leurs pattes de chaque côté du travois. À son habitude, développée à la première caverne, elle laisse les entrailles sur une roche et s'éloigne un peu. En moins de deux minutes, deux grosses corneilles s'avancent pour gober les restes. « Pas de gaspillage en nature ! »

Au cœur de la forêt, elle trouve plusieurs talles d'ail des bois. Elle cueille des plants qui agrémenteront ces viandes. L'abondance de la plante la surprend. Au Québec, l'ail des bois est sous protection, portant la désignation de « plante vulnérable ». On n'en voit à l'état naturel qu'en très petit nombre dans les érablières et il est strictement défendu de les cueillir sur une base commerciale. Ici, il y en a tellement que les quelques plants qu'elle arrache pour ses besoins ne mettront pas en danger la survie de l'espèce même s'il lui faut plusieurs années avant de produire son premier fruit. Toujours aussi soucieuse de protéger l'environnement, elle ne prend que les plants dont elle a besoin pour sa consommation de quelques jours.

Puis, c'est l'odeur du gingembre qui retient son attention et l'incite à fouiller le sous-bois un peu plus. C'est ainsi qu'elle découvre, également en très grand nombre, des plants de gingembre sauvage. Au Québec, également une plante vulnérable, on en interdit la cueillette à l'état sauvage. Alors Nadine, qui utilise le gingembre en cuisson, ramasse quelques racines, en essayant de ne pas trop perturber leur écosystème.

De l'autre côté de la forêt, Nadine se retrouve sur une immense plaine herbeuse où elle traverse un grand champ rempli de tournesols. Les fleurs encore vertes ont besoin de prendre de la maturité. « Dommage. » Les graines auraient très bien remplacé les noix qu'elle adore. Sa réserve est épuisée depuis plusieurs jours déjà.

Malgré tous les retards que ses cueillettes et l'exploration causent, Nadine fait tout de même bonne route. En milieu d'après-midi, elle trouve l'endroit idéal pour monter son camp. Elle adossera la tente à un gros rocher. Il y a beaucoup de bois sec autour. Un ruisseau aux eaux claires coule tout à côté. Nadine apprécie particulièrement la mélodie de l'eau qui y dévale en cascade. Cette atmosphère apaise son âme.

En moins de deux, la perdrix embrochée pétille déjà au-dessus du feu. Sur une roche plate, le lièvre taillé en minces tranches cuit avec de l'ail des bois et un soupçon de racine de gingembre; juste un peu, car il parfume beaucoup. Quelques morceaux des deux bêtes cuisent dans un chaudron rempli d'eau; Lou aura aussi son mets préféré.

Pendant que l'odeur faisandée et suave chatouille ses papilles, Nadine examine les roches qu'elle a trouvées dans la journée. Deux d'entre elles font des étincelles quand elle y frotte le couteau. Plusieurs essais avec du foin sec ne produisent pas la flamme attendue. Elle est déçue. Elle essaie autre chose. Elle prend un bout de bois sec qu'elle coince par terre avec un bout de sa botte et autour duquel elle frotte une tige de vigne très sèche, dans un mouvement de va-et-vient. Selon ses lectures, cette technique de frottement est la plus facile à pratiquer avec des bouts de bois. « Facile… mon œil ! » Très vite elle a mal aux bras, aux épaules et aux dos. Le fait que le morceau de bois devienne brûlant lui démontre qu'elle applique la technique correctement. Mais, tout cela demande un grand effort, puisqu'il faut faire le mouvement de va-et-vient rapide, et assez longtemps pour que le frottement finisse par libérer des cendres brûlantes qu'elle pourrait utiliser pour allumer un feu. Elle devra pratiquer encore pour y arriver. Elle place le bout de bois et la tige de vigne dans son sac de montagne pour les garder au sec. Elle continuera sa recherche le lendemain, espérant qu'elle trouvera des roches qui conviendront mieux à ses besoins.

Ce soir-là, Nadine apprécie son dîner gastronomique; le menu de choix est digne des plus grands chefs cuisiniers de la planète. Elle remplit deux sacs hermétiques, l'un avec la viande de lièvre et l'autre avec les morceaux de perdrix qui, alourdis par une roche, prennent place dans le ruisseau. Cette viande suffira pour les prochains jours. Fatiguée du poisson séché qu'elle mange depuis plus d'une semaine, elle apprécie le changement de régime. Sur le plateau, elle n'a pas eu l'occasion de pêcher. Les nombreux ruisseaux qu'elle traverse ne contiennent pas de poissons.

Assise sur une roche devant son feu, perdue dans ses pensées, Nadine sirote sa dernière tisane de la journée. Elle a apprécié sa randonnée dans un magnifique paysage qui lui présentait des surprises à chaque kilomètre. Elle est heureuse de respirer l'air frais qui descend du nord pour caresser doucement le plateau avant de pousser vers la mer.

Elle soupire et retourne son regard vers le feu. Si elle le fixe assez longtemps, est-ce qu'un visage aimé y apparaîtra? Un enfant? Sa mère peut-être ? Bernard ? Elle aimerait voir Alex apparaître dans les fumerolles. Certes, il lui manque terriblement. Elle aimerait qu'il soit avec elle pour qu'ils puissent partager ce bonheur. Elle s'ennuie de sa famille et de ses amis. Mais elle ne peut faire autrement que d'apprécier l'aventure qu'elle vit. Son dix-huitième jour. Le désarroi de son arrivée s'estompe. Nadine met son énergie dans des actions qui peuvent la ramener chez elle. En dépit des difficultés, elle apprécie cette aventure aussi fantastique qu'invraisemblable.

Même si son séjour comprend autant de scènes d'horreur que de paysages enchanteurs, Nadine a l'impression qu'elle s'en sort très bien, qu'elle est de plus en plus forte face à l'adversité. Pour reprendre les paroles de son ami Bernard, « Nadine est une énigme ». Fondamentalement citadine, elle aime autant la nature où elle se sent beaucoup plus libre que la ville grouillante et bruyante. Elle finit par étouffer en ville si elle y reste trop longtemps. Toutes les randonnées qu'elle planifie sur les montagnes autour du monde lui permettent de prendre régulièrement cette bouffée d'air dont elle a besoin pour son équilibre. En contradiction, dès qu'elle met les pieds en nature, par moments, elle s'ennuie de la ville.

Soudain, elle sourit. Sa mémoire lui rappelle que sa fille Anne, trimballée sur les grands sentiers du monde par ses parents, n'aime pas la nature. Comment pouvait-elle avoir mis au monde une petite fille si différente d'elle-même ? Elle se souvient de son étonnement lorsqu'elle a compris que son adolescente détestait les randonnées au grand air.

Pendant que Nadine plonge dans ses souvenirs, le soleil en profite pour se noyer dans la mer, laissant l'horizon complètement enveloppé d'un ciel teinté de mauve et de rose. Nadine admire le spectacle avant de se coucher, savourant le moment, un sourire contenté sur les lèvres, son petit loup sur les genoux.

« Anne ma grande, ce soir, je te comprends un peu mieux. Vivre en société, même si c'est une véritable jungle parfois, apporte un sentiment de sécurité. Tu ne sais pas ce que je donnerais pour en parler avec toi demain matin, au petit-déjeuner, avec un bon café et des rôties au beurre d'arachides. Tu me manques… »

Chapitre 23

La Gaspésie — 18 juillet 1998

— Nadine, attends-moi…

Nadine marche comme un automate ce matin, perdue dans ses pensées. Alex retient délicatement le bras de sa femme pour la sortir de sa bulle. Il répète sa question.

— Arrête un moment ! Je veux te parler.

Sortie brusquement de sa réflexion, la marcheuse fronce les sourcils et blêmit d'inquiétude.

— Ça ne va pas ?

Alex éclate de rire. Comme toujours, sa femme a rapidement oublié ce qui la rendait aussi taciturne il y a une minute à peine, pour s'inquiéter de lui.

— Je trouve cela drôle que tu me demandes, à moi, ce qui ne va pas. Depuis ce matin, tu sembles préoccupée, tu ne regardes pas où tu marches. Tu as même trébuché deux fois. Qu'est-ce qui se passe ?

Ce n'était pas son habitude. Bien sûr, elle maintenait sa cadence de marche, mais elle semblait ailleurs. Comme si elle ne voyait rien de ce qui l'entourait. Même la vue en haut de la crête, qui d'habitude met une expression de béatitude sur son visage, ne l'avait pas touchée. Les enfants et lui n'existaient plus alors, dans quel tourbillon intérieur se débattait donc Nadine ?

Toute la petite famille marchait sur un magnifique sentier de la Gaspésie, quelque part sur les crêtes à l'ouest du parc. Depuis leur départ du lac Huard, Nadine s'enveloppait d'un air songeur.

Dans la descente vers le creux de la vallée, Dominique et Anne avaient pris les devants, sans s'arrêter. Alex n'était pas inquiet pour eux. Les deux adolescents connaissaient bien le parc, et ils étaient rompus à la marche en montagne. Ils s'arrêteraient dans trois kilomètres, au bord du petit lac où la famille se proposait de déjeuner. Leurs parents les rejoindraient là.

Nadine affiche un air soucieux qu'Alex n'aime pas. Qu'est-ce qui la préoccupe tant ? Est-elle malade ? Les yeux bleus de la femme montrent tellement d'inquiétude qu'il la prend dans ses bras pour la rassurer.

— Si tu me disais ce qui ne va pas. Nous serions deux pour porter le fardeau.

— Je suis préoccupée pour notre fille. Je pense qu'elle n'est pas heureuse. Cette randonnée lui déplaît. J'ai l'impression qu'elle ne s'amuse pas.

— Je n'ai rien remarqué. Elle est comme d'habitude.

— Avec toi elle est comme d'habitude. Avec moi, elle ne sourit pas, elle ne parle pas. Elle fait tout ce que je lui demande sans rouspéter. Tu la connais, elle a toujours une opinion sur tout d'habitude. Je n'aime pas son silence !

— As-tu essayé de lui parler pour savoir ce qui se passe ?

— Bien sûr. Deux fois. Encore hier soir quand nous faisions le souper. Je me suis buté sur un mur de silence.

— C'est bizarre. C'est ce que fait Anne quand elle boude.

— Je pense qu'elle veut me punir.

Alex est songeur. Il comprend la cause du problème, mais il attend patiemment que Nadine termine sa réflexion avant de poursuivre. Après quelques minutes de silence, elle explique le fond de sa pensée.

— Il y a quelques semaines, Anne m'a demandé si elle pouvait ne pas participer à la randonnée. J'étais pressée. Je ne voulais pas laisser ma fille de 14 ans seule à la maison. Je savais que tu étais aussi de cet avis. J'ai refusé.

Alex attend la suite, la voyant bouleversée.

— J'aurais peut-être dû lui parler; pour comprendre pourquoi elle ne voulait pas venir en montagne.

— Maintenant tu t'en veux de ne pas l'avoir fait. Notre adolescente le sait et elle te le fait payer. Elle boude, tu crois ?

— Je crois qu'elle aimerait mieux être ailleurs. C'est sûr que cela me choque de voir son attitude et je serais capable de lui répondre du tac au tac. Mais je pense qu'il faut aller au fond des choses. Tu sais, j'ai connu l'inverse. À l'adolescence, j'ai dû me battre pour pouvoir faire du sport. Si Anne n'aime pas la randonnée et qu'on la force, ce n'est pas mieux.

Songeur, Alex regarde vers le ciel et ferme les yeux un instant. Il n'aime pas voir sa femme aussi bouleversée. Si elle était présente en ce moment, il engueulerait volontiers Anne pour qu'elle cesse de faire de la peine à sa mère. Mais Nadine a raison. Il faut d'abord penser au bien-être de leur fille.

— Je comprends. Qu'est-ce que je peux y faire ?

— Il est évident qu'elle ne veut pas me parler. Peut-être que tu pourrais essayer ? Elle résiste rarement à tes beaux yeux noisette.

Le couple poursuit son chemin, main dans la main, dans ce rare sentier assez large pour qu'ils puissent marcher côte à côte. Ce bout de route a fini de rassurer Nadine qui, soulagée de s'être vidé le cœur, marche avec entrain et bonne humeur. La mère est encore inquiète, mais elle apprécie qu'Alex prenne la relève.

Un peu plus tard, au refuge du carouge, Alex rejoint sa fille assise sur le quai au bord du lac, avec un livre à la main. Il s'assoit à côté d'elle et il attend qu'elle lève ses yeux noisette vers lui.

— Est-ce que je me trompe où il y a quelque chose qui te préoccupe au cours de ce voyage ?

— Qu'est-ce qui te fait dire ça ?

— Des petites choses. Le fait que tu ne parles pas beaucoup quand on est au camp. Le fait que tu passes plus de temps à lire qu'à t'intéresser à ce qu'il y a autour. Puis, il y a un brin de soucis au coin de tes yeux.

La jeune fille baisse les paupières. Alex réalise que sa petite fille retient ses larmes, en proie à un gros chagrin. Il attend patiemment.

— Papa, c'est maman qui m'énerve. Elle décide de tout et elle n'écoute personne. Il faut toujours faire ce qu'elle aime, ce qu'elle décide. J'en ai assez !

Alex aurait aimé la réprimander vertement de parler de sa mère comme ça. Il retient difficilement ses paroles. Il doit attendre un peu s'il veut aller au fond des choses.

— C'est un jugement dur ça. Si tu m'expliquais ce qui s'est passé ?

— Je ne voulais pas venir ici. Je ne veux pas aller marcher dans les Alpes en août. Je n'aime pas les longues randonnées. Je pense que je n'ai jamais aimé cela, elle m'a toujours obligée à suivre. Maintenant que je vais avoir quinze ans, je devrais pouvoir décider moi-même ce que je veux faire.

— Tu en as parlé avec ta mère ?

— Parler ? Avec maman, les conversations se limitent à demander quelque chose et attendre « sa » décision.

Alex ferme les yeux pour se calmer. Il n'aime pas qu'Anne critique ainsi… attendre encore. Il respire profondément pour contenir sa colère.

— Si je comprends, tu as demandé à ta mère de ne pas venir et elle a refusé ? Quelle raison a-t-elle donnée ?

— Elle me trouve trop jeune pour rester seule à la maison. Est-ce qu'elle se souvient que j'ai quatorze ans, bientôt quinze ans ? Je ne suis plus un bébé !

— C'est vrai que tu n'es plus un bébé, mais je suis d'accord avec ta mère que tu es trop jeune pour rester seule à la maison. Il y a sûrement une autre solution, si en fin de compte tu ne voulais pas venir.

— Tu ne comprends pas ! Avec maman, il n'y a qu'une solution, la sienne. Elle décide de tout. J'aimerais cela t'aider à monter le camp plutôt que de faire la cuisine. Elle le sait que je n'aime pas faire la cuisine en camping, mais elle tient au partage des tâches qu'elle a choisies ! J'en ai assez je te dis !

Alex étire ses longues jambes sur le quai, tente de prendre une position de détente. Peine perdue. Il ne peut plus tolérer son attitude irrespectueuse. Doucement, il met son bras autour des épaules de sa fille et il relève son menton pour qu'elle le regarde dans les yeux.

— Tu sais, c'est normal à l'adolescence de réaliser que nos parents ne sont pas parfaits. Je pense que tu commences à comprendre que tu n'es pas comme ta mère et cela te déstabilise.

Anne éclate en sanglots. Alex, le cœur en lambeaux devant la peine de sa fille, la serre très fort et attend que les gros soubresauts cessent de secouer le corps de l'adolescente. Puis, il reprend la parole.

— Tu sais, tu as le droit de ne pas aimer la randon-née. Il faut juste trouver une solution acceptable. Si tu m'expliquais ce que tu aimerais faire ?

— J'aime ça voyager. J'ai adoré notre visite à Paris en avril. Nous avons découvert l'histoire de la ville et nous avons rencontré des gens intéressants. J'aurais aimé passer plus de temps au Louvre. Mais je n'aime pas me retrouver dans la forêt; elle m'oppresse. J'ai l'impression de perdre mon temps à marcher dans des sentiers qui ne mènent nulle part.

— Je ne comprends pas. Pourtant tu aimes le sport ?

— Tu n'as jamais remarqué que les sports que je pratique sont tous à l'intérieur ? Le basketball, le volleyball, le badminton ?

— C'est drôle. J'ai toujours pensé que tu préférais les sports d'équipe. Maintenant que tu me l'expliques, je vois ce que tu veux dire.

Alex a senti la tension diminuer dans les épaules de sa fille. Plaçant un baiser sur le front de l'adolescente, il continue.

— Si on trouvait un moyen d'éviter que tu fasses la longue randonnée en Suisse ?

Anne regarde son père avec tellement d'espoir dans ses yeux qu'il a eu peur de la décevoir.

— Papa ! Tu pourrais faire cela ? Tu pourrais convaincre maman de me laisser à la maison ?

— Non. Je suis d'accord avec ta mère. Il n'est pas question que tu restes seule à la maison. Tu es trop jeune.

Quand il a vu l'éclair de colère traverser le regard de sa fille, il a vitement poursuivi sa pensée.

— Puis, si tu restes à Montréal, tu manqueras le reste du voyage en Italie. Est-ce que c'est cela que tu veux ?

— Non. Mais je resterais bien à Montréal pour éviter les six jours de randonnée dans la montagne.

— Savais-tu que nous avons invité ta grand-mère à venir avec nous ?

— Non, je ne savais pas.

— Elle a refusé l'invitation parce qu'elle ne voulait pas rester seule à Innsbruck pendant les six jours de randonnée. Peut-être qu'elle accepterait l'invitation à nouveau si elle savait que tu aimerais mieux rester avec elle. Qu'en penses-tu ?

La suggestion fait briller les yeux de l'adolescente.

— Oui ! Ce serait merveilleux ! Je l'aime beaucoup Irène !

— Tu appelles ta grand-mère par son prénom maintenant ?

— Euh... Oui. C'est elle qui me l'a proposé.

— C'est correct si elle est d'accord. Est-ce que tu veux m'appeler Alex ?

— Non ! Toi c'est « papa ». Je ne serais pas capable de t'appeler Alex.

— Je suis soulagé. J'aime t'entendre dire « papa ».

Les deux ont bien ri. Alex a laissé sa fille reprendre son souffle, après cette difficile conversation. Puis, il a poursuivi.

— Tu dois accepter une chose : si Irène ne peut pas venir avec nous, nous lui demanderons de t'héberger pendant notre séjour en Europe, mais tu manqueras l'Italie. Si cela ne marche pas, tu pourrais devoir nous suivre en randonnée pour cette année. L'an prochain, nous aurons plus de temps pour planifier une alternative. Est-ce que cela te va ?

— Oui papa.

— Aussi, en ce qui concerne cette randonnée-ci, je te suggère de parler avec ton frère. Je pense qu'il verrait d'un bon œil de faire la cuisine avec ta mère de temps en temps. Je suis certain que tu serais capable de m'aider avec le camp.

— Merci papa. C'est une bonne idée. Surtout que demain on est en camping et que mon intello de grand frère n'a pas encore compris comment mettre les morceaux de la tente ensemble. Je vais parler à Dominique.

Alex soulève gentiment le menton de sa fille pour qu'elle le regarde dans les yeux.

— Je te demande aussi de t'excuser auprès de ta mère. Ton attitude à son égard depuis le début de la randonnée lui a fait mal. Elle est peinée.

— Peuh ! Je suis sûre qu'elle ne s'en est pas aperçue. Sinon elle m'aurait engueulée.

— Tu connais mal ta mère. Elle t'aime beaucoup et elle réalise que vous êtes très différentes. Elle veut respecter ces différences même si ce n'est pas facile, surtout quand tu boudes, ou pire quand tu t'enveloppes d'un mur de silence. Tu es sa fille et il faudra que tu fasses aussi quelques efforts pour que vous arriviez toutes les deux à bâtir une belle relation entre adultes.

— Je vais y réfléchir papa.

— Tu vas juste réfléchir ?

La jeune fille a jeté un regard mi-figue mi-raisin à son père.

— D'accord. Je vais lui parler et m'excuser. Mais je dois réfléchir à comment m'y prendre.

Alex serre sa fille dans ses bras. Son petit bébé devient une femme un peu trop vite à son goût. Si la nostalgie l'étouffe un peu, il ressent une grande fierté de l'attitude ouverte de l'adolescente. Il la prend par les épaules pour mieux la regarder droit dans les yeux et il poursuit la leçon.

— Je dois te faire une confidence.

Sa fille l'écoute avec beaucoup d'attention.

— Si ta mère ne m'avait pas dit que tu étais malheureuse au cours de cette randonnée, je n'aurais rien vu. Si elle ne t'a pas engueulée pour ton attitude, c'est parce qu'elle voulait te comprendre plutôt que de t'imposer ses choix. Si on a cette belle conversation en ce moment, c'est grâce à elle. Je pense qu'elle mérite plus de respect de ta part.

Surprise par ce que son père venait de lui dire, Anne reste un bon moment la gorge serrée et incapable de parler. Puis elle hoche de la tête.

— OK papa. Je vais faire un effort.

Le lendemain soir, alors que la famille s'installe au camping du lac Cascapédia pour quelques jours, Dominique est grandement soulagé de se retrouver avec sa mère pour préparer le repas. Voyant le sourire d'Alex, Nadine comprend que cela fait suite à la conversation qu'il a eue avec sa fille la veille. Dominique est heureux et il rit de voir sa petite sœur se débrouiller mieux que lui avec tous les poteaux de la tente.

Deux jours plus tard, Anne trouve un moment pour être seule avec sa mère. La conversation semble si sérieuse pendant un temps qu'Alex s'inquiète. Puis, quand il les voit revenir bras dessus, bras dessous, en partageant le même fou rire espiègle, il sent une grande fierté pour les deux femmes de sa vie.

Bien sûr, Irène a accepté d'accompagner la famille en Europe. Elle et Anne ne tarissent pas d'anecdotes sur ces six jours exceptionnels dans la belle ville d'Innsbruck. Leur complicité a été l'un des plus beaux souvenirs de cet été 1998.

Heureuse d'entendre ses parents raconter leurs péripéties, Anne n'a plus jamais fait de longue randonnée en montagne. Mais la digne fille de Nadine ne s'empêche pas de vivre de belles aventures… loin de la forêt et des sentiers de brousse.

Chapitre 24

Jour 19 — 2 août

— Allez mon petit pou ! Aujourd'hui tu passeras la journée au chaud.

Nadine glisse le louveteau dans son chandail sans attacher la ceinture de son sac, pour ne pas l'écraser. La présence de Lou collé sur son abdomen la ralentira, mais il n'est pas question qu'elle le laisse frissonner sous la pluie. « C'est comme si j'étais enceinte… non ! J'ai plutôt l'air d'un kangourou ! C'est ça ! Une maman kangourou… »

Au réveil, l'air du plateau était assombri par un ciel couvert et une pluie fine enlevait complètement le goût de sortir de la tente. Cependant, Nadine voulait continuer son chemin. Elle a subi beaucoup trop de retard et elle voulait poursuivre son aventure qui commence à traîner un peu trop en longueur à son goût. Alors, prenant son courage à deux mains, elle a accompli sa routine du matin et préparé son départ.

Ainsi, le sac de montagne sur le dos et le travois protégé de la pluie par le tapis de sol, elle a commencé sa randonnée quotidienne.

« Ici, les journées se suivent, mais ne se ressemblent pas. Que m'apportera cette nouvelle journée ? » Une aventure, la vue de paysages magnifiques ou une embûche à surmonter... peut-être un peu de tout cela ? Cette terre la surprend chaque jour tant par sa générosité que par la dureté de ce qu'elle lui fait vivre. Elle l'émerveille et lui fait peur à la fois. Regardant autour d'elle, Nadine voit l'opulence du coin. Une végétation riche lui offre les aliments de base dont elle a besoin. Il y a des animaux de toutes sortes qui ne sont pas effarouchés par sa présence, des herbivores, des carnivores, de petits rongeurs. De nombreux oiseaux chantent dans les arbres, mélangeant leurs sons pour exprimer la mélodie de la vie. Les rivières contiennent plus de grenouilles que de poissons.

« Un secteur si prospère qu'il devrait s'y trouver à proximité une civilisation, pour en profiter. » Nadine s'est répété cette hypothèse si souvent que le doute a fini par s'installer. Elle marche en pleine nature depuis 19 jours et elle n'a pas encore vu de traces humaines. La réaction des animaux lui démontre également qu'ils ne la reconnaissent pas ; elle ne représente pas un danger, mais semble plutôt un objet de curiosité. Comme s'ils voyaient pour la première fois un humain, cette grosse bête qui marche sur deux pattes et qui, comme un escargot, porte sa maison sur son dos.

Son pied glisse et elle s'étale de tout son long sur le sol trempé. « Lou ! » La petite bête a eu si peur dans la culbute qu'elle a sorti ses griffes, encore minuscules, pour s'agripper… à l'abdomen de Nadine. « Aïe ! » Vitement, elle le sort de son chandail pour le rassurer.

Aujourd'hui, c'est difficile de marcher sur ce plateau couvert de hautes herbes en traînant le travois. Il y a des trous un peu partout. Des entrées de terriers de marmottes. Très peu agiles, ces bêtes creusent leur résidence en y intégrant plusieurs galeries afin de pouvoir s'y réfugier rapidement en cas de danger. Son pied a presque disparu dans l'un de ces trous. Plus d'un fermier du Québec s'est cassé une jambe ou brisé un genou pour ne pas les avoir vus à temps. C'est ainsi que sa mémoire la ramène dans son enfance et la fait sourire. Son grand-père appelait ces bêtes des « siffleux » en raison de leur cri qui ressemble, à s'y méprendre, à un coup de sifflet strident.

Elle devra faire plus attention. Elle lève la tête pour laisser la pluie éclabousser son visage. « Devrais-je arrêter pour aujourd'hui ? » Elle ne veut pas lâcher. C'est trop important de trouver cette civilisation qui lui indiquera le chemin pour rentrer chez elle. Ainsi, elle poursuit sans relâche vers le sud. Elle a beau faire des efforts pour rester alerte, le temps maussade l'incite à rester dans sa tête.

Un instant, elle a l'idée de chasser la marmotte; cet animal un peu lourdaud ne peut se sauver rapidement. Mais cela nécessiterait un arrêt pour dépecer la bête et préparer la peau pour le tannage. Elle n'a pas le temps. Elle veut faire le plus de chemin possible dans la journée alors elle les laisse tranquilles.

Elle marche très longtemps en dépit de la pluie qui dégouline sous son imperméable. En bordure d'une forêt, elle observe un barrage de castor sur une rivière qu'elle n'aurait probablement pas pu traverser autrement. « Merci les amis ! » Dans une autre forêt, elle voit de nombreux lièvres, des perdrix et des porcs-épics. « Je vous laisse la vie sauve... pour aujourd'hui. » Partout il y a abondance de plantes comestibles qu'elle cueille au passage, presque sans s'arrêter. Dans une large vallée, des chevreuils broutent. Ailleurs, des chevaux courent. Elle s'arrête un long moment pour les observer.

En milieu d'après-midi, la pluie cesse et le vent se lève pour assécher rapidement la nature. Nadine termine sa randonnée près d'un cours d'eau, même s'il est encore tôt. Ainsi elle pourra se rafraîchir, changer ses vêtements trempés et remplir sa gourde. Elle adosse la tente à un gros rocher, planté là comme pour lui offrir la sécurité dont elle a besoin.

Assise sur une roche bien polie, au bord de son foyer dont le bois attend qu'on l'allume, Nadine porte un regard critique autour d'elle. Elle ressent une grande sécurité. Elle regarde à l'est. « Qu'est-ce qu'il y a dans cette forêt ? » Elle regarde le ciel. Le soleil commence à peine sa descente vers l'ouest. Elle a le temps de faire un tour dans la forêt pour mieux évaluer sa situation. L'eau à la bouche, Nadine écoute son estomac lui parler d'herbes sauvages, de fruits juteux et de racines qu'elle ajoutera à sa réserve de nourriture. Laissant tous ses effets dans la tente pour les protéger des nombreux petits rongeurs, elle prend son bâton de pèlerin et quelques dards et s'éloigne du camp en direction de la forêt. Lou la suit sur ses petites jambes fragiles pendant un petit moment. De toute évidence, il aime cette sensation d'autonomie.

Bien sûr, comme n'importe quel enfant, Lou ne peut encore marcher longtemps et, à l'orée de la forêt, elle le roule dans la vieille camisole pour le glisser dans son chandail; seule sa petite tête sort du chandail, car il est très curieux ce Lou. Gâté, il veut voir tout en restant bien au chaud.

À l'entrée de la forêt, elle s'arrête quelques instants, pour laisser passer une harde de chevaux à la peau très pâle, du blanc au blond roux. Ils sont pressés, très nerveux même. Nadine s'écarte de leur chemin en se glissant hors de la piste le temps de leur course.

La forêt n'est pas très grande. De l'autre côté, une scène horrible lui donne froid dans le dos. À 50 mètres devant elle, des loups dévorent une proie. Un cheval à la fourrure blanche. Voilà ce qui explique la chevauchée effrénée. Les bêtes observent Nadine, mais ne sont pas intéressées par sa présence. Vu sa taille, elle n'est pas une menace pour eux; ils poursuivent leurs efforts pour s'alimenter sans s'énerver. Se rappelant une rencontre récente avec une meute, elle décide de rebrousser chemin.

En se retournant, la femme arrive presque nez à nez avec une jeune pouliche à la peau ambrée qui a presque sa taille d'adulte. Elle serait née au printemps de l'an dernier. Elle est nerveuse et s'ébroue. Nadine s'approche de la pouliche. Un pas à la fois. Doucement. Elle observe Nadine, mais elle ne bronche pas. Nadine lève la main lentement pour toucher le museau de la pouliche. Cette dernière recule de quelques pas puis elle s'arrête pour observer à nouveau la femme. « Tout doux ma belle… » Nadine recommence son manège, à quelques reprises, jusqu'à ce que la pouliche la laisse faire. Elle réussit à la prendre par le cou sans que la pouliche ne s'offusque. Lou choisit ce moment pour sortir la tête du chandail. Surprise de voir les yeux gris et une petite langue rose apparaître, la grosse bête prend peur et s'enfuit.

Nadine est triste, car elle soupçonne que le cheval à la fourrure blanche, tué par la meute, pourrait bien être la mère de la pouliche qui a sacrifié sa vie pour protéger sa fille. Ceci expliquerait pourquoi elle n'a pas suivi le troupeau. Maintenant sans protection, elle servira prochainement de repas à des lynx ou à d'autres loups.

Au moins, le sentier est libre et Nadine peut retourner à son camp sans affronter les prédateurs. Même si ces derniers sont loin dans la forêt, et qu'ils n'auront pas faim avant quelques jours, elle ajoute deux autres feux autour de son camp pour plus de sécurité. Elle n'a pas le temps de changer la tente de place avant la nuit, mais elle fera le nécessaire pour se protéger.

Elle entend du bruit et lève instinctivement la tête pour évaluer le danger. La pouliche broute, à quelques mètres de la tente. Malgré son désaccord, énoncé par une plainte, Nadine laisse Lou dans la tente et elle s'approche lentement de la jeune jument. Est-ce que l'odeur du petit loup, laissée sur son chandail, sera suffisamment forte pour la faire fuir à nouveau ?

La femme réussit non seulement à s'en approcher, mais aussi à la flatter. Elle regarde au loin, mais ne voit pas d'autres chevaux. La jeune bête ne pourra donc pas les rejoindre par elle-même. Nadine est contente de revoir la pouliche, mais elle craint que sa présence près du camp n'attire les prédateurs. Pour dire vrai, elle n'a pas l'intention de la repousser. S'il le faut, elle passera la nuit debout à maintenir les feux, armée de sa machette, son bâton de pèlerin, sa fronde et de ses dards. Elle défendra la pouliche si cela devenait nécessaire.

Nadine laisse la bête là où l'herbe est abondante pour qu'elle puisse s'alimenter, puis elle retourne à son camp pour calmer Lou qui manifeste sa mauvaise humeur. Il se plaint de l'abandon de sa mère adoptive, il grogne constamment et s'impatiente. Quand Nadine le fait sortir de la tente, la pouliche devient nerveuse, mais se calme presque aussitôt, continuant de les observer entre deux bouchées de foin. Nadine sourit. Au moins, elle n'aura pas à donner la tétée à ce bébé plus grand qu'elle.

Quand la nuit noire s'étend sur la prairie, les nuages cachent complètement les étoiles et un seul rayon de lune perce le ciel de son halo. Malgré le calme de la nature, Nadine reste au bord du feu, prête à réagir au moindre signe de menace. De temps en temps, ses yeux se ferment un instant pour s'ouvrir à nouveau lorsque ses oreilles entendent le moindre bruit suspect.

Des hurlements. Nadine sursaute, ses sens aux aguets. Elle écoute. Les sons proviennent de plus loin. Elle se lève, son fémur massue d'une main et la machette de l'autre. À la lueur de ses feux, elle fait lentement le tour de son camp, essayant de percer l'obscurité. Un autre hurlement lui glace le sang et coupe sa respiration. Pourquoi a-t-elle si peur de ces fiers prédateurs ? Pour une raison qu'elle ne s'explique pas, les loups d'ici ne se comportent pas comme ceux du Québec. Normalement, ils ne se préoccupent pas des humains. Même s'ils protègent leur territoire, ces prédateurs savent que les hommes ne font que traverser leurs terres sans chasser et sans les déranger. Nadine a souvent senti l'odeur des loups tant ils étaient proches, sans jamais les voir. Ils sont habiles à rester hors du champ de vision des visiteurs. Si on ne les attaque pas, et s'ils ne sont pas affamés, il y a peu de danger. Or, ceux-ci lui font terriblement peur. Elle est incapable de prévoir leur comportement et ils ne semblent pas reconnaître qu'elle n'est pas une menace pour eux. La prennent-ils pour une proie ? Elle a froid dans le dos. Elle se tiendra loin des loups tant qu'elle sera ici. Peut-être même que cette peur la suivra sur les sentiers du Québec, tant elle est intense.

« Quelle heure est-il ? » Aucun moyen de le savoir… Pourquoi a-t-elle écouté leur ami Claude d'une oreille distraite quand il expliquait qu'on peut calculer le temps de la nuit par le mouvement de certains astres dans le ciel ? Elle le trouvait un peu trop intense avec toutes ses dissertations sur l'astronomie; aujourd'hui, elle aimerait qu'il soit à ses côtés pour l'aider.

Nadine entend d'autres prédateurs dans la forêt ainsi que les cris des bêtes à l'agonie. Les bruits semblent à bonne distance, donc sans danger immédiat. Par contre, elle les perçoit comme autant de déchirement sur son âme. Dans la nature, pour qu'une vie continue, une autre doit s'éteindre. Au cours de cette nuit, les plus faibles paient le prix de la continuité de la vie. Et cela l'agace. Elle aimerait sauver toutes ces vies, comme elle l'a fait pour Lou. Mais c'est une tâche impossible.

Lou, ressentant son inconfort, reste près du feu. Roulé en boule, rassuré d'être en sécurité auprès de sa mère adoptive, il s'endort.

Nadine ne voit pas la pouliche. Seuls de légers hennissements lui font comprendre qu'elle est restée en sécurité près du camp. Que va-t-elle faire de la jeune jument ? La présence de Lou ne l'inquiète pas. Si petit, il demande peu. Devenu adulte, il reprendra sa place de prédateur. Mais la pouliche est herbivore. Ces animaux cherchent leur protection par la vie en groupe. En dehors de sa harde, jeune et seule, elle deviendra une proie facile. Le mieux serait de la ramener à sa harde. Mais où est rendu le troupeau? Il n'est pas question qu'elle reste là en attendant que la harde repasse dans le coin. De plus, le mâle dominant ne voudra pas s'encombrer d'une pouliche immature alors que sa mère n'est plus là pour la guider.

Nadine ne dort que quelques heures, préférant veiller sur ses protégés. Dans la pénombre de l'aube, elle décide de défaire le camp, traverser la rivière peu profonde, et poursuivre sa route vers le sud. Elle laissera la pouliche décider de son sort. Ou elle restera ici dans l'univers qui l'a vue naître, ou elle suivra Nadine et Lou vers la civilisation.

Entre deux bouchées de foin, la pouliche observe Nadine ranger ses effets, déplacer le travois du côté sud de la rivière, y transporter ses effets, mettre sur son dos le sac de montagne, agripper les manchons du travois et marcher vers le sud avec Lou à ses côtés.

Nadine se retourne après quelques pas. Elle et la pouliche s'observent un temps, puis, déçue que la pouliche ne donne pas signe d'intérêt, Nadine poursuit sa route vers le sud.

En chemin, elle remarque que le terrain descend en pente vers le sud-ouest. Les ruisseaux qu'elle traverse coulent en suivant la pente, comme si le plateau tanguait dans cette direction. La nature s'adapte et les cours d'eau coulent toujours là où c'est le plus facile. Le plateau n'est plus aussi haut que le terrain qu'elle a traversé la veille. Elle aperçoit très bien la mer à sa droite, à l'ouest, à un peu moins de cinquante mètres plus bas. L'environnement change à nouveau.

Quand le soleil atteint le zénith, Nadine trouve un coin tranquille, près d'un ruisseau où nagent de belles truites. « Du poisson frais ! Enfin ! » De ce lièvre qu'elle a chassé il y a quelques jours, il ne reste que la peau qu'elle a fourrée sur le travois, la cervelle à l'intérieur. Elle n'a pas eu le temps de s'en occuper sauf pour gratter l'intérieur de la peau afin de la débarrasser de la chair et y appliquer la cervelle. Elle n'a plus de viande de perdrix.

Fatiguée par sa courte nuit, elle remplit son estomac de fruits pour calmer sa faim et elle s'endort à l'abri du soleil, dans sa tente aussi orange qu'un ballon. Rapidement, elle tombe dans les bras de Morphée. Lou fait de même.

Elle ouvre des yeux encore empreints de sommeil. Elle ne sent aucun danger. Qu'est-ce qui l'a réveillée ? Un son aigu, strident et soutenu. « On dirait des cigales. » Elle sort de la tente pour apercevoir un soleil éclatant. Il fait très chaud. Elle s'étire et apprécie l'énergie renouvelée qui coule dans son corps. Le son s'accentue et cela la surprend. Bien sûr, il y a des cigales dans son coin de pays, mais leur chant n'est pas aussi fort. Cela lui rappelle une visite dans la région de Nîmes dans le sud de la France. Les chants des cigales y étaient si puissants qu'ils avaient de la difficulté à se parler; même les résidents du coin criaient pour se faire entendre. Elle doit s'y résigner, car les cigales ne cesseront leur vacarme que lorsque la température baissera sous les 25˚ C.

Nadine regarde autour d'elle. Il fait encore beau même si le soleil d'après-midi a débuté sa course vers l'ouest. Quelques geais bleus chantent encore dans les immenses chênes qui bordent la rivière. Le terrain où elle a mis la tente descend en pente douce vers la rivière où l'eau est si claire qu'elle voit les truites nager sur fond de gravier.

Quel coin paisible ! Soudain son cœur sursaute. Oui ! Elle voit bien la tache dorée dans le milieu de la rivière, à deux cents mètres de son camp. La pouliche est en train de s'abreuver dans la rivière ! Elle a donc décidé de les suivre ! Nadine a les yeux pleins d'eau. Son bonheur dépasse largement les risques que lui apportera la proximité de la pouliche. Cette dernière lève la tête pour regarder Nadine et, sans hésitation, elle part au galop pour venir à sa rencontre. Les larmes coulant sur ses joues, Nadine caresse le col de la pouliche.

— Allie ma belle ! Tu as décidé de rester avec nous !

Parce que Allie est le nom qui lui est spontanément venu à l'esprit quand elle a trouvé la pouliche dans la forêt; cependant, elle n'a pas osé lui donner ce nom avant... d'être certaine de son amitié. Lou, debout sur ses pattes chétives, les regarde sans trop comprendre toute cette effusion d'émotion. Allie descend son grand nez pour toucher la tête du petit loup. Ce dernier en profite pour renifler de proche cette grosse bête. Conforté par la dominance de sa race, le bébé n'a même pas peur.

Nadine s'amuse en observant ces deux têtes aux dimensions disproportionnées se retrouver nez à nez. « Quel beau développement dans notre aventure. »

Chapitre 25

Jour 21 — 4 août

« Ça sent le soufre… » Nadine écarquille les yeux. Est-ce qu'elle arrivera enfin à dormir une nuit complète ? Un deuxième coup de vent fait trembler la mince toile de la tente. Décidément, ce maudit pays lui en fait voir de toutes les couleurs. La femme sort la tête de la tente. Une bourrasque ébouriffe ses cheveux et lui cache la vue.

Nadine n'est pas très rassurée. L'orage approche. Il vient de l'est et s'annonce violent. Elle se souvient du dernier et en est encore traumatisée. Elle ne peut pas rester à cet endroit. Elle ne survivrait pas dans ce territoire un peu trop ouvert. Elle doit poursuivre sa route vers le sud. À l'horizon, un amoncellement rocheux sort du paysage plat et uniforme. Elle y sera mieux à l'abri que sur cette prairie où les gros chênes attireront à coup sûr la foudre.

Il ne fait pas encore tout à fait jour, mais elle doit déguerpir sans tarder. Alors elle démonte le camp à la hâte. Heureusement, ses effets ne sont jamais bien éparpillés. Une leçon d'efficacité apprise en camping, alors qu'elle et Alex voyageaient autour du monde. Elle évite les pertes de temps, utilise un minimum d'énergie. Aujourd'hui, encore, cette habitude lui permet d'assurer un départ rapide.

Le soleil n'est pas encore levé quand elle traverse la rivière aux truites. Elle aurait aimé y pêcher encore ce matin, mais elle n'a pas le temps. Ainsi, devant l'urgence du moment, elle se dirige tout droit vers le sud. Lou, couché sur le travois, gémit constamment : il ressent le danger. Allie hennit au vent en marchant à côté de Nadine. Décidément, les animaux du coin n'aiment pas plus les orages que l'humaine.

Nadine tire le travois avec énergie, convaincue que sa vie dépend de la vitesse à laquelle elle atteindra les rochers. Quand le terrain le lui permet, elle court en dépit du sac de montagne qui maltraite ses épaules. « Quelle distance avant d'être en sécurité ? » Dix kilomètres… peut-être huit… Elle pourrait laisser le travois ici, prendre le loup dans ses bras et courir vers le sud. Une heure de course continue pourrait lui assurer la sécurité. Elle secoue la tête. Dans une telle tempête, elle perdrait tout. Non ! Elle doit garder tout son matériel. Sa survie en dépend.

Elle met deux bonnes heures avant d'atteindre l'amoncellement rocheux couvert en grande partie par des conifères et des feuillus. Elle ne fait pas de pause. Elle n'en a pas le temps. Entre deux rochers, protégée du vent, du côté ouest, elle coince la tente. Examinant les lieux, elle prend le tapis de sol et elle l'attache, par les coins à des branches, au-dessus de l'habitacle. Une protection supplémentaire contre la pluie diluvienne qu'elle redoute.

Elle place tout son bagage à l'intérieur. Puis, elle ramasse vitement quelques branches sèches et les dépose aussi à l'abri pour les garder au sec, afin de faire un feu aussitôt que l'orage cessera. Elle et Lou seront un peu à l'étroit, mais ils s'en accommoderont. Elle accumule un peu de bois sous le tapis de sol pour les garder près d'elle. Il sera certainement mouillé, mais moins trempé que celui laissé en plein orage. De l'autre côté de la tente, sous la toile, elle place son travois et le remplit de roches pour qu'il reste en place durant l'orage.

Un éclair… 1, 2, 3, 4, 5… Ka boom ! Il est loin… au moins cinq kilomètres. Soudain l'air se remplit de l'odeur suffocante d'œufs pourris. Le soufre. Elle a mal au cœur. Elle n'attend pas que la pluie tombe et elle se réfugie dans sa tente avec Lou. Elle est inquiète. Du coin de l'œil, elle a vu Allie bifurquer vers l'est au lieu de la suivre vers l'ouest. Devant le danger, elle ne pouvait l'attendre, ni tenter de la ramener vers le chemin qu'elle avait choisi. Est-ce que la pouliche a trouvé un endroit sûr ? Pour le moment, Nadine doit se concentrer sur sa sécurité personnelle et celle de Lou. La pouliche est un animal sauvage presque adulte et elle est née dans ces conditions. Elle est sûrement en meilleure position pour se protéger elle-même que ne pourrait le faire Nadine.

L'orage gronde toute la journée. Nadine et Lou tentent de dormir sans succès. Sommeillant quelques instants durant une accalmie, ils se réveillent en sur-saut aussitôt, que la foudre claque au-dessus de leurs têtes. Ils somnolent encore au son de l'eau qui s'abat sur la toile puis, ils se réveillent quand un nouveau choc fait trembler le sol sous la tente. Heureusement, Nadine a mis celle-ci sur une partie surélevée pour éviter de se retrouver dans un torrent. Habillée de son imperméable, tremblant chaque fois qu'un éclair zigzague au-dessus de sa tête, elle vérifie à quelques reprises si l'installation tient bon. Le tapis de sol se tord au-dessus de l'abri de toile, mais il fait du bon travail en le protégeant contre le plus gros de l'orage.

Nadine se sent démunie par le manque de contrôle sur la progression de sa quête. La durée et la violence des orages de ce pays sont des obstacles qu'elle ne peut contourner. Elle doit les subir dans toute cette brutalité qui la garde dans la terreur. Chaque fois qu'elle reprend son souffle, qu'elle commence à apprécier l'aventure, cette terre lui ramène sa peur en plein visage sous la forme de puissantes tempêtes, d'éclairs meurtriers ou de meute de loups. Nadine est découragée. Combien d'orages a-t-elle essuyés depuis son arrivée ? Elle en compte au moins trois… en 21 jours, dont deux en moins d'une semaine. Elle cherche dans sa mémoire… Montréal en subit à peine trois ou quatre durant tout l'été. Dans quel monde de fou est-elle tombée ? Comment ? Pourquoi ? Encore des questions qui l'assaillent ! Dès que son corps est au ralenti, sa tête bouillonne devant cette situation insensée. Elle ferme les yeux et tente de dormir.

L'orage empêche la nuit de devenir noire, la remplissant de lumière vive, aveuglante, imprévisible et presque continue. Nadine est incapable de se détendre même si le sommeil lui ferait le plus grand bien. Elle serre le petit loup dans ses bras pour le rassurer autant que pour s'encourager elle-même. Les deux cœurs sursautent à chaque coup de tonnerre. Ils attendent impatiemment que le sol cesse de trembler.

Puis, au milieu de la matinée, l'orage se calme. Tout d'un coup. Comme si le ciel en avait assez de tempêter. Il laisse derrière lui un temps maussade qui crache encore une pluie chaude. Nadine n'en peut plus. Elle doit sortir dehors, regarder l'horizon pour que le vertige la quitte, chasser l'agitation qui l'affecte.

Elle décide d'explorer l'amoncellement de rochers en dépit de la pluie. Pour assurer sa sécurité et celle de Lou, il est nécessaire de bien connaître les environs.

Elle est inquiète pour Allie. Où la pouliche a-t-elle passé la nuit ? Est-elle morte ? Touchée par la foudre ? La femme ne veut pas y penser pour le moment. Il faut d'abord la chercher.

Installée en catastrophe la veille, Nadine n'a pas eu le temps d'observer ce milieu particulier. Elle a vu les rochers de très loin et perçu intuitivement leur taille. L'éminence escarpée se trouve là, au milieu de la plaine, sans que l'on comprenne vraiment le lien avec le reste du paysage plat et uniforme. Sa masse imposante coupe le vent et rend l'endroit propice à la pousse des arbres. Ce décor ressemble à la vallée du Saint-Laurent, là où l'on retrouve de telles pierres transportées lors de la dernière glaciation et laissées sur place au retrait des glaciers, il y a 10 000 ans. Elle estime le sommet à environ 25 mètres au-dessus du sol. Une partie un peu plus basse à l'ouest a un sommet relativement plat. Elle en a fait le tour, environ cinq kilomètres, en un peu plus d'une heure. Elle est soulagée de ne pas trouver, nulle part, le corps calciné de la pouliche. Cette dernière est donc en vie quelque part.

La petite forêt qui entoure l'amoncellement est composée principalement d'épinettes, de bouleaux jaunes, de quelques érables et quelques bosquets de cèdres. Elle reconnaît au passage plusieurs plantes qu'elle utilise pour s'alimenter, dont ces grandes vignes accrochées à de grands peupliers. Plusieurs lièvres courent ici et là entre les arbres ou grimpent sur les rochers. Directement au nord, à un kilomètre environ, entre la prairie et la falaise qui tombe dans la mer, une forêt de feuillus s'est développée pour ralentir les vents du nord qui balaient constamment l'immense plateau. Cette forêt est idéale pour abriter des perdrix et d'autres petits gibiers comme le porc-épic. Coulant juste à 30 mètres au nord de l'îlot de roches, un petit ruisseau ne contient aucun poisson. Elle devra donc se rendre à la rivière qu'elle entend gronder un peu plus au sud.

C'est un bon endroit. L'emplacement est plus sécuritaire que la plaine qu'elle a traversée au cours des derniers jours. Le couvert forestier lui fournira du bois pour le feu. Il y a des herbes pour ses tisanes, des fruits et du gibier pour la nourrir.

En marchant, Nadine porte son attention pour voir où Allie aurait pu se réfugier. Elle ne la voit toujours pas. Elle se doute bien que la pouliche peut se débrouiller dans cette nature qui est la sienne. Mais Nadine a vu l'horreur qu'un seul de ces éclairs peut créer au cours d'un orage monstrueux. Elle est inquiète et, en poursuivant son exploration, Nadine l'appelle :

— Allie !

Pas de réponse. La femme marche un peu plus loin.

— Allie !

Rien. Quelques centaines de mètres de plus.

— Allie !

Toujours pas de réponse. Nadine atteint ainsi le côté sud de l'amoncellement rocheux.

— Allie !

Un hennissement...

— Allie ? C'est toi ?

Un autre hennissement, plus près cette fois.

Puis, le soulagement se lit sur le visage de Nadine à la vue de la pouliche dorée, sortant d'un bosquet de cèdres pour se diriger vers elle. Même Lou qu'elle tient dans ses bras est content de voir la pouliche. Nadine flatte sa fourrure. Cette dernière a accoté sa tête sur l'épaule de la femme pour demander plus de caresses. La pouliche renifle le petit loup qui laisse ce gros nez le toucher sans broncher. Décidément, la pouliche est affectueuse.

Curieuse, Nadine marche vers la talle de cèdres d'où Allie est sortie. Elle ne comprend pas comment la pouliche a pu s'y cacher. Il ne semble pas y avoir d'espace. C'est en pénétrant dans le bosquet que Nadine réalise qu'il y a une ouverture dans la roche. « Une grotte ? » Elle avance lentement et se retrouve dans un grand espace créé par les gros rochers accotés les uns sur les autres. Au fond de la grotte, en haut entre les pierres, un trou laisse pénétrer de la lumière.

« Décidément ! Quelle belle surprise ! » Il n'y a aucun signe d'occupation animale, sauf pour les pas de la pouliche. Comment a-t-elle trouvé cette grotte ? Connaissait-elle l'endroit avant ? L'a-t-elle trouvé par hasard ? Nadine n'aura jamais les réponses à ces questions, mais elle est soulagée qu'Allie y ait passé le temps de l'orage en sécurité. Les mains sur les hanches, Nadine fait le tour des lieux. Elle réfléchit. Elle ne repartira pas aujourd'hui de toute façon. Puis le sourire s'étire sur son visage. Elle se tourne vers la jeune jument qui l'attend avec Lou à ses pieds. « Les enfants, ce sera notre logis pour ce soir. Nous y serons en sécurité. » Puis, au fond d'elle-même, une image s'imprime. « Peut-être que je pourrai enfin dormir une nuit complète… en paix ! »

Une heure plus tard, Nadine avait déplacé tout son bagage sur le côté le plus élevé de la grotte. Ses effets y resteront au sec. Pendant ce temps, Allie avait disparu à nouveau. La femme devra s'habituer à la voir ainsi agir à sa guise. La pouliche vit en nature depuis sa naissance et elle sait comment y survivre et s'alimenter. En cas de danger, elle va revenir vers elle... chercher une sorte de réconfort.

Nadine ramasse des vêtements propres et se rend jusqu'au ruisseau dans l'intention de se rafraîchir. En quelques heures, son volume a diminué. Il ne doit se remplir qu'au moment des orages. Elle remarque aussi le mince filet d'eau qui sort de l'amoncellement rocheux. Probablement l'eau qui coule du puits d'aération durant les orages et qui s'accumule dans une sorte de cuvette creusée dans la pierre au fond de la grotte.

Le ruisseau s'étire, presque en droite ligne, vers la falaise qui tombe vers la mer. Mais il ne s'y rend pas en surface; il plonge plutôt dans la terre à 50 mètres avant le bord de la paroi.

Dévêtue, Nadine prend le loup dans ses bras et s'assoit au beau milieu du ruisseau, dans 50 ou 60 centimètres d'un courant turbulent. Elle laisse l'eau glisser sur sa peau. Avec l'aide du chaudron, elle fait couler le liquide froid, presque glacial, sur sa tête et sur Lou. L'animal lui jette des regards gris inquiets, mais il la laisse faire. Est-ce qu'il gardera ce regard gris ? Est-ce la couleur des yeux de tous les loups à la naissance ? Elle ne le sait pas. Lou n'a pas encore deux semaines alors elle devra attendre quelque temps avant de savoir. Son regard s'assombrit. Lou grandira et elle devra le laisser partir un jour, même si elle le ramène à Montréal. Les loups sont des animaux sauvages qui ne s'apprivoisent pas complètement. Il sera adulte dans deux ans. Elle craint déjà le moment où Lou sortira de son enfance et… de sa vie.

Comment Alex réagira-t-il quand elle reviendra avec un jeune loup comme animal domestique ? Ils ont décidé de ne plus avoir de chien ou de chat afin de pouvoir vivre leur vie de globe-trotteurs à leur goût. Depuis que les enfants sont grands et bien installés dans la vie, Alex et Nadine voyagent beaucoup et ils font de longues randonnées aux quatre coins du globe. Ils partent ainsi quelques semaines à la fois, mais plusieurs fois par année. Un animal domestique serait malheureux de passer autant de temps en pension. Bien sûr, elle devrait y penser avec un loup comme animal de compagnie. Mais il n'est pas question de laisser Lou ici.

À son retour de la baignade, le soleil est déjà haut dans le ciel. Des traits d'inquiétude se glissent sur son visage. Elle est certaine que les journées sont moins longues qu'à son arrivée. Le soir, le temps est plus frais. Les nuits rafraîchissent. Comme elle descend vers le sud depuis un bon moment, elle devrait constater l'inverse. Des indices annonciateurs de la fin de l'été ? Comme un début d'août à Montréal ? Ce pays se trouverait sous un climat tempéré. Nadine frissonne. Non seulement l'automne viendra, mais il sera suivi par l'hiver. Pour le moment, la température estivale lui convient très bien et elle en profitera pour poursuivre sa route. Nadine sent une pression dans sa poitrine; comme une urgence de poursuivre sa quête pour ne pas rester coincée ici. Y aura-t-il de la neige ? Un frisson la gagne.

Pour chasser la déprime qui menace de s'emparer totalement de son âme, la femme a besoin de rester active. Elle décide de passer le reste de la journée à vérifier son matériel et explorer son environnement. Assise sur une roche en face de la grotte, Nadine accomplit machinalement des gestes qu'elle a effectués une quinzaine de fois depuis son arrivée dans ce pays. Mais son cerveau travaille fort pour analyser sa situation. Pourrait-elle prendre quelques jours pour se reposer avant de poursuivre son périple vers la civilisation ? Prendre le temps de chasser, cueillir des fruits et des racines… Ajouter un autre jour de retard… Elle secoue la tête. Elle ne veut pas attendre. Elle ferme les yeux pour bloquer les larmes. Son cœur lui rappelle sa promesse d'assurer sa sécurité avant tout… ne pas laisser sa témérité contrôler sa vie. Elle baisse la tête, laisse les larmes couler. « Alex… »

Elle ravale ses larmes. Il y a Lou. Il est totalement dépendant d'elle. Depuis sa naissance, elle a utilisé ses propres réserves de nourriture et le précieux gaz du poêle pour le nourrir. Sans même y penser. Cela avait du sens, c'est tout. Le petit animal est si important à ses yeux qu'elle veut le ramener à Montréal même si cela changera sa vie bien rangée. Elle fera bataille pour assouplir les règlements de la ville pour le garder. Elle convaincra Alex. Elle a hâte de le présenter à ses enfants et ses amis. Le loup adorera jouer avec ses petits-enfants.

Lentement, le calme revient dans son cœur. Elle ne connaît pas la distance d'ici jusqu'à la civilisation. Si Nadine pouvait vivre des cueillettes sur la route, Lou n'y survivrait pas. Elle doit regarnir sa réserve de nourriture, particulièrement du poisson et du gibier séchés. Elle lève les yeux pour regarder autour d'elle. La femme ne veut pas rester trop longtemps dans la grotte. La mère adoptive devra y rester un peu plus longtemps. Peut-être pourra-t-elle dormir des nuits sans interruption dans la sécurité de ce logis ? Elle reprendra des forces. Puis, elle poursuivra sa route vers Montréal.

Voyant le soleil se coucher, éclaboussant la mer de pépites d'or, Nadine allume un feu à l'intérieur de la grotte, juste dans l'entrée, tout en laissant assez d'espace pour que la pouliche puisse utiliser la sortie à volonté.

Puis une idée s'infiltre en douce dans sa tête. Si c'était la civilisation locale qui venait jusqu'à elle, pendant qu'elle habite la grotte ? Nadine imagine leur étonnement. Une famille de nomades, peut-être des Cro-Magnons, qui l'observent sans comprendre, alors qu'elle dort paisiblement : étrange apparence, drôle de vêtements… Évidemment du *Goretex* aux couleurs vives, des objets hétéroclites et une odeur de loup : cette chose vient très certainement d'un autre monde.

Chapitre 26

Jour 23 — 6 août

— Pitié, je n'en peux plus ! Je veux juste rentrer chez moi… », dit-elle avec une voix brisée par la fatigue, la déception, la peur.

Le bruit infernal de la chute couvre son cri. Nadine est incapable de bouger. Ses yeux sont aussi sombres que la colère qui l'étouffe. Lou gémit; il a peur de cette eau qui coule avec fracas contre la paroi. La vaillante marcheuse se tient à 20 mètres et elle maudit la brume et les flots enragés, et tout ce pays qui va la rendre folle. Le courant de la rivière, comprimé dans un étroit passage, tourbillonne dans un bruit assourdissant. Un obstacle insurmontable, sans y laisser la vie.

Nadine abandonne. Crier sa rage ou tempêter contre les éléments ne va rien changer aux faits. Piégée sur cette pointe de terre, entre la chute, la rivière et la falaise, à attendre que la vie lui dise quoi faire, elle voudrait pleurer sa peine, mais sa rage a érigé un puissant barrage en elle. Elle n'arrive pas à desserrer dents. Si elle avait eu son iPhone, elle aurait appelé Alex. « Mon amour, trouve un hélicoptère et viens me chercher ! Je n'en peux plus… »

Pourtant, la journée avait bien commencé. Si seulement elle avait su…

Aujourd'hui, elle voulait explorer la zone et trouver ce qui allait bientôt lui faire le plus défaut… Il ne pleuvait plus et le soleil gardait l'air relativement chaud. La grotte était suffisamment sécuritaire pour y laisser une bonne partie de ses effets; ainsi elle parcourrait plus de terrain sans son sac de montagne sur le dos. Pour économiser le briquet, elle n'a pas fait de feu. Elle a mangé des fruits. Lou a un peu boudé la bouillie froide, mais il a dû s'en contenter.

Quelques dards en main, elle est partie en direction sud pour trouver le cours d'eau qu'elle entendait gronder. Elle voulait s'approvisionner en poissons frais. Lou a marché à côté d'elle un bon bout de temps, puis elle l'a porté. Allie les a suivis à distance, broutant ici et là. À 500 mètres environ de la grotte, la rivière courait d'est en ouest. Très larges et très profondes, ses eaux vives se transformaient en rapides vers la mer. Bien qu'elle voit quelques poissons s'y débattre, pêcher devenait trop dangereux. Elle n'était pas encore très habile avec ses dards. Elle risquerait de perdre plusieurs de ses précieux outils, sinon tomber elle-même dans l'eau et s'y noyer. Elle devra donc trouver un endroit où les eaux seront plus calmes.

Elle s'apprêtait à poursuivre sa route vers l'est quand soudainement elle a senti monter en elle une douleur, une peine qui venait tout droit de son âme. Elle était anéantie. Elle a baissé les bras et un frisson lui a parcouru l'échine. Elle venait de réaliser que cette rivière est infranchissable à cet endroit. Pour continuer sa route vers le sud, elle devra passer par l'embouchure à l'ouest ou remonter la rivière vers l'est afin de trouver un lieu pour la traverser. Elle s'est souvenue de sa peur terrible à la rivière aux loups. Plus jamais ! Sous le vertige qui la déstabilisait, elle a fermé les yeux et elle a pris une respiration profonde pour chasser le malaise. Calmée, elle a ouvert les yeux pour continuer son observation.

Premièrement, le terrain était à découvert, et deuxiè-mement, le soleil ne se coucherait pas avant plusieurs heures. Elle avait donc du temps. Elle a donc décidé de se rendre à l'ouest voir ce qu'il y avait. Bien sûr, elle voyait la mer à moins d'un kilomètre. Elle réalisait qu'il y avait une falaise à l'ouest. Un indice sérieux la torturait : le bruit infernal d'une chute dont elle semblait s'approcher. Un banc de brume indiquait sa force, le vacarme assourdissant marquait sa brutalité. La colère a envahi tout son être, à lui en faire mal. Elle a respiré bruyamment un moment, pour tenter de se calmer. Rien à faire.

Déçue, meurtrie, bouleversée, Nadine poursuit son analyse parce qu'elle ne peut faire autrement. L'envergure de la chute rend l'obstacle infranchissable. Pour traverser la rivière par la mer, elle devrait pouvoir naviguer. Elle n'a pas de bateau. Avec Lou, Allie, son sac de montagne et son travois, elle ne peut pas traverser à la nage cet océan qui, de toute évidence, est profondément perturbé par la force de cette nature.

Elle observe le bas de cette falaise, à 50 mètres sous ses pieds. Elle distingue à peine le bord de l'eau et elle ne voit aucun endroit qui lui donnerait un accès à la rive. La paroi tombe droit jusqu'au bord de la mer. Elle observe pendant quelques minutes. La marée est descendante. Le mouvement des vagues a un effet calmant sur son âme. Pourrait-elle rester ici pour l'observer un peu plus? Devant l'évidence que la route vers le sud n'y est pas, elle rebrousse chemin. Une fois face à la grotte, elle a juste le goût de s'arrêter, de rouler son corps dans le sac de couchage et de dormir un bon bout de temps. Peut-être se réveillera-t-elle dans sa maison de Montréal. « Assez ! » crie-t-elle le poing fermé vers le ciel. « Arrête de rêver ! Ici tu dois tout faire ! Pour trouver le chemin de Montréal, il faut le chercher toi-même ! »

Son cri de rage la remet en mode d'action : Nadine décide de marcher plus loin vers l'est, sans grand entrain, un pas devant l'autre. La randonnée en terrain ouvert, sec et herbeux, sous le chaud soleil est pourtant très agréable. Allie est calme. Il n'y a pas de prédateur dans les environs... Pas d'orage non plus. Bien sûr, elle a sa fronde et quelques dards avec elle pour se défendre. Cependant, le comportement calme de la pouliche la rassure. Les animaux ont un sixième sens...

Bientôt, elle découvre une cascade dans la rivière; c'est généralement annonciateur d'eau calme, juste au-dessus. Elle grimpe facilement les 100 mètres de la pente raide qui monte à côté de la cascade et elle se retrouve dans un petit paradis. Comme une oasis. À cet endroit, la rivière a l'allure d'un lac enchâssé dans une clairière bordée de gros rochers. Il y a une petite forêt de feuillus tout autour; elle identifie des saules, des bouleaux jaunes, quelques érables, des cerisiers, deux ou trois gros ormes. Il y a aussi des vignes ainsi que des bosquets qui ont tenu des framboises plus tôt dans la saison.

Le blocage de rochers qui provoque la cascade laisse un cours d'eau trop large, avec des bouillons si vifs qu'elle ne peut les traverser sans équipement. Elle se résout à continuer son exploration à l'est pour trouver un autre endroit qui lui permettrait de poursuivre son chemin. « Pourquoi pas demain ? Qu'est-ce qui m'oblige à le faire aujourd'hui ? » Cette réflexion lui permet de respirer mieux.

Elle peut rester dans ce petit havre de paix où se mêlent le gazouillis des oiseaux, le coassement des grenouilles, la cymbalisation des cigales, le bruit du vent dans les arbres et l'eau qui, à cette distance, semble clapoter gaiement dans la cascade. Un bel endroit très paisible. Au bord de l'eau, elle reconnaît des quenouilles dans les herbes hautes. Les eaux fourmillent de poisson. « Du brochet ! Comme dans le petit lac Magog ! » Elle salive et son estomac gargouille. Elle a faim.

Alors, elle commence un travail de patience. Pendant que Lou s'exerce à renifler un peu partout, elle s'accroupit sur une grosse roche, un dard près de la surface de l'eau, prête à harponner un poisson d'un coup sec. Les gros brochets sont plus agiles que les saumons de la première caverne. C'est difficile. À bout de patience, elle darde au hasard sans vraiment viser. Finalement, elle fait mouche. Un beau doré sort de l'eau, embroché jusqu'au cran d'arrêt.

« Miam ! » Ils se tiennent généralement dans le fond du lac, ces timides. Elle dépose sa capture sur une roche. D'une main maintenant experte, elle coupe la tête avec sa machette et elle vide le poisson de ses entrailles avec son couteau. Le doré pèse environ 2 kilos. Elle et Lou pourront en manger au moins deux jours, peut-être même un peu plus. Si elle capturait plusieurs poissons, elle pourrait aussi en faire sécher pour les jours de marche.

Satisfaite que sa faim soit rassasiée pour un moment, elle décide d'observer les brochets avant de recommencer à pêcher. Elle ne peut pas placer les pieds dans l'eau, comme elle le faisait à la cuve aux saumons, car le fond du lac semble inégal; des tourbillons indiquent des trous très profonds.

Les poissons s'approchent du bord escarpé. Est-ce qu'elle pourrait utiliser le truc de la branche ? Comme à la rivière aux saumons de la première caverne ? « J'essaie ! » Nadine choisit une branche de saule bien garnie. Celle-ci a une taille suffisante pour que Nadine puisse l'utiliser comme une sorte de panier. Elle place le bout de la branche-panier dans l'eau et elle attend qu'un brochet passe. Ils sont si nombreux que quelques secondes suffisent pour qu'elle fasse une tentative. Sans succès. Ils sont vifs !

Un brochet s'approche… un coup de branche… Le poisson est projeté sur le bord herbeux à côté d'elle. Elle a réussi ! Elle recommence plusieurs fois avant de voir trois beaux spécimens gigoter sous le nez ébahi de Lou. Tout comme pour le doré, elle leur coupe la tête et les évide. Elle abandonne les restes en pile, à la vue sur une roche à fleur de sol. Il y a sûrement des petits charognards qui allaient se régaler sans trop d'efforts. Elle lève les yeux vers le gros orme pour voir quelques corneilles qui l'observaient d'un air intéressé. Elle leur sourit.

La pêche a eu un effet calmant sur son âme. Cette activité lui rappelle des moments heureux de son enfance alors qu'elle pêchait avec ses frères sur le petit lac Magog dans les Cantons de l'Est. Elle passait des heures sur l'eau, sa ligne traînant dans les eaux brunes, la tête perdue dans son monde imaginaire, inventant des histoires, des aventures épiques et des chevauchées enivrantes…

Satisfaite, Nadine retourne à la grotte avec son butin. Elle ne gardera qu'un brochet pour son souper et les repas du lendemain; elle fera sécher le reste en vue de la prochaine portion de route vers la civilisation qu'elle reprendra d'ici quelques jours.

Elle fait sécher ses poissons à l'abri des intempéries, des prédateurs et des mouches, en allumant son feu au milieu de la grotte plutôt qu'à l'entrée. Ainsi elle installe un foyer, puis avec expérience elle bâtit rapidement un séchoir qu'elle place en partie au-dessus du feu. Comme le bois est encore mouillé, il fume. Cela l'incommode, car la grotte se remplit rapidement de fumée en dépit du puits de lumière dans le fond de la grotte. Mais elle est déterminée à poursuivre cette activité qui lui permettra de reprendre la route plus rapidement.

Pendant que le feu fait lentement son œuvre sur les poissons, Nadine continue son installation dans son logis : du bois pour le feu, des champignons qu'elle fera sécher pour avoir du matériel d'allumage. Elle cueille des raisins, du thé des bois, des branches de cèdres, de l'oxalis, de l'oseille, de l'angélique et quelques feuilles tendres de fougères pour agrémenter ses menus.

Dans sa recherche, elle découvre de l'herbe à dinde. Elle peut bien sûr l'utiliser pour faire des tisanes ou en cuisson. Mais cette plante a plusieurs utilisations médicinales et contient une huile naturelle. Pourrait-elle adoucir l'eau chaude qu'elle utiliserait pour se laver ? La plante n'a pas une odeur forte, comme la rose par exemple, mais c'est quand même agréable. Cela ne remplacera pas un savon, mais la femme appréciera cette douceur.

Elle place une belle roche plate dans un coin du foyer qui lui permettra de cuire son poisson presque comme sur le BBQ. « Alex serait fier de moi ! » Encore une fois, les larmes chaudes envahissent ses yeux. Elle ne peut penser à son mari sans ressentir cette vive douleur qui déchire son cœur. Elle doit garder le contrôle pour ne pas perdre toute cette énergie qui sort de son corps quand elle est malheureuse. Elle reste occupée pour ne pas trop penser à sa famille.

Dans sa randonnée au bord de la rivière, elle a trouvé quelques roches très dures qui contiennent de petits morceaux de pyrite de fer. Son grand-père lui racontait que ces pépites étaient souvent prises pour de l'or. Il appelait ces roches à juste titre « l'or des fous ».

Par contre, la pyrite de fer, frappée par une autre roche dure, comme la pierre de silex qu'elle a trouvée il y a deux jours, devrait produire des étincelles qui, si elles sont suffisamment incandescentes, lui permettraient d'allumer un petit feu. Elle fait un essai. En frappant les deux pierres ensemble, elle produit de belles étincelles. « Bon début ! » Bien sûr, elle veut vérifier tout de suite la faisabilité de son idée. Pourquoi pas ? Générer des étincelles avec les pierres à feu est relativement facile. Pour la suite, le processus est plus compliqué. Elle dépose en petit tas, des champignons secs brisés en charpie avec du foin très sec. Elle approche les deux roches du matériel d'allumage, puis elle frappe un coup. La petite étincelle n'a pas pris la bonne direction. Nadine tourne sa pierre de pyrite de 180 degrés. Elle frappe à nouveau. L'étincelle prend la bonne direction, mais ne se rend pas au matériel d'allumage.

Le Réveil

Accroupie par terre pour tenter l'expérience, elle commence déjà à avoir des crampes dans les jambes. Comprenant l'importance de pouvoir faire un feu sans utiliser son briquet, elle persiste. Elle prend le matériel d'allumage dans sa main et y dépose la pierre à pyrite. Elle frappe un peu plus fort avec l'autre pierre. Cette fois, le coup produit une longue étincelle qui tombe directement sur le matériel d'allumage, l'enflammant d'un coup. Wow ! Nadine fait un saut et tombe à la renverse, échappant du coup le feu minuscule qui brûlait dans sa main. Lou jappe. Le feu s'éteint.

« Ça marche ! Lou… mais à cause de toi, je dois tout recommencer ! » C'est ainsi que Nadine passe tout près d'une heure à placer le matériel d'allumage de différentes façons, à frapper ou frotter les roches ensemble sous différents angles et avec différentes forces. Plusieurs fois, le feu s'est allumé pour s'éteindre presque aussitôt. Pour le garder allumé, Nadine souffle légèrement sur la flamme afin de la maintenir en vie, sans l'éteindre pour autant. Par son acharnement à réussir, malgré la douleur dans les jambes, les cuisses et les épaules, Nadine ne prend qu'un moment de repos pour faire cuire son repas et celui de Lou. Puis elle poursuit ses efforts d'apprentissage tard dans la soirée. Elle veut réussir. Pour garantir qu'elle ait toujours accès à un feu. C'est vital.

Après plusieurs tentatives, elle réussit à allumer un feu minuscule avec des champignons et du foin séché, auquel elle ajoute patiemment des brindilles puis des bouts de branches, et finalement, elle voit le tout s'enflammer. « Hourra ! Hourra ! » Elle est tellement fière de son exploit qu'elle effectue une petite danse de joie autour de son feu allumé autrement qu'avec son briquet. Lou gronde alors qu'Allie lui sert un long hennissement. Alors Nadine rit aux éclats. Depuis combien de temps n'a-t-elle pas ri de la sorte ? Cela lui fait un bien énorme d'entendre son propre rire dans l'écho de la nuit.

Car la nuit est tombée en douce sans que Nadine s'en aperçoive. Dans la sécurité de sa grotte, elle est trop occupée à contempler son premier feu allumé avec ses propres « pierres à feu ». Elle devra pratiquer la technique plusieurs fois avant de pouvoir l'utiliser en terrain découvert ou dans l'humidité. Mais elle est fière d'elle. En travaillant aussi fort, elle vient d'augmenter considérablement ses chances de survivre dans la nature, car son briquet est presque vide.

Cette nuit-là, fourbue, convaincue que la vie pouvait devenir meilleure, Nadine a dormi du sommeil du juste. Le pays des rêves l'a accueillie dans le monde des Cro-Magnons, ces humanoïdes d'il y a 40 000 ans qui adoraient le dieu du feu. Le grand chef habillé d'une peau de lion des cavernes a interviewé Nadine sur ses possessions. Quand elle lui a montré à quoi servaient les deux roches qu'elle transportait dans une petite pochette en peau de lièvre, les villageois l'ont prise pour une déesse. On a organisé une grande cérémonie autour d'un feu gigantesque, dans la danse et les discours interminables, pour consacrer Nadine dans son nouveau rôle. Elle était la déesse du feu.

Au matin, Nadine s'est sentie complètement reposée et, pour un moment, s'est rappelé du festin qu'on lui a fait dans son rêve. L'aube faisait entrer un peu de lumière dans la grotte. Se lever à l'aube est toujours un grand bonheur; elle a l'impression de pouvoir accomplir beaucoup plus ces journées-là. Qui a dit : « Le monde appartient à ceux qui se lèvent tôt ? » Elle cherche dans sa mémoire… Un écrivain français, Henry Gauthier-Villars, dont le nom de plume était simplement « Willy ». Il a dit le monde… De quel monde parlait-il ? Celui où elle a mis les pieds il y a 24 jours ? Il la piège au point qu'elle n'arrive pas à franchir les frontières pour retourner chez elle? Elle n'en veut plus de ce monde…

Nadine a devant elle une longue journée qu'elle remplira au maximum. Elle veut partir le lendemain vers le sud à la recherche de la civilisation. Elle doit donc accomplir aujourd'hui plusieurs activités pour y arriver. D'abord elle rallume le feu à l'aide des tisons brûlants pour sauver son briquet. Puis, elle se rend au ruisseau presque à sec pour se rafraîchir et elle revient pour prendre son petit-déjeuner avec Lou. Plus tard, assise sur une grosse roche en face de la grotte, elle réfléchit en buvant sa tisane. Un large sourire éclaire son visage. Elle est presque prête. Sa réserve de nourriture est bien garnie. Elle est particulièrement fière de ses pierres à feu. À partir d'aujourd'hui, elle n'utilisera le briquet que pour des situations exceptionnelles. Elle se donnera plus de temps pour allumer le feu à son arrivée à chaque camp. Elle a suffisamment de champignons et de foin sec pour allumer au moins une dizaine de feux. Le temps qu'il faudra pour...

« Dix jours encore ? » Elle aura sûrement retrouvé la civilisation avant que ce temps ne soit écoulé... n'est-ce pas ? Il reste encore douze espaces dans son journal de bois, incluant aujourd'hui. Est-ce que cela sera suffisant ? Elle ferme les yeux... Trouver la civilisation d'ici là. Elle aurait de la difficulté à tolérer que son voyage dure plus longtemps. Elle termine sa dernière gorgée de tisane, un peu refroidie, puis elle secoue les épaules pour chasser la torpeur. Elle marche d'un pas rapide vers la grotte.

« Assez de mélancolie ! Au travail maintenant ! » Avec l'aide d'une roche un peu convexe qui lui sert de mortier et la cuillère, Nadine écrase les feuilles et les fleurs de l'herbe à dinde pour en dégager un peu d'huile. Puis, elle en met une partie dans sa tasse qui contient un peu d'eau chaude. Elle renifle le résultat. L'odeur légère lui convient très bien. Elle en prend avec sa main et l'étend sur son bras. « Quelle douceur ! L'essayer c'est l'adopter ! » Elle se voit parodiant les publicités, avec sa première huile 100 % naturelle. Coquette de nature, elle apprécie l'effet soyeux sur sa peau qui lui semble un peu moins rêche après le traitement. Ce n'est pas encore sa crème hydratante, mais le parfum se marie très bien à... aux odeurs de poisson, de loup et de pouliche. « On devient ce qu'on fréquente, quoi ! »

Elle met le reste des herbes écrasées dans sa tasse puis elle se dirige vers le ruisseau avec ses vêtements. Elle les lave tous en les frottant avec ce produit qui, sans remplacer le savon, parfumera agréablement les tissus séchés au grand air. Elle revisite en pensée sa maison, à Montréal, au Québec... L'odeur de sa maison lui manque, particulièrement celle du matin, avec le café frais qui embaume partout.

Le temps de rêver se transforme en action. Les cèdres devant l'entrée de la grotte deviennent des séchoirs pour ses vêtements mouillés et son sac de couchage. Pendant que l'odeur de conifères s'ajoute au processus de séchage, Nadine sort la fourrure de lièvre qu'elle a à peine eu le temps de tanner au cours des derniers jours. Avec la lame de son couteau, elle enlève les poils, laissant ainsi une peau un peu plus souple. En la mouillant plusieurs fois avec de l'eau chaude, elle a continué de l'assouplir. Les Amérindiennes mâchaient ce genre de peau pour en faire des chamois, mais elle renonce à essayer. Elle a tout de même craché sur la peau. Assez pour en avoir la gorge sèche. Quand le soleil atteint le zénith, la peau, attachée à un carcan de bois, sèche près du feu. Bien taillée, cette peau deviendra une débarbouillette, un étui, un linge à laver la vaisselle, un mouchoir réutilisable.

Du coin de l'œil, elle voit le séchoir qu'elle doit défaire pour récupérer les lanières en peau d'orignal. Les lamelles de poisson, suffisamment séchées, se retrouvent dans les sacs hermétiques. « Et voilà ! » Avant même que l'avant-midi se termine, elle avait accompli plusieurs activités. Elle prend un peu de temps pour manger des fruits et boire sa tisane. Elle réfléchit à la suite des travaux.

D'abord, elle ne peut traîner le travois plus loin. Sa journée d'hier lui a démontré qu'elle devra traverser un terrain rocailleux, vallonné et boisé pour continuer sa route. Sinon, elle devrait de toute façon l'abandonner au moment de traverser la rivière. Elle le défait et récupère les précieuses lanières en peau d'orignal. Cette décision la force aussi à abandonner des objets très précieux. Quels outils, quelles armes laissera-t-elle à la grotte, par manque d'espace dans son sac ? Un choix difficile...

Nadine cherche une solution pour porter Lou. Âgé de 12 jours, il est déjà trop gros pour rester dans son chandail. Il bouge beaucoup et ses griffes lacèrent l'abdomen de Nadine. Alors elle fabrique une pochette avec une partie de la peau de la louve qui servait de fond au travois. Quelques lanières en peau d'orignal serviront pour coudre ensemble les parties de son sac de transport.

Les mains sur les hanches, elle voit ses réalisations de la journée. « Bon ! Vérifier le matériel maintenant. Qu'est-ce que j'apporte ? » Elle inspecte tout son matériel et prépare son sac de montagne avant de se coucher, car elle veut partir très tôt le lendemain. La tente, le tapis de sol, le sac de couchage et le matelas la suivront. Tout comme son chaudron cabossé, sa tasse, son assiette, sa fourchette et sa cuillère, sa gourde et son filtre à eau. Ces articles rendent sa vie plus facile et lui rappellent un peu cette civilisation qui l'attend quelque part. Elle emportera tous ses vêtements. Ils sont en partie déchirés, décolorés, tachés. Mais elle en a besoin pour se protéger des intempéries et du soleil. Elle transforme définitivement la dernière camisole en bout de tissu pour Lou qui l'utilise pour se coucher, un peu comme une vieille doudou.

Bien sûr, elle portera à la ceinture le couteau, la boussole et la fronde. Elle portera sa machette au mollet. Des dix dards qu'elle a fabriqués, elle n'en apportera que quatre. Ils sont solides et résistants et l'expérience des dernières semaines lui indique qu'elle n'en a pas besoin de plus. Le fémur massue restera à la grotte tout comme les os de toutes sortes et de toutes grandeurs accumulés durant ses voyages.

Elle possède quatorze sacs hermétiques qui contenaient, à son arrivée, de la nourriture séchée pour cinq jours. Ces sacs contiennent maintenant des choses essentielles à sa survie. Deux sacs des repas séchés qu'elle garde bien précieusement, un repas spaghetti et un autre de macaroni au fromage. D'autres contiennent du brochet et du doré séché, les champignons séchés et du foin sec pour allumer les feux, des raisins noirs et des bleuets qu'elle a ramassés aujourd'hui lors d'une promenade pour se délier les jambes. Un sac contient un mélange de thé du Labrador, de feuilles de bleuets, un peu de thé des bois et de feuilles de cèdres pour les tisanes. D'autres sont pleins d'herbes pour la cuisson et de racines, principalement des rhizomes de quenouilles. Trois sont vides et elle les gardera à la portée de la main durant la marche, pour ses collectes journalières.

Elle a aussi trouvé un coin dans son sac pour apporter son journal de bois, seul témoin du temps qu'elle aura passé dans cette nature à chercher la civilisation. C'est lourd, encombrant, mais combien significatif ! Elle y tient.

Quant à Lou, il trottine de plus en plus longtemps même s'il est encore trop petit pour marcher de longues heures. Il apprécie la pochette pourvu que sa doudou y soit placée. Il a assez de place pour dormir, tout en gardant la tête sortie. Elle a fixé des languettes qu'elle attachera à son cou et à sa taille. Il ne lui restera qu'à ajuster la pochette au cours de la journée de demain pour qu'elle ne bouge pas pendant la randonnée. Ainsi Lou sera confortable.

Elle n'a plus qu'une seule inquiétude. Allie acceptera-t-elle de la suivre au-delà de la cascade ? Hier, la pouliche n'a pas voulu monter le long de la pente raide. Même si elle décidait de ne pas la suivre, la pouliche avait ce qu'il faut pour survivre. Elle deviendra une proie facile pour les prédateurs, si elle reste isolée. Elle aussi, doit trouver une famille… ses semblables.

Elle s'est attachée à la pouliche et elle aimerait bien que celle-ci la suive dans sa route vers le sud. Par contre, ce n'est pas la décision de Nadine, mais bien celle de la pouliche. Si Allie ne la suit pas, Nadine sera déçue, mais elle acceptera la décision de la jeune jument.

Un peu plus tard, sa tisane en main, Nadine examine son logis à la lueur du feu. « C'est bien ici… » Elle ne s'est pas sentie aussi calme depuis longtemps. C'est certain qu'une civilisation s'y installerait paisiblement. Elle imagine la vie à l'époque du Paléolithique :

les hommes chassaient, les femmes cuisinaient en sécurité dans la grotte et les enfants jouaient dehors et apprenaient des aînés le fonctionnement de la nature… Une vie qui ne ressemble en rien à la sienne, dans une grande ville du monde. Son cœur se serre et le doute s'accroche à son âme. Est-elle condamnée à errer encore longtemps ?

Chapitre 27

Jour 25 — 8 août

« Est-ce que je reviendrai un jour ici ? » Devant elle, le soleil montre son nez entre les arbres qu'elle aperçoit au-dessus de la cascade. Sa chaleur brise les brins de brume qui collent à ce matin humide. Nadine est debout au milieu de la plaine, complètement immobile. Elle admire. La nature est tellement calme qu'elle a l'impression de rêver. « Je crois être là, mais je suis peut-être simplement dans mon lit en train de vivre cela… dans ma tête. »

Allie broute un peu plus loin. En manque de pluie, la rivière est moins bruyante. Ses eaux rendues bleues par le magnifique soleil se coiffent de petits bouillons d'un blanc éclatant. Les cigales n'ont pas encore commencé leur vacarme strident. Les grenouilles sont retournées dormir. Les oiseaux ne sont pas encore réveillés. Le vent léger agite doucement les feuilles des grands peupliers. Des roses sauvages jettent leur parfum suave dans l'air du matin.

Une terre aussi immense, sans aucun sentier, aussi loin de toute civilisation que celui-ci, c'est une énigme. Nadine tente de recoller le paysage de chacun de ses souvenirs d'expédition et aucun ne correspond vraiment. « C'est tellement beau… J'aimerais y revenir avec Alex.» Elle se prend au jeu de croire qu'à deux, ce serait moins difficile. Ils pourraient habiter la grotte, la transformer en un joli nid d'amour. Ils profiteraient un moment de la solitude pour se retrouver après cette longue séparation forcée… Perdue dans cette douce pensée, Nadine fait quelques pas vers l'est dans l'air du matin.

En ce matin frais et brumeux, Nadine était sur la route bien avant que le soleil ne montre le bout de son nez à l'est. Malgré la protection de la caverne, Nadine a peu dormi, attendant impatiemment que la nuit laisse la place à l'aurore. Elle s'ennuyait beaucoup de sa famille et voulait reprendre au plus vite sa route vers le sud pour trouver des personnes qui l'aideraient à rentrer chez elle. Où et quand ?

Observant une dernière fois les lieux, jetant un regard vers l'amoncellement où se trouve la grotte, elle s'est mise à avancer. Flattant la tête du petit loup bien au chaud dans le sac de transport, elle lui a souri. « Allons-y ! Nous sommes restés assez longtemps ici. Alex nous attend. » Elle jette un coup d'œil vers Allie, puis elle accélère le pas.

Elle s'arrête au pied de la petite cascade une heure plus tard. En haut, il y a le lac aux brochets. Nadine s'arrête et regarde Allie. La pouliche ne grimpera pas la pente trop abrupte de la rocaille. Il faut chercher une autre manière de poursuivre sa route. La femme monte d'abord en haut de la rocaille afin d'avoir un meilleur point de vue sur l'horizon pour repérer un chemin qui conviendra mieux à la jeune jument. Bien sûr, ce détour la retardera, mais elle veut lui donner une alternative. Si cette dernière décide de ne pas suivre Nadine dans son périple vers le sud, ce sera son choix.

Du haut de la cascade, elle aperçoit vers le nord, un accès par un sentier plus long, mais plus facile à suivre pour un cheval. Il lui faudra faire le tour du boisé, ce qui l'amènera probablement au-delà du lac aux brochets. Un détour somme toute acceptable.

Satisfaite, elle redescend puis, remettant son sac de montagne sur son dos, elle se dirige sur une sorte d'autoroute de la nature, dessinée entre les forêts et les blocs de roches pour contourner la rocaille. Le terrain est en pente douce et continue loin vers le nord. Un kilomètre plus loin, elle atteint le lit d'un ruisseau, celui-là même qui coule au nord de grotte. En longeant ce petit cours d'eau presque à sec, elle vire vers l'est sur un terrain aussi en pente légère.

À son grand plaisir, Allie la suit dans sa marche. À son habitude, la pouliche s'arrête ici et là pour brouter dans les hautes herbes. Nadine en profite pour réduire sa vitesse sans s'arrêter. Puis la pouliche la rattrape, parfois en galopant quand la distance entre eux s'allonge un peu trop. En fin d'avant-midi, Nadine, Lou et Allie ont complètement contourné la rocaille. La rivière coule juste devant eux alors que le lac aux brochets est dans leur dos.

Le cours d'eau est un peu moins large à cet endroit, mais il demeure toujours trop profond et trop turbulent pour permettre une traversée sécuritaire. Alors Nadine et ses amis poursuivent leur route vers l'est sur un terrain peu accidenté où s'allongent des boisés, ici et là en bordure de « la rivière aux brochets ».

Nadine, Lou et Allie progressent ainsi très longtemps, n'arrêtant que pour boire de l'eau, manger quelques fruits, ne trouvant aucun endroit qui permettrait de traverser sur la rive sud. À chaque arrêt, Nadine voit à l'est une crête de montagnes qui grossit à chaque pas et qui couvre maintenant tout le panorama. Bien que le spectacle soit grandiose, il ne la rassure pas. « Qu'est-ce que me prépare encore ce maudit pays ? Une autre souricière ? »

En milieu d'après-midi, Nadine découvre un endroit où la rivière est moins large. Un peu moins de cinq mètres. Le lit du cours d'eau est bloqué par des rochers immenses sur chaque berge. Une petite forêt pousse tout autour. De grands peupliers montent la garde au bord de la rivière. Il y a des pins, des sapins et des bouleaux. Au milieu de la rivière, un immense rocher très pointu coupe le flot de la rivière en deux.

Pendant un long moment, Nadine reste songeuse face à cet endroit qu'elle trouve beau et paisible. Elle prend son temps pour examiner la rivière et en évaluer le débit. Découragée, elle secoue la tête. L'eau coule comme un torrent. Si, par mégarde, elle tombait dans la rivière en essayant de sauter sur l'autre rive, elle se noierait à coup sûr. Elle mourrait les os fracassés dans la cascade ou en bas de la chute, plus à l'ouest. Non, elle ne peut pas traverser la rivière à cet endroit. Bien qu'elle soit en forme, elle n'arriverait jamais à sauter cinq mètres, d'une rive à l'autre. Et même si elle y arrivait, que ferait-elle avec Lou ? Avec ses bagages ?

Si elle avait eu des cordages et un grappin, elle aurait pu y arriver. Mais l'ensemble de ses lanières en peau d'orignal, attachées bout à bout, ne supporterait pas son poids bien longtemps.

Devant la beauté des lieux, Nadine s'arrête un moment pour se reposer et permettre à Lou de se dégourdir les jambes. Il semble très confortable dans sa pochette, mais il gigotait déjà depuis un bon moment. Il valait mieux le laisser épuiser sa nouvelle énergie avant de reprendre la route. Nadine a très chaud avec cette peau de loup collée sur elle, mais elle accepte cet inconfort au bénéfice du petit loup.

Elle regarde le trajet du soleil dans le ciel. Rassurée, elle décide de continuer deux heures de plus. Ce sera un peu tard pour monter le camp, mais le temps est sec; elle pourra donc trouver facilement du bois pour faire son feu. Elle fera son camp au pied de la crête, à moins de trouver un endroit propice pour traverser plus tôt. Elle estime qu'elle pourrait enjamber cette rivière au pied des montagnes, là où le terrain devrait forcer le rapprochement des berges et où le débit devrait être moins fort. Elle aimerait dormir sur la rive sud…

Encouragée, elle reprend sa marche vers l'est avec Lou endormi dans sa pochette et Allie qui la suit patiemment. Nadine voit la crête alors que le soleil y projette ses rayons sur une paroi lisse. Plus elle s'approche, et plus elle sent le découragement s'installer. Le mur rocheux est tellement lisse et haut que, à moins d'être un alpiniste chevronné, il serait impossible de l'escalader. Cette paroi s'étend du nord vers le sud, à perte de vue. Puis elle entend, bien avant de la voir, l'immense chute qui tombe du haut de la falaise.

Ses pas ralentissent. Elle ne veut pas voir ce que ses oreilles lui annoncent. Elle baisse les yeux, fixe ses bottes fatiguées, respire en tentant de chasser la rage sourde qui se gonfle. Comme quand une chose injuste nous frappe de plein fouet. Elle ne mérite pas ça ! Peine perdue. Le son s'intensifie. Elle relève les yeux, fait quelques pas de plus... La chute bruyante donne naissance à la rivière. L'immense bouillon, plus agressif et impétueux, empêche toute traversée. La rivière est déjà, à cet endroit, large d'au moins dix mètres. Son eau tumultueuse dévale rapidement vers l'ouest. Merde !

Le chemin de Nadine est bloqué. Encore une fois. De l'énergie perdue, des illusions qui s'effritent. La route vers la civilisation s'arrête là. Un blocus monstre ! Découragée, elle regarde avec effroi cette chute qui l'empêche de continuer vers le sud et la paroi qui l'empêche de grimper vers la source de la rivière. Elle n'est pas de taille, voilà ! Nadine sent la rage passer sur elle comme un train qui la broie. Elle serre les poings. Elle libère un cri désespéré : « Pourquoi ? » Elle ne veut pas entendre la réponse. Elle ne l'accepterait pas de toute façon. Une situation insensée. Un chemin sans issue. Une perte de temps. Elle baisse la tête. Allie s'est approchée au point où elle peut incliner la tête et l'appuyer sur son cou. On dirait qu'elle veut la réconforter. A-t-elle senti son désarroi ? Nadine se redresse et la caresse gentiment. Non ! Elle ne se laissera pas prendre ! Elle ne lâchera pas. Il doit bien y avoir un moyen. Elle est trop fatiguée pour chercher une solution en ce moment. Une idée va venir… ne dit-on pas que la nuit porte conseil ?

Lentement, elle fait une sorte de lâcher-prise, comme dirait son amie Marie. Son sac de montagne tombe par terre et Nadine s'assoit sur une roche. Elle laisse les larmes couler abondamment sur ses joues, ne faisant aucun effort pour les retenir, ni même les essuyer. Elle a épuisé ses ressources. « Juste plus capable d'en prendre… » Ce dernier obstacle est la goutte qui fait déborder le vase. Son trop-plein d'emmerdes ! Elle a voyagé, erré serait plus juste, depuis 25 jours, affrontant les prédateurs et les intempéries. Cette nature sauvage est belle et cruelle à la fois. C'est une suite d'épreuves qui n'en finit plus de s'alourdir. Avec la solitude absolue ! Elle n'accepte pas que ses efforts soient réduits à néant.

Elle regarde la chute en la maudissant d'exister. Elle voudrait la faire disparaître, laissant place à un cours d'eau facile à enjamber. Elle fixe longuement du regard la brutalité de la chute et la violence des flots de la rivière. Si Nadine sautait dans ces eaux, elles ne prendraient que quelques secondes pour lui enlever la vie. Ce serait fini. Son corps ne subirait plus cette pression qui l'assaille un peu plus chaque jour. Si loin des siens. Nadine tourne la tête. Son regard observe Allie, puis se pose sur Lou. Elle le caresse de sa main. Non, elle ne peut sauter dans le tourbillon de la mort.

Ses deux amis ont besoin d'elle. Elle doit vivre et affronter cette nouvelle épreuve.

Son corps est vide de son énergie. Même si les larmes brûlent encore ses paupières, elle ne pleure plus. Elle accepte que la chute ne disparaisse pas par enchantement. Sans entrain, rompue à une routine bien ancrée depuis 25 jours, elle allume son feu. Cette fois, elle utilise ses propres pierres. Ce travail méticuleux et long, qui lui demande une grande concentration, réussit à ramener un peu de calme dans son âme meurtrie et l'aide à reprendre son souffle. Elle monte sa tente. Elle y glisse son matelas et son sac de couchage. Elle n'a pas faim. Mais connaissant l'importance de remplacer l'énergie dépensée lors de cette longue marche, Nadine mâche lentement quelques morceaux de poisson séché et des fruits tout en préparant la bouillie pour Lou.

Allie s'est éloignée, en quête d'herbes tendres, en abondance dans le pré juste à côté. Elle est calme. Il n'y a donc pas de prédateurs en vue.

Puis, pour éliminer sa colère, Nadine lance des cailloux avec sa fronde, dont elle a récemment remplacé le panier défraîchi par un morceau de peau de lièvre. Ses efforts depuis les dernières semaines portent ses fruits. Elle fait mouche neuf fois sur dix lorsqu'elle vise des cibles fixes. Cet exercice l'aide à se calmer malgré la douleur qui étreint encore son âme. Elle ajoute une marque supplémentaire sur son journal de bois, une vingt-cinquième.

Puis elle pleure encore. Lou, ne sachant quoi faire devant le découragement de Nadine, lèche les larmes salées qui inondent le visage de sa mère d'adoption. Elle s'ennuie terriblement de sa famille. Elle veut les rejoindre au plus vite, mais elle ne sait plus comment s'y prendre. Elle a utilisé toutes ses connaissances, toutes ses ressources. Que peut-elle faire de plus ? Complètement épuisée, elle a fini par s'endormir, au bord du feu, enroulée dans son sac de couchage, Lou dans les bras. Ce petit être est encore plus démuni qu'elle et pourtant il deviendra un adulte redoutable. Cela lui redonne courage. Elle va trouver le moyen de traverser la rivière aux brochets. Ce n'est qu'une question de temps, comme pour la croissance de Lou.

Demain elle cherchera le moyen. Au milieu de la nuit, elle a jeté des branches sur le feu pour le garder vif et le temps rendu humide et froid l'a incitée à se réfugier dans sa tente orange avec Lou. Elle tremble en tentant de ne plus penser à rien.

Que ferait un Cro-Magnon devant un tel obstacle ? Voudrait-il seulement traverser ? Bien sûr, il n'aurait pas le même dilemme. Sa famille serait avec lui. Il aurait le temps. Il saurait comment tresser un long cordage solide pour traverser. Un pont de corde ? Nadine se sent démunie. En femme moderne, elle n'a plus les connaissances qui ont permis à ses ancêtres de se débrouiller dans cette nature indomptable.

Au matin, le ciel couvert jette le cafard sur l'âme de Nadine. Il ne pleut pas encore. Mais les nuages qui sortent d'au-dessus de la paroi sont gris foncé et leur épaisseur assombrit la lumière du jour. Elle aurait dû savoir que ce pays ne la laisserait pas tranquille. Un autre orage dangereux se prépare. Pour confirmer les craintes de Nadine, Allie semble plus nerveuse. La pouliche pioche le sol de la patte et hoche de la tête en hennissant, comme pour dire : « Grouillez-vous ! Il faut déguerpir d'ici ! » Nadine entend haut et fort son message. Elle et ses amis ne peuvent rester au pied de la chute. Ne sachant pas ce qu'il y a au sommet de la paroi rocheuse, Nadine imagine un immense lac qui pourrait déborder durant l'orage. L'idée ne lui plaît pas du tout.

Combien de temps lui restait-il pour trouver la sécurité ? Elle défait son camp et quitte le coin sans même avoir mangé. Lou se plaint, mais elle n'a pas le choix. Une seule direction possible… elle décide de retourner à la petite forêt qu'elle a traversée la veille en fin d'après-midi. À défaut d'une grotte, le boisé la protégera de l'orage, des éclairs et des vents.

Deux bonnes heures pour voir enfin la petite forêt. Il est temps ! L'orage a déjà commencé à lancer ses foudres sur le plateau et le ciel semble enragé.

Contrairement à son habitude, elle monte la tente en premier, dans un bosquet pour la protéger du vent, mais aussi en raison des arbres de grandeur moyenne tout autour. Les arbres les plus hauts sont touchés en premier par les éclairs. Alors elle veut se tenir loin des grands peupliers qui bordent la rivière. Ces derniers risquent d'intéresser grandement la furie qui s'annonce. Elle a mis son camp un peu plus haut vers le nord pour éviter que des débordements inondent son logis.

Nadine a eu juste le temps de placer à l'abri tout ce qu'elle veut garder au sec avant que l'orage ne prenne de la vigueur. Elle installe à nouveau le tapis de sol au-dessus de la tente en l'attachant aux arbres pour réduire l'intensité des précipitations et pour garder l'intérieur au sec le plus longtemps possible.

Comme sous un chapiteau créé par le tapis de sol, Nadine allume le petit poêle et prépare assez de bouillie pour qu'elle puisse nourrir Lou toute la journée et possiblement la nuit. Il devra se contenter de bouillie froide la plupart du temps, mais il s'en accommodera. Elle n'a pas le temps de cuire sa propre nourriture. Heureusement, elle a du poisson séché et des fruits en grande quantité.

Inquiète, elle cherche Allie. La pouliche s'est réfugiée dans une petite clairière, à l'abri du vent et où abondent les hautes herbes. Il y a suffisamment d'arbres pour la protéger aussi de l'orage. Encore une fois, la jeune jument a trouvé le meilleur moyen de subvenir à ses besoins et se protéger. Nadine ne peut rien faire de plus.

Trempée jusqu'aux os, la femme se réfugie dans la tente avec Lou qui gémit de peur. La longue attente commence. Combien d'heures avant le retour du beau temps ? Nadine en a assez de ces orages qui se déchaînent tous les trois ou quatre jours et qui s'éternisent. Elle est déçue de la tournure des évènements. Aujourd'hui est une journée perdue dans sa quête pour retrouver sa famille. Elle est découragée, sans alternative. Elle ne veut pas terminer ses jours ici, seule, dans ce coin qu'elle appelle de plus en plus souvent dans sa tête « le Pays de la Terre perdue ».

Pour le moment, il faut attendre que la nature cesse de trembler sous l'orage. Puis elle développera une solution qui l'aidera à poursuivre sa route. Devra-t-elle retourner vers le nord ? Elle pourrait y chercher un passage qui l'amènerait au-dessus de cette immense paroi. Ce sont de fausses questions... Réussira-t-elle un jour à partir d'ici ?

La violence de l'orage qui brassait sa petite tente n'a d'égal que la torture provoquée par la force des émotions qui l'assaillent. Elle n'ose pas penser à la douleur de sa famille si elle restait coincée dans ce pays. Elle les a quittés en avril, il y a presque quatre mois. Ils la croient peut-être morte. Sans communication, elle ne peut leur faire savoir qu'elle est vivante et qu'elle essaie par tous les moyens de retourner vers eux.

« Ils vivront la douleur de la mort d'un être cher. » Elle ne veut pas qu'ils aient si mal. Soudain l'image de son père se présente à son esprit. Thomas, cet homme si bon, disparu trop tôt. La déchirure qu'elle a vécue ce 16 décembre 1970, lui fait encore mal. Elle a tellement pleuré cette mort. Comment pouvait-elle éviter cette brûlure vive sur le cœur des membres de sa famille ?

« Revenir… Je dois revenir chez moi. Coûte que coûte. Même si je dois retourner et affronter les loups dans le nord… »

Chapitre 28

Sherbrooke — 18 décembre 1970

— Nadine ! Un jour tu vas payer pour ton étourderie…

Trop tard, la jeune fille est déjà loin. Marcel, le chauffeur de l'autobus secoue la tête. Un jour, cette rebelle lui coutera son job. « Si elle se blessait… C'est moi qui serais dans l'trouble ! » Encore une fois, quand le véhicule a fait son arrêt sur le coin de sa rue, l'adolescente a accroché son sac d'école d'une main, ramassé de l'autre sa tuque, sa crémone et ses mitaines, sans bien sûr les mettre. Elle a couru dans l'allée entre les bancs, pour sauter pieds joints sur le trottoir tout embourbé de neige. Une petite comète, cette Nadine, avec ses longs cheveux blond cendré qui volent dans le vent léger. Et elle disparaît tandis que lui repart, se sentant impuissant à raisonner cette jeunesse trop pressée de vivre. « Bon ! Elle finira bien par s'assagir… Si elle survit évidemment ! »

Comme à son habitude, Nadine est impatiente d'arriver chez elle. La polyvalente convient mieux à son caractère vif et grouillant que le couvent des religieuses. Le programme élargi qui contient les matières obligatoires avec, en plus, des activités extra curriculum, fait des merveilles. Si ses professeurs exigent qu'elle reste sage comme une image pendant les cours, le sacrifice est compensé par de l'action, de l'adrénaline, du dépassement, lorsque les sports sont à l'horaire. Elle adore les cours d'éducation physique et s'éclate dans la cour d'école durant les longues pauses.

Sa mère a eu raison de la faire patienter. Nadine a terminé cette 8e année, fort difficile pour son caractère, au couvent. En ce début d'année scolaire 70-71, elle a presque 15 ans et toutes ses dents. La polyvalente la tient très occupée par toutes sortes de projets stimulants comme le tennis, l'équipe de ski alpin et la ringuette qui se transformera en hockey féminin aussitôt que la glace tiendra dans les parcs.

Elle aime beaucoup l'école, mais elle est aussi très heureuse à la maison. Chaque soir, elle a hâte que l'autobus finisse sa longue tournée dans les rues d'Ascot-Nord pour atteindre le coin de sa rue. Elle sourit en se souvenant que la ville changera prochainement de nom. De tous ceux proposés, elle préfère celui de « Fleurimont ». Elle n'a pas le droit de participer à la décision parce qu'elle est trop jeune, mais elle essaie tout de même de convaincre ses parents de voter pour son choix. « Des montagnes et des fleurs, c'est ce qu'on voit ici, n'est-ce pas ? » argumente-t-elle alors que son père fait semblant de résister à ses arguments.

Aujourd'hui, son impatience débordante est doublement justifiée. Son père revient de son dernier voyage à Lévis où il travaille deux ou trois fois par année. Il devrait d'ailleurs être déjà à la maison. Puis, elle a hâte de lui montrer le dessin qu'elle a créé : cinq heures pour reproduire au pastel une photo de léopard. Aussi vrai que nature ! Son père sera fier d'elle.

Elle court jusqu'à la maison de ses parents et grimpe à toute vitesse les quelques marches déjà glissantes sous l'accumulation de neige pour atteindre le perron. Elle ouvre la porte et entre en coup de vent.

— Bonjour maman ! Est-ce que papa est…

Le reste de sa phrase reste coincée dans sa gorge, bloquée par la scène dramatique qui se déroule dans la cuisine. Sa mère est recroquevillée dans les bras de Marc, son fils aîné, et elle pleure à chaudes larmes. La sœur de Nadine, assise à la table, le visage enfoui entre ses mains, pleure aussi. Du coup, Nadine a peur. Elle laisse tomber par terre ses vêtements et son sac d'école. Sans enlever ses bottes, elle se précipite vers sa mère.

— Maman ! Tu t'es fait mal ? Tu es malade ?

Irène est incapable de parler, tellement la douleur exprimée par les larmes lui fait mal. Le cœur de Nadine se remplit de toute cette douleur qu'elle ne comprend pas. C'est Virginie qui se lève; cette sœur si gentille s'approche d'elle et la prend dans ses bras.

— Ce n'est pas maman, mais papa. Il a eu un accident. Tu dois être forte Nadine.

— Papa ? Il est où ? Je veux aller le voir !

Virginie resserre un peu plus son étreinte.

— Papa a eu un accident en revenant de Lévis. À Vallée-Jonction, un camion de billots de bois lui a coupé le chemin. Il n'a eu aucune chance de s'en tirer.

Nadine regarde sa sœur d'un air incrédule, sans parler. Elle est figée sur place entre le refus et la douleur. Elle comprend les mots, mais son cerveau refuse d'intégrer l'information. Soudain, elle ne veut pas savoir; elle aimerait inverser le temps de quelques jours et se blottir à nouveau dans les bras de son père avant qu'il ne parte pour Lévis. Si elle accepte d'associer le mot papa et le mot accident, cela n'arrivera plus jamais. Elle refuse. Elle secoue violemment sa tête pour forcer la vie à faire marche arrière. Un camion frappe un autre papa, pas le sien ! Le camion n'a pas le droit de lui prendre son papa…

Pour aider sa petite sœur, Virginie doit prononcer le mot ultime que personne n'a encore prononcé dans cette maison. Elle regarde Nadine dans les yeux pour s'assurer qu'elle l'écoute.

— Papa est mort.

Nadine sent son corps éclater. Elle ne veut pas que ce soit vrai. Pourtant sa sœur ne ment pas. C'est trop grave. Le froid envahit ses os. Elle tremble comme une feuille. Virginie, oubliant sa propre peine, enveloppe le corps de Nadine avec ses grands bras solides pour tenter de la rassurer.

Nadine éclate en sanglots; une réaction qu'elle ne peut contrôler. L'adolescente a l'impression qu'elle pleurera pour le reste de sa vie.

Marc s'approche de Nadine pour tenter de la consoler un peu.

— Ma puce, c'est dur...

Le regard de Nadine s'emporte vivement dans une colère doublée d'une immense douleur. Elle interrompt son frère, incapable de supporter ces mots.

— Ne m'appelle pas comme ça ! C'est le surnom que papa m'a donné... qu'il me donnait... Ne dis plus jamais...

— C'est correct. Je ne l'utiliserai plus. Désolé...

— Oh ! Marc, excuse-moi, je ne voulais pas crier après toi.

Nadine se réfugie dans ses bras. Marc est celui de ses frères qui ressemble le plus à son père. Le temps d'un instant, elle sent un grand réconfort, jusqu'à ce que la mémoire vive et brutale de ce qu'elle vient d'apprendre fasse trembler à nouveau son corps et que les larmes brûlantes inondent ses joues.

Marc fait preuve de courage; il tente de consoler sa mère et sa petite sœur. Sans diminuer leur douleur, un bon mot, un câlin, un peu de compréhension, cela les aidera à passer à travers cette terrible épreuve.

— Nadine, regarde-moi.

Nadine lève ses yeux mouillés de larmes vers le visage de son frère aîné.

— Ça fait tellement mal.

— Oui, je sais. Tu n'es pas toute seule. Il nous faudra être forts dans les prochaines semaines. Nous sommes une famille. On va y arriver tous ensemble.

Les yeux de Nadine s'ouvrent grand; elle relève la tête, son dos se redresse. Il voit sa sœur sauter dans l'action et il est soulagé de sa réaction.

— Marc, où sont les autres ?

— Éric n'est pas encore revenu du CÉGEP. On l'attend d'une minute à l'autre. J'ai rejoint Jean il y a

quelques minutes; il prendra le prochain bus en prove-
nance de Québec et il sera ici en soirée. Étienne partira
demain; Chicoutimi c'est loin et le chemin du parc est
fermé aujourd'hui à cause du mauvais temps.

— OK. Je vais aider maman à faire un peu de bouffe.
On en a aura besoin.

Marc est tellement fier de Nadine. Elle vient
d'oublier un peu sa douleur pour transférer son énergie afin d'aider sa mère. Malgré son jeune âge, elle
réagit comme une adulte, malgré sa propre peine.

— Je t'adore ma...

Tout penaud, il regarde sa cadette. Il l'a souvent
appelée ma puce, même si elle n'y prêtait alors aucune
attention. À la vue du bébé tout rouge qu'était Nadine
à sa naissance, il avait lancé, hautain : « Elle a l'air d'un
puceron. » Alors adolescent, Marc en avait assez de
ces enfants qui s'ajoutaient dans la famille et il avait
voulu faire ce commentaire cinglant à l'égard de ses
parents. Son père avait décodé le message et il avait
réussi à changer le négatif en positif. Il reprit l'expression en appelant sa petite dernière « ma puce ». Très
vite, au fil des semaines, Marc a utilisé le surnom avec
tout l'amour qu'un grand frère peut donner à sa petite
sœur, même en la taquinant. La jeune fille qu'il tenait
dans ses bras avait déjà fait un bout de chemin.

— C'est correct Marc. Je me souviens que tu m'appelais souvent comme cela.

— Bon. Maintenant que tu es arrivée de l'école, maman et moi devons partir pour Vallée-Jonction. La police provinciale nous attend et il faut aller chercher le corps de papa.

— Je peux y aller avec vous ?

Marc hésite quelques secondes avant de répondre. Ce n'est pas une bonne idée. Le policier a demandé des informations sur les vêtements, les marques de naissance, les cicatrices, tous ces détails qui servent à confirmer l'identité du mort. Il s'attend au pire quant à l'état du corps. Il ne pourra peut-être pas éviter cette douleur supplémentaire à sa mère, mais il protégera sa petite sœur de ce choc.

— Virginie a besoin de toi ici. Elle doit s'occuper des arrangements funéraires et elle appréciera ton aide. Puis il faudra s'occuper de la maison pour l'arrivée des autres. Jean arrivera ce soir et il restera ici avec toi, Éric et maman. Étienne, sa femme et son petit garçon arriveront demain ou après-demain; il a promis à maman de ne pas courir de risques sur les routes. Avec le petit qui n'a que quelques mois, ils devront probablement prendre un peu plus de temps.

— OK. Je serai plus utile à aider Virginie et je le ferai du mieux que je peux.

Puis la porte de la maison s'est ouverte sur le grand Éric. La douleur vive de l'annonce reprend de plus belle, celle d'Éric s'ajoutant à chacune des autres.

Au cours des jours suivants, la famille a commencé son deuil. Une peine qui prendrait des années à s'atténuer. Ils apprirent lentement à vivre sans la présence joviale et réconfortante de leur père. Le temps a passé et, toujours, la famille est restée unie, après cette douleur qu'ils ont partagée.

Quelques mois plus tard, Irène a informé sa fille de son désir de déménager à Québec, sa ville d'origine. C'est là qu'elle avait connu Thomas, son mari, alors qu'il y faisait ses études en finance. En achetant une maison à Sillery, ou Sainte-Foy, elle se rapprochera de sa propre famille. Puis, Jean y poursuivait ses études d'ingénieur à l'université Laval. Éric venait d'y être accepté en biologie. Elle se rapprocherait aussi d'Étienne qui, ingénieur au gouvernement du Québec, travaillait à Chicoutimi. Irène pourrait les visiter plus souvent. Quant à Marc et Virginie, installés avec leurs familles respectives à Sherbrooke, ils l'encouragèrent dans sa démarche pour reprendre en main le fil de sa vie, brisé par le départ trop rapide de l'amour de sa vie.

Heureusement, Thomas avait tout prévu. Irène héritait d'une maison sans hypothèque et d'un bon montant d'assurance qui, bien placé sur les conseils de Marc, lui assurerait une rente convenable. Il avait prévu de l'aide pour les enfants encore aux études. Bref, en bon financier qu'il était, sa famille ne souffrirait pas matériellement de son départ précipité.

Nadine a résisté à ce plan. À quinze ans, elle ne voulait pas quitter son patelin ni ses amis. Virginie lui proposa de rester chez elle à Sherbrooke. Elle aurait pu poursuivre ses études dans sa ville natale. Après avoir réfléchi, le goût de l'aventure fut le plus fort et elle se décida à suivre sa mère. Quant à ses amis, elle reviendrait les voir en visitant sa sœur et son frère.

La vie de la jeune fille s'adapta aux circonstances et elle reprit ses études sans pouvoir compter sur la présence et les encouragements de son père. Pourtant, à plusieurs reprises, pensant à lui très fort, elle s'est rappelé sa présence et ses mots d'encouragement.

Jamais elle ne pourra oublier Thomas; un père ne se remplace jamais. Il lui manquera toujours. Personne ne devrait vivre une telle douleur.

Chapitre 29

Jour 27 - 10 août

« Alex ferait un pont. » Qui lui soufflait à l'oreille cette réponse ? Elle rit en prononçant ces mots à haute voix. Un pont… L'idée ! C'est certain que l'ingénieur pourrait construire une structure pour traverser le cours d'eau. Elle imagine l'expression étonnée de l'homme avec qui elle partageait sa vie, affirmant : « Pourquoi partir vers le nord si on veut aller au sud ? » Pourquoi Nadine résiste-t-elle à cette idée ? Parce qu'elle ne sait pas comment construire un pont. Même avec des lunettes roses et trois doses de pensée magique ! Du « vrai » cinéma sans cascadeurs ni effets spéciaux !

Au fur et à mesure qu'elle y pense, l'idée s'installe. Elle devient de moins en moins farfelue. Cette solution demanderait beaucoup de travail, probablement un jour ou deux… le travail ne lui fait pas peur… Ouais.

Nadine se sent mieux, elle va de l'avant. Elle prend une grande respiration et voilà la morosité, comme un oiseau, qui s'éloigne.

Nadine s'est réveillée à cause du chant des oiseaux. Elle entendait la rivière qui coulait rageusement à cinquante mètres de la tente. Elle sentait le soleil qui chauffait la toile avec ardeur. Elle a ouvert les yeux sur deux prunelles grises qui l'observaient. Lou haletait avec sa petite langue rose sortie de sa bouche. Il avait chaud. Elle entendait une véritable symphonie de chants. Une improvisation comme seule la nature peut en faire, une seule fois, jamais deux. La solitude l'emporta sur la beauté…

Sans entrain, Nadine s'est extirpée de son lit et a mis le nez dehors. Elle a regardé autour. Elle ne voit pas les oiseaux, mais Allie, qui broute déjà l'herbe à côté. Ce joyeux hennissement, est-ce sa façon de dire bonjour ? Elle s'approche de la pouliche pour lui flatter le museau; c'était sa façon à elle de lui dire bonjour. « Je suis heureuse que tu sois là ! » La pouliche était à nouveau calme; pour le moment il n'y avait donc pas de prédateur, ni de danger, dans les environs.

Le petit-déjeuner. Par routine et parce que Lou ne comprendrait pas. Aussitôt qu'il a le ventre plein, il court dans la forêt tout près. Il est de plus en plus agile. Mais il est si petit qu'un prédateur n'en ferait qu'une bouchée. Normalement, sa mère le garderait dans la tanière encore quelques semaines. Mais avec Nadine, l'apprentissage se fait dans la nature. Un écosystème ouvert. Lou, qui n'a pas connu la vie des loups, s'adapte, c'est tout. Nadine aussi, sans prétention. Elle ne contrôle rien.

Immobile en face de son feu, Nadine est perdue dans ses pensées, le souvenir de la mort de son père revient au premier plan. Elle était encore capable de sentir l'odeur de son corps quand il l'avait serrée dans ses bras avant de partir pour ce dernier voyage duquel il n'est pas revenu. Elle serait capable de dessiner les traits du visage de son père comme ils étaient ce matin de leur dernier au revoir. Elle se souvenait de ses sourires, ses airs taquins, de l'amour qui éclairait son visage quand il était fier d'elle et qu'il l'appelait « sa puce ».

Elle n'arrivait pas à secouer l'autre image de sa famille. Si elle périssait là, sans revenir chez elle, son mari et ses enfants vivraient l'angoisse de la mort d'un être cher. Leur famille est très unie et il y a beaucoup d'amour. Ils se souviendraient d'elle; même ses petits-enfants, trop jeunes pour s'en rappeler vraiment, en entendraient parler et verraient d'elle les nombreuses photos. Cela lui faisait beaucoup de peine de savoir que sa mort pourrait faire autant de mal à ses enfants. Sa seule disparition doit déjà être un drame, imaginez maintenant qu'on ne la retrouve jamais.

Cette réflexion lui a fait réaliser que sa mère avait vécu un double deuil. D'abord la douleur inimaginable de la perte de Thomas, son mari. Mais elle avait également eu mal de voir ses enfants perdre leur père. Nadine se souvient à quel point Irène l'avait entourée de soins après le décès; elle a dû lui expliquer, avec la maladresse de l'adolescence, qu'elle se sentait étouffée par tant d'attention. Il doit vivre cela en ce moment. Si elle ne retourne pas chez elle, Alex devra assumer ce rôle auprès de leurs enfants. Il en est capable. Tout comme Irène l'a fait après la mort de son Thomas, il deviendra le maillon solide qui liera ensemble toute la famille.

Ce sera une telle joie, si je reviens ! Nadine réalise à quel point il est important de poursuivre sa route. Pour ça, elle doit traverser cette rivière infernale qui bloque son chemin. Va-t-elle faire un détour par le nord? Elle ne veut pas prendre trop rapidement un chemin qui lui fait peur, sans évaluer toutes les possibilités. Ainsi, tisane en main, Nadine marche vers la rivière pour réfléchir à sa situation. Quelles sont ses possibilités ?

Elle pouvait retourner en direction de la grotte et tenter de traverser la rivière par l'embouchure en se construisant un radeau. Les chevaux nagent, alors Allie pourrait peut-être les suivre. Pour cette solution, elle devrait trouver le moyen de descendre du plateau afin de se rapprocher de la mer. C'était plus facile à dire qu'à faire. Le défi : construire un radeau. Elle n'a pas ce qu'il faut pour en construire un. L'idée du pont est encore plus improbable. À moins que...

C'est ainsi que se pointe l'alternative dans sa tête. Elle peut tenter de traverser la rivière à cet endroit, là où elle est le moins large. Comme l'action galvanise son énergie, elle veut bien sûr tester son idée tout de suite. Debout à côté de la rivière, les bras croisés sur la poitrine, son plan se précise : placer un tronc d'arbre reliant une rive à l'autre. Elle n'a pas la capacité physique de traîner un gros arbre sur une longue distance. L'un des peupliers qui sont déjà sur le bord de la rivière... serait-ce plus facile ?

En quelques secondes, elle s'approche des arbres pour mieux les examiner. Ils sont assez hauts. Elle assume que l'un d'eux se poserait solidement de chaque côté de la rivière. Est-ce que ce bois mou supporterait son poids ? Le tronc est assez gros. Ça vaudrait le coup d'essayer.

Comment faire tomber un arbre dans la bonne direction ? Voyons si elle se souvient correctement de la procédure : une entaille de direction, côté rivière. Premier point. Une deuxième entaille du côté opposé, à cinq centimètres au-dessus de l'autre. Deuxième point. N'ayant pas de treuil pour tirer l'arbre dans la direction voulue, elle devra se contenter de pousser sur le tronc pour le faire tomber au bon endroit. Troisième point. Réussira-t-elle ? Le vent à lui seul peut le faire basculer dans la mauvaise direction et elle devrait recommencer.

Une seule façon de savoir. Essayer. Sortant la machette, c'est avec une énergie nouvelle qu'elle véri-fie l'angle de coupe et commence à frapper le peuplier à peu près à 40 cm du sol. Pendant un bon moment, elle frappe plusieurs coups en biseau pour enlever des tranches de l'arbre, puis elle pousse le tronc en direc-tion de la rivière, au-dessus de l'entaille. Rien. L'arbre ne bouge pas. « Maudit peuplier ! » Elle entaille à nouveau puis refait la manœuvre une fois, deux fois… dix fois. Elle est épuisée et cet exercice inhabituel lui donne mal au dos. Elle pense à sa famille, à ses raisons de persévérer et frappe et pousse sans relâche.

Elle applique son poids sur le tronc une dernière fois. Dans un grand crac, le peuplier penche lente-ment en direction de la rivière. Nadine ferme les yeux. Tombera-t-il comme il faut ? S'il partait à la dérive ? Devra-t-elle recommencer ce dur labeur ? Puis elle entend la cime du peuplier frapper le sol. Aucun « plouf ». Pas d'eau qui gicle. L'arbre n'est donc pas tombé dans la rivière. Elle ne respire plus.

Elle ouvre un œil. Le peuplier est bien appuyé sur les deux rives. « Ouais ! Mon premier pont ! » La première étape est réussie ! L'arbre, tombé un peu de travers, s'est accoté au rocher pointu qui trône au milieu de la rivière. Un bonus, car le tronc ne bougera pas de ce côté. Mais avant de continuer, elle solidifie l'installation pour ne pas que l'arbre bouge ou roule sur lui-même pendant qu'elle tentera de traverser, ce qui la jetterait sans doute dans le torrent. Elle pousse par petits coups de pied le tronc pour l'adosser contre la souche qui sort de la terre. De l'autre côté du tronc, elle fixe un pieu, un bout de branche effeuillée d'environ sept centimètres de diamètre et long d'un mètre, qu'elle affile comme un piquet à un bout et qu'elle fait pénétrer profondément dans le sol en le frappant avec une grosse pierre qui lui sert de massue.

Puis elle installe un deuxième pieu, à un mètre plus loin, plus près de la rive. Ce dernier empêchera le bout du tronc situé sur l'autre rive de rouler et tomber dans la rivière. Nadine se redresse et observe son travail avec satisfaction même si l'installation lui apparaît plutôt… précaire. Avant de transporter son bagage de l'autre côté de la rivière, elle décide de traverser une première fois, allège, pour aller fixer l'autre bout du tronc. Sans son sac de montagne, ni la pochette de transport de Lou, elle se sentira plus en mesure de sauver sa vie s'il lui arrivait de tomber. En chemin, elle enlèvera les branches de l'arbre pour faciliter les prochaines traversées.

Pour cette délicate opération, elle décide de laisser Lou au bord de la rivière, du côté nord. Il n'est pas content, mais il ne tente pas de la suivre. Allie est tout près et, comme une grande sœur, elle surveille le jeune loup.

Assise à califourchon sur le tronc, les pieds dans le vide au-dessus des flots, Nadine progresse lentement, quelques centimètres à la fois, coupant les branchages. Elle manœuvre avec précaution, car l'arbre a tendance à rouler. Ce n'est pas un travail facile. Elle a le vertige tant à cause de la hauteur que par ce mouvement des flots, violent et bruyant, qui lui donne le tournis. Plusieurs fois, elle s'immobilise pour chasser la nausée en tentant de regarder un point au loin sur la rive d'en face.

Elle touche le sol. Elle a réussi le test. Nadine fabrique deux autres pieux pour fixer la tête de l'arbre correctement. Ce n'est pas suffisant. Le tronc a tendance à rouler sur lui-même. Nadine n'est pas entièrement rassurée. Pourra-t-elle tenter la traversée avec tout son bagage et Lou ?

Un bon point : Le pont supporte facilement son poids. Elle se résout à faire plusieurs voyages. Elle n'a pas assez d'équilibre pour traverser en se tenant debout sur le tronc. D'abord la structure n'est pas assez stable puis elle risquerait d'éprouver le vertige et de tomber. Examinant autour, elle remarque un autre peuplier qui est plutot près du bord, suffisamment pour tomber à côté de l'autre. Cela l'aidera à solidifier et stabiliser la structure. Ce sera suffisant pour qu'elle se sente en sécurité lorsqu'elle traversera avec ses bagages et le petit loup.

Nadine soupire. Elle est épuisée. Elle a chaud. Le maniement de la machette lui a donné mal au dos, ses mains et ses bras sont douloureux. Elle ferme les yeux et revoit Alex et les enfants… ce dernier dimanche… Elle secoue la tête. Une bonne rasade d'eau. Elle se remet au travail tout de suite.

Elle regarde du côté nord de la rivière pour voir Lou tout à côté de la pouliche. Comme un enfant, ne voyant plus sa mère adoptive, il l'a oubliée et il concentre ses efforts à attirer l'attention de la jeune jument. C'est bien, car cela lui donne du temps pour travailler. De plus, Allie et Lou sont en sécurité, assez loin du lieu où tombera la cime du deuxième peuplier.

Courageusement, Nadine répète le manège employé plus tôt, pour faire tomber le deuxième peuplier. Elle frappe, pousse, frappe, pousse, frappe à nouveau et pousse à nouveau. Soudain, après avoir répété l'opération une bonne dizaine de fois, l'arbre craque et il tombe plus ou moins à côté de l'autre. Elle lève les bras et saute dans les airs. « Hourra ! » Elle est vraiment fière d'elle.

Par chance, du côté sud, le deuxième arbre est tombé tout à côté du premier. Elle s'empresse de le fixer avec deux pieux effilés. Puis, même si elle a les bras morts de fatigue, elle traverse à nouveau, cette fois en direction de la rive nord. Assise sur le deuxième tronc, elle se déplace, centimètre par centimètre, en enlevant à nouveau toutes les branches qui pourraient nuire à sa progression.

Reprenant pied sur la berge, elle se rend compte qu'au moins un mètre sépare les deux troncs. Elle doit les rapprocher. C'est trop lourd pour qu'elle puisse soulever le tronc à bout de bras. « Merde ! » Elle est découragée. Prenant quelques secondes de réflexion, elle se rend à l'évidence. « Bon, ça suffit pour le moment. » Elle a travaillé dur toute la journée. Ses mains sont lacérées et piquées par des échardes, ses vêtements un peu plus déchirés qu'avant. Elle attendra sagement au lendemain pour continuer ses travaux.

Avec ses pierres en main, elle allume le feu et s'installe pour un dîner bien mérité. Pour ce soir, elle choisit le repas sec au spaghetti, plus facile à préparer. Cela lui fera du bien de consommer un mets qu'elle ne remangera qu'à la maison. Lou devra se contenter de l'habituelle bouillie de poisson.

Lorsque le spectacle du soleil couchant a marqué la fin de cette éprouvante journée, Nadine a glissé son corps fatigué dans le sac de couchage. Elle est tellement épuisée. Le sommeil est instantané. Comme un automate, elle se lève deux fois durant la nuit pour ajouter du bois sur le feu et humer l'air de la nuit.

Nadine, c'est toi ? Alex la serre fort dans ses grands bras, soulagé et ému aux larmes de la voir revenir à la maison. Sa petite-fille Chloé court autour d'elle puis lui demande « T'étais où grand-maman ? C'était trop long. Je ne veux plus que tu partes loin ! » Nadine, des larmes de bonheur dans les yeux, les embrasse. Elle se sent si bien chez elle, avec sa famille. Comme au ralenti, elle revisite chaque pièce, retrouve son décor et ses parfums favoris. Sa trousse de toilette est là, sur le comptoir de la salle de bains. Elle lève les yeux vers le miroir. Non ! Elle a vieilli de 20 ans… En sursaut, elle se redresse. Son rêve se termine en cauchemar.

Le choc du miroir l'a bouleversée. Au matin, une tisane à la main, Nadine revient aux défis qui l'attendent. Elle réfléchit. Elle a fait deux fois la traversée. L'installation est donc assez solide. Par contre, sous un ciel nuageux avec un vent léger, le pont lui semble encore précaire. Pourra-t-elle y traverser tout son matériel et Lou ?

La meilleure façon serait d'espacer les deux morceaux de son pont et de déposer par-dessus une structure de bouts de bois, comme des planches. Ainsi elle pourrait traverser en un seul coup, avec son sac de montagne et Lou. Mais cela nécessiterait beaucoup de temps, plusieurs jours, voire une semaine ou deux, pour couper les arbres, choisir les branches droites, enlever les feuilles et les fixer avec des lanières. Elle n'en a pas assez pour réaliser un tel projet. Alors elle devrait chasser, tanner les peaux, les tailler en laniè-res... Trop compliqué. Elle n'a pas le temps.

Et Allie? Une profonde tristesse l'envahit. Elle réalise que, peu importe l'élaboration du pont, la pouliche ne pourra pas l'emprunter. Jamais Nadine ne l'encouragera à sauter les cinq mètres qui séparent les deux rives. C'est déjà un saut difficile pour un cheval adulte, mais pour une jeune pouliche, ce serait trop dangereux.

Son pont lui donne des frissons dans le dos. Elle hésite encore. Elle pourrait retourner à la grotte, sans traverser à cet endroit. Mais, comment trouvera-t-elle la civilisation si elle ne va pas vers le sud ? Elle ne peut pas rester ici, sa famille lui manque trop. Serait-il plus facile de passer par le nord ? Quand le souvenir de la rivière aux loups envahit son esprit, elle ne veut même pas envisager cette solution.

Nadine doit terminer son pont. Elle va traverser ses bagages et Lou. C'est ainsi qu'elle élabore une solution pour rapprocher les deux troncs sur la rive nord. L'idée développée, elle saute dans l'action. Nadine se rend dans la forêt pour couper le tronc bien droit d'un petit peuplier. Elle l'ébranche pour en faire un levier long de deux mètres. Si elle se souvient bien de ses cours de physique, plus le levier est long, plus il est facile de faire bouger quelque chose de très lourd. Elle glisse le levier sous le deuxième tronc d'arbre. Puis, elle pousse le levier vers le haut. « Bingo ! Ça bouge ! » Elle répète le mouvement une bonne douzaine de fois avant qu'elle soit satisfaite du résultat. Les deux billots sont maintenant bien alignés et suffisamment rappro-chés. Elle fixe le deuxième avec deux pieux à un mètre de distance pour l'empêcher de se déplacer.

Nadine sent l'excitation monter en elle. « Je peux traverser tout de suite… maintenant, poursuivre ma route. » Sa témérité remonte à la surface. Elle veut retourner chez elle au plus tôt. « Non ! Je me suis promis de ne pas foncer tête baissée. » La sagesse lui dicte de prendre son temps et de protéger ses acquis. Elle l'écoutera.

Elle passe donc le reste de l'avant-midi à débarras-ser les troncs des branches qui pourraient nuire à sa progression. Elle veut s'assurer que chaque passage avec le matériel se fasse sans difficulté. À midi, elle prend le temps de bien manger et de se reposer. En dégustant sa tisane, elle fait un dernier tour pour s'as-surer que la structure est assez solide pour éliminer les risques inutiles.

Elle est satisfaite. C'est le temps de passer à l'action. Il y a une sorte de trac qui lui noue le ventre. Elle regarde le soleil pour évaluer ce qui lui reste de la journée. Elle jette un dernier regard sur le pont pour s'assurer que tout soit prêt. Puis elle prend sa décision; elle dormira sur la rive sud ce soir. Elle défait son campement et classe tout son matériel en trois tas qu'elle transportera un à un. Ce sera long. Son sac étant moins chargé à chaque voyage, elle traversera plus facilement. Elle fera un quatrième et dernier voyage pour venir chercher Lou.

Nadine fait les trois premiers allers-retours sous le regard de Lou qui grogne et trépigne. Elle a tellement peur qu'il se jette à l'eau qu'elle a fabriqué une laisse pour l'attacher à un arbre. Lou n'est pas content et il se débat pour s'en débarrasser, mais celle-ci tient bon. Allie l'observe un grand bout de temps, comme si elle tentait de comprendre ce que signifiait ce pont et ce transport. Savait-elle que leur amitié s'arrêterait là ? Aujourd'hui. Ses grands yeux bruns fixent la femme régulièrement. Elle a de l'herbe en abondance, de l'eau aussi… Avant de faire sa dernière traversée, Nadine rejoint Allie dans le pré. Elle prend la pouliche par le cou, caresse sa belle fourrure ambrée. Allie dépose sa tête sur l'épaule de l'humaine avec affection. « Adieu ma belle Allie ! » Un hennissement énergique lui répond. Elle est forte et en santé… Sa vie est ici !

C'est le temps de traverser avec Lou, qu'elle place dans le sac de transport bien attaché à son cou et à sa taille. Il est vraiment énervé et il gigote beaucoup. Nadine doit attendre qu'il se calme avant de partir. Dans son excitation, il est bien capable de les faire tomber tous les deux à la rivière. Elle le force à se coucher dans le sac puis elle s'assoit à califourchon sur le pont. Elle jette un dernier regard nostalgique vers la pouliche. Puis, regardant vers le sud, petit à petit, elle traverse de l'autre côté. Un mètre, puis deux mètres, trois mètres et enfin cinq mètres. Finalement, elle arrive sur la berge et libère Lou.

Pendant un long moment, Nadine reste immobile à côté de la rivière à regarder cette barrière naturelle qui, pendant un bon moment, a bloqué son chemin vers sa famille. Sa rage s'est évanouie face aux efforts qu'elle a faits pour vaincre cette dernière épreuve. Lentement, elle laisse le soulagement revenir habiter son âme. Elle peut maintenant marcher vers le sud. Son cœur se remplit d'une immense joie. Elle retrouvera bientôt les siens. Elle en est convaincue.

Dans sa hâte de partir, elle se demande ce qu'il faut faire. Il est déjà tard, l'après-midi tire à sa fin et elle ne connaît pas le terrain vers sud. Alors il vaut mieux rester une nuit de plus dans ce coin tranquille. Elle partira demain matin. Elle monte son camp, à quelque cinq cents mètres au sud de la rivière aux brochets, près d'un ruisseau qui coule vers le sud-ouest et à l'orée d'une petite forêt. Les fins nuages camouflent les couleurs du coucher de soleil et cachent les étoiles naissantes. Dans la nuit qui s'installe, Nadine distingue encore la silhouette de son pont et elle entend Allie qui s'ébroue dans son pré.

Qu'arrivera-t-il à la belle pouliche à la fourrure ambrée ? Est-ce qu'elle ressent, comme Nadine, la déchirure de leur amitié qui se termine trop brusquement ? Ce n'est pas l'inquiétude qui chagrine Nadine, car Allie est capable de survivre. C'est la perte d'une amie qui lui laisse ce vide. Sans retenue, les larmes chaudes ont rempli ses yeux. Pourquoi tant de bouleversements ? Elle pleure sa solitude, sa lassitude, son impuissance, sa vulnérabilité, son désarroi, sa peur de ne jamais retrouver les siens, son passé, son présent, son absence d'avenir. Une sorte de détachement se produit en elle. C'est sa vingt-huitième nuit d'exil au Pays de la Terre perdue.

Chapitre 30

Jour 29 — 12 août

Un puissant hennissement... Nadine lève la tête pour regarder Allie de l'autre côté de la rivière. Elle la voit à peine dans la pénombre. Un autre cri plus long. La pouliche réalise qu'on la laisse derrière. Nadine a le cœur gros. Que peut-elle faire ? Allie se plaint à nouveau. Elle l'observe un moment. Est-ce qu'un cheval peut se fâcher ainsi ? La femme voit la pouliche galoper au loin vers le nord. Que fait-elle ? La jeune jument s'arrête brusquement et elle se retourne. Nadine est perplexe, inquiète même.

Allie frappe le sol de son pied et hoche la tête en hennissant. La tête basse, pour que le vent glisse sur sa croupe, elle part en douce puis son allure augmente. Alors que Nadine saisit les intentions de la pouliche, son cœur bondit dans sa poitrine. Allie va sauter la rivière ! Nadine est debout, estomaquée, et court vers la rivière en hurlant. Ses hurlements se perdent et meurent dans une sorte de sanglot.

— Non, c'est trop large ! Ne saute pas ! Non !

Nadine voudrait fermer les yeux; elle ne le peut pas. Son cœur chaviré, tendu et inquiet risque d'exploser. Instinctivement, elle place ses deux mains en avant, comme pour dire à la pouliche qu'elle va l'accueillir dans ses bras. Mais va-t-elle réussir un saut aussi olympien ? Les sabots martèlent le sol puis un silence tombe. Elle vole… Allie saute. Nadine voit ce grand corps chevalin s'étirer au-dessus des flots violents. Les secondes semblent interminables… une respiration puis le bruit d'un impact solide, un atterrissage parfait sur quatre sabots. La belle jument au corps ambré foule le sol sur la rive sud. Sans perdre son élan, elle galope pour rejoindre ses amis en hochant de la tête et hennissant bruyamment.

Nadine est folle de joie. Elle applaudit, fait la danse du bonheur, crie des wow, des super, des bravos ! Elle déborde d'admiration pour sa jeune championne. Elle prend la pouliche par le cou et elle pleure doucement en la serrant bien fort. Malgré sa peur de la voir tomber dans la rivière, Nadine est heureuse que la pouliche ait choisi de la rejoindre. Le bonheur dans le cœur, sachant maintenant que la pouliche la suivra vers le sud, Nadine retourne à son feu pour terminer sa tisane matinale, qu'elle déguste lentement, une gorgée à la fois. « Espérons que l'herbe est aussi verte de ce côté-ci de la rivière, ma belle amie. »

Le soleil n'a pas encore commencé sa course que Nadine est prête à reprendre la sienne. Quelles surprises cette journée lui apportera-t-elle encore ? Elle se sent prête à affronter tous les dangers. Son regard se laisse émerveiller par la beauté de ce pays. L'espoir apporte une dimension nouvelle, même si plusieurs fois, Nadine a vécu la désillusion totale. Si elle a eu le courage de bâtir un pont, elle va réussir son autre mission. Elle peut retrouver la civilisation. Elle veut que cette expédition se termine. Elle a marché longtemps et surtout, très loin. C'est certain qu'elle trouvera bientôt un bout d'humanité. C'est impossible que, dans une nature si généreuse, il n'y ait pas une présence humaine. Quelqu'un habite ce monde !

La fraîcheur de ce début de journée lui rappelle Montréal, certains matins de septembre, lorsque l'été commence à filer en douce. À la maison, cette heure de paix lui apporte un petit moment de solitude. Nadine aime relaxer, réfléchir, dessiner ou écrire. Souvent, elle s'assoit devant le foyer, un cahier et un crayon à la main, ou tout simplement avec son iPad pour lire ou écrire. Invariablement, une tasse de tisane ou de café, placée sur la pierre chauffée du foyer, reste chaude. Ici au Pays de la Terre perdue, elle n'a rien pour nourrir son imaginaire, mais elle apprécie tout autant ce moment de repos, sa tasse de tisane placée sur une des roches qui forment le foyer, pour la garder chaude. Le matin est son espace de réflexion intense. Après, les obligations peuvent gober son énergie, sans problème, car elle s'assure d'avoir fait le plein, que ce soit à Montréal ou au Pays de la Terre perdue.

Son vieux chapeau sur la tête, son grand bâton de pèlerin dans sa main, elle donne le signal de départ à ses amis. « En route ! Vers le sud ! » Joyeusement, la bande prend la route de l'aventure. Allie semble légère et sa tête se redresse fièrement. Ils marchent longtemps, enjambant des ruisseaux, traversant des petits boisés ou des plaines herbeuses. Nadine observe cette nature abondante et généreuse. Chaque détour pourrait lui révéler des traces de ce qu'elle cherche : une civilisation, une ville ou une famille en train de vaquer à ses occupations habituelles.

En fin d'avant-midi, le trio pénètre dans une grande forêt de feuillus. Quelques épinettes, de majestueux sapins baumiers, des ormes gigantesques, des pins très hauts… mais aussi d'énormes érables à sucre. Les arbres immenses empêchent le soleil de pénétrer profondément dans cette forêt, gardant ainsi la végétation de sous-bois plus rare. Nadine a de la difficulté à bien voir l'angle du soleil; alors elle trace son chemin avec sa boussole. Le sol est dégagé comme si on avait délibérément sarclé la base des arbres pour y placer des variétés de plantes rampantes, du couvre-sol ! L'air sent l'ail et le gingembre. Le trio progresse lentement dans cette forêt silencieuse, presque oppressante. Comme à son habitude, elle ramasse des herbes, des fruits, des champignons le long de sa route. « C'est un horticulteur hors pair, celui qui entretient cet espace… j'aimerais bien le rencontrer. »

Une large clairière illuminée par le soleil de « quatre heures », comme dirait son père, ramène Nadine à la réalité : une autre nuit à coucher dehors. Est-ce la dernière ? Elle décide d'arrêter et de monter son camp ici pour la nuit. Elle est satisfaite de la distance parcourue. Ne sachant pas la dimension de la forêt qui s'étend au sud, elle préfère rester dans la sécurité de la clairière, là où elle pourra faire des feux et mettre sa tente en terrain sec. Elle ne veut surtout pas se retrouver en plein bois, avec tout ce qui s'y cache comme faune, à la tombée de la nuit.

Elle trouve rapidement, à quelques kilomètres de son camp, une petite cascade qu'elle entendait chanter depuis déjà un bout de temps. L'eau sort à 15 mètres au-dessus du sol, directement de la paroi rocheuse, comme d'un robinet ouvert en permanence. Nue, elle se glisse sous cette douche naturelle pour laisser déferler l'eau sur son corps. « Quel bonheur ! » Elle en ressort vivifiée. L'eau glacée apaise un peu la fatigue des derniers jours.

La lessive en eaux vives rafraîchit aussi les vêtements qu'elle accroche à des bosquets de la clairière pour les sécher durant ce qui reste de clarté et de chaleur. Maintenant habituée à sa routine, elle installe son camp et prépare le repas. Un peu plus tard, la noirceur la surprend, assise auprès du feu qu'elle a allumé avec ses pierres, savourant son thé des bois qui fume. Perdue dans ses pensées, elle tente de faire le point.

Son journal de bois lui rappelle qu'elle est dans ce Pays de la Terre perdue depuis 29 jours. Les conditions climatiques et les obstacles naturels lui ont fait la vie dure. Elle a marché sans arrêt vers le sud, n'arrêtant que pour s'approvisionner, pour refaire des forces ou pour inventer des moyens de continuer. Elle estime avoir parcouru près de 250 kilomètres. Elle ferme les yeux, tentant de faire taire un mauvais pressentiment. Pourquoi n'a-t-elle pas encore trouvé de civilisation ni de trace d'une humanité quelconque? C'est à n'y rien comprendre !

Elle a eu beau fouiller sa mémoire et analyser la situation, elle ne comprend toujours pas ce qui est arrivé. Tant qu'elle n'aura pas établi un contact humain, le mystère reste entier. La couleur de la peau, le langage, le degré de développement… cela lui dirait où elle se trouve. Les réponses à ses questions passent d'abord par cette clé qui s'appelle la CI-VI-LI-SA-TION. Quelle qu'elle soit, où qu'elle soit, pourvu qu'il y en ait une. À quoi s'attendre sinon ? Elle ne sait pas.

Il y a un autre élément qui la trouble. Plus le temps passe, plus elle lutte âprement pour survivre et s'adapter et plus il devient difficile d'imaginer son retour à Montréal, la joie d'Alex de la revoir, sa joie de revoir sa famille. Ses réflexions assombrissent son âme déjà fragile. Elle oublie… Ils l'oublient. Pour tenter de chasser la déprime, elle s'endort, enroulée dans son sac de couchage, son loup dans les bras, au bord du feu. Dans un arbre, un hibou hulule à la lune. Brillante comme un lampadaire, elle trône dans un ciel piqué d'un milliard d'étoiles… trop nombreuses pour que ce ciel soit celui de Montréal.

Les hennissements de Allie la tirent du sommeil. A-t-elle détecté quelque chose de dangereux ? Le visage imprégné d'inquiétude, Nadine scrute les environs. Le hibou s'est endormi. Il ne doit même pas être cinq heures du matin. Nadine défait son camp rapidement à la lueur du feu de foyer. Elle se sent fatiguée. Elle aurait pu prendre la journée d'aujourd'hui dans cette magnifique clairière, pour se reposer. Au contraire, elle veut faire le plus de chemin possible. Pour éviter de perdre du temps, elle n'a mangé que des fruits pour déjeuner et s'est passée de tisane chaude.

Le bruit des pas bouscule le calme de la grande forêt. Le sentier est sombre. Le couvert végétal si dense, une sorte de jungle sans palmiers. Quelque chose d'oppressant remplit l'air. Un silence plus inquiétant où, par moments, elle saisit un cri ou une course pré-cipitée. L'agitation d'Allie lui confirme que le danger rôde. Plusieurs fois, un simple lièvre ou une volée de perdrix l'ont fait sursauter et crier d'effroi.

Nadine peine à mettre un pied devant l'autre, tel-lement cette forêt n'en finit plus. Elle entrevoit une éclaircie en avant, après le rideau d'arbres. La bor-dure de cette immense forêt est proche. Elle essaie de conserver l'énergie qui coule trop vite hors de son corps. C'est décidé. Elle montera son camp plus tôt aujourd'hui. Elle pousse la cadence pour sortir de cette forêt au plus vite. Elle est si exténuée qu'elle devra prendre un jour ou deux de congé, sans marcher, juste pour se reposer. D'abord sortir d'ici sans être attaquée par des pensées noires. Puis trouver cette civilisation au plus vite. Ce voyage a assez duré. Après l'épreuve, quand elle sera chez elle, elle dormira.

La forêt s'ouvre lentement, un pas à la fois. Nadine détecte l'odeur de l'eau, une fraîcheur humide. Elle aimerait aussi sentir l'odeur des bûches qui brûlent dans un foyer ou l'odeur du poisson qui rôtit dans la poêle. Elle apprécierait n'importe quelle odeur qui lui indiquerait qu'une personne habite ce territoire et qu'elle va l'aider à rentrer chez elle. Elle a de plus en plus de difficulté à marcher et ses bottes lui font mal. Ses yeux se ferment tout seuls. Elle bute sur un caillou et s'étale de tout son long. « Aïe ! » Elle a mal…

rester là… coucher dans l'herbe fraîche… dormir. Elle ferme les yeux. Un grognement… celui de Lou… un danger ? Elle doit marcher, sortir de la forêt avant de dormir. Elle se relève péniblement… rien de cassé. Elle replace le sac de montagne sur son dos et reprend sa marche, s'appuyant lourdement sur son bâton de pèlerin.

Vidée. Une petite voix intérieure lui rappelle qu'elle devrait arrêter tout de suite, faire son camp et attendre au lendemain pour continuer sa route. Stop Nadine. Mais, dans l'excitation du moment, dans l'attente de sortir de la forêt, elle n'écoute rien, surtout pas cette voix de sagesse qui surgit de son intérieur. Elle continue malgré la fatigue.

Le ciel a changé de couleur en cours de route, habillant la nature d'un gris terne. Il y aura bientôt de la pluie. Une autre raison d'arrêter tôt pour éviter de monter le camp à la pluie. Non ! Sortir de la forêt d'abord ! Elle garde les yeux droits devant elle pour observer cette clairière qui s'agrandit à chaque pas.

Côté sud, elle entend des vagues et des goélands, dont elle reconnaît très bien le chant agressant. Elle s'approche donc de l'océan. En confirmation, l'odeur typique de la mer, un mélange de poisson, d'algue et de sel, assaille ses narines. La mer… il y aura quelqu'un. C'est sûr. Un village. Des bateaux. L'Internet. Le téléphone. Puis le souvenir de son arrivée à la plage de la première caverne. Non pas cette fois. Tout se mélange dans sa tête.

Encore quelques mètres. Elle s'efforce de placer un pied devant l'autre. Ses jambes sont tellement lourdes. Sa bouche est sèche, car elle n'a rien bu depuis un long moment. Elle cherche sa gourde. Elle a basculé, s'est vidée. Quand elle a glissé sans doute. « Imprudente », lui répète la voix, mais elle n'écoute plus. Elle ne veut pas être raisonnable. Elle en a assez de cette vie !

Puis, soudainement, le paysage change. Nadine se retrouve sur une immense plaine qui s'étend jusqu'à l'eau. Elle voit l'océan à perte de vue. À l'ouest, au sud, à l'est, de l'eau partout. Après un mois, 30 jours de fatigue, de douleur, de frayeur et d'ennui, elle arrive sur une pointe de terre complètement entourée d'eau. Ce pays... est une île ? Une île énorme ? La pointe d'un continent ? Elle ne sait plus. Elle ne veut plus savoir.

Elle ne voit que l'eau à perte de vue. Comme un automate, elle marche jusqu'à l'eau. Les vagues passent par-dessus ses bottes. Nadine ne ressent rien. Elle est si fatiguée, tellement déçue. Si ce n'était de Lou, qu'elle porte dans la pochette accrochée à son cou, elle aurait continué de marcher dans cette eau qui bloque son chemin; pour aller y mourir.

Elle n'en peut plus. Vide de larmes. Vide d'énergie. La pluie fine glisse sur son corps qu'elle n'a pas protégé de son imperméable. En moins de deux, elle est trempée et elle claque des dents. Elle se laisse tomber à genoux sur le sol. Le désespoir l'envahit. Elle ne trouvera jamais la civilisation. Elle ne reverra jamais Alex. Elle ne reverra jamais ses enfants. Elle ne reverra jamais ses petits-enfants. Elle ne reverra jamais ses amis. Elle va mourir seule sur cette terre au milieu de nulle part.

Elle serre les dents pour les empêcher de claquer. Elle ferme les poings. Une colère sourde monte en elle. L'angoisse envahit son âme. Sa situation ne fait aucun sens. Qu'est-ce qu'elle fait ici ? Pourquoi ? Comment est-elle arrivée là, dans ce Pays de la Terre perdue ? Un grand cri déchire l'air humide. Pendant un instant, même les goélands font une pause dans le ciel, inter-dits par la force de la douleur. Qui a crié ? Si c'est elle, pourquoi n'a-t-elle pas ressenti un soulagement ?

Que peut-elle faire de plus ? Rien. Elle est coincée dans une situation qu'elle ne comprend pas et surtout, qu'elle refuse d'accepter. Elle n'a plus de solutions. Elle ne sait pas quoi faire de plus. Elle ne veut rien faire de plus. La nuit noire la surprend. Elle s'en fout. Sous le couvert de nuages, la lune apparaît et dispa-raît. Les étoiles changent de place. Nadine ne bouge toujours pas. Elle a froid, glacée par la situation. La marée monte puis redescend. Que le temps s'arrête !

Nadine se réveille sous le chaud soleil, tard en avant-midi, bousculée par Lou qui réclame son dû. Jappant et gémissant, Lou a réussi à percer l'armure de l'indifférence dans laquelle elle s'est réfugiée pour toucher le cœur de sa mère adoptive. Le pauvre petit a faim et soif. Nadine lui donne un peu d'eau recueillie directement du ruisseau. Puis elle sort le poêle à gaz de son sac de montagne. Elle prend aussi le briquet. Pourquoi conserver ces outils maintenant ? Avec une grimace amère au coin des lèvres, elle allume le poêle et prépare la nourriture pour Lou. Elle n'a pas faim. Elle regarde Lou avaler goulûment sa bouillie. Ses yeux regardent au loin sur l'océan, mais Nadine ne voit rien. Puis, ce fut au tour d'Allie de s'approcher de Nadine. Du museau, la pouliche pousse son amie humaine comme pour la sortir de sa léthargie.

Nadine ne veut plus avancer, sauf pour se glisser dans cette mer invitante, pour que cet enfer s'arrête là, maintenant. Mais quelque chose la retient encore. Ses bottes lui font mal aux pieds depuis plusieurs jours. Ses bas sont pleins de trous, ses vêtements déchirés. Elle est sale, ses cheveux sont en cordes. Elle n'en peut plus. Elle ne comprend pas. Elle ne peut pas continuer. Elle ne veut pas retourner. Elle doit bouger, chasser la torpeur qui l'affecte. Elle enlève ses chaussures et ses chaussettes. Elle marche sur la grève, lentement, sans intention précise. Pour calmer la tempête qui agite tout son être.

Elle marche des heures, d'un point de la grève à un autre, sans but, sans comprendre. Elle ne s'arrête que pour nourrir Lou. Elle n'a pas mangé depuis le matin de la veille. Si elle ne mange pas, elle mourra plus vite. Elle s'assoit sur une roche, les pieds dans l'eau, face à cet océan rendu brillant par le soleil éblouissant. Elle devrait sentir sa chaleur, mais un frisson la parcourt. Elle ferme les yeux un moment. « Pourquoi est-ce si beau ? Pourquoi ai-je si mal ? Un contraste pour mieux me rendre malheureuse… » Elle est incapable de haïr ce pays plein de contradictions qui lui fait tant de misère.

À côté, Lou jappe pour attirer son attention. Elle le prend dans ses bras. Qu'est-ce qui lui arriverait si elle mourait sur cette plage ? Ce petit être d'à peine deux kilos survivrait-il ici ? Il dépend encore trop d'elle, voilà la réalité. Allie se débrouillerait bien, elle est plus autonome.

Vivre et lutter encore et encore ? Laisser s'éteindre sa vie tout doucement. Juste dormir, sans boire ni manger. Comme le briquet qui se vide. Il y a eu un moment fragile et sombre. Puis la flamme s'est rallumée. À sa deuxième journée sur cette péninsule sud, Nadine choisit de vivre. Comme Allie a choisi de sauter la rivière… Elle ne sait pas encore comment, mais elle s'en sortira. Pour Lou. Pour Allie. Pour elle-même aussi. Puisqu'il n'y a qu'une seule façon de revoir sa famille un jour. Ce désir est plus grand qu'elle. Il donne un sens à sa vie malgré la situation complètement incompréhensible. Elle doit rester en vie. Si elle meurt, tout s'arrête et elle ne la reverra jamais... Jamais sa famille ne saurait ce qui est advenu d'elle. Elle serait disparue, mais sans la confirmation de sa mort. Ce serait horrible pour eux; encore pire que ce qu'elle avait vécu à la mort tragique de son père.

Elle sent la vie qui coule à nouveau dans ses veines. Malgré un cœur blessé profondément par l'absence des siens, son âme reprend de la force. Elle survivra dans ce Pays de la Terre perdue jusqu'à ce qu'elle trouve le chemin pour retourner chez elle. La nuit tombe à nouveau sur son âme meurtrie. Elle regarde longtemps le voyage de la lune et des étoiles. Le bruit des vagues berce sa douleur. La présence de Lou et d'Allie la réconforte. Puis le sommeil la gagne à nouveau, alors qu'elle a la vague impression que ce sont ses amis qui, cette nuit, veilleront sur elle. Cette fois le sommeil servira à réparer ses plaies.

Elle se réveille sous la pluie avant que le jour ne se lève. La tente est toujours dans son sac de transport, attachée à son sac de montagne qu'elle n'a pas défait depuis son arrivée dans la péninsule. Pas grave. La pluie abondante lave son âme autant que sa peau. Elle reste là, adossée à la roche, sur cette plage du sud, à sentir la pluie couler sur son corps. Le pincement de l'eau sur son visage secoue la torpeur qui l'a profondément atteinte depuis deux jours. La fatigue du dernier mois coule jusqu'à ses pieds douloureux, en même temps que la pluie. La vie revient lentement dans son corps et son âme.

Elle regarde Lou qui sort sa tête de son sac de transport, fabriqué avec la peau de sa mère et qu'elle a placé par terre à côté d'elle avant de dormir. Le petit n'est pas certain s'il peut sortir ou non de sa zone de sécurité. Elle le prend dans ses bras et le caresse pour le rassurer. Il ne se plaint pas, content de voir que Nadine s'occupe enfin de lui. Né il y a moins de trois semaines, il a encore besoin de beaucoup de soins et d'attention.

Nadine regarde le soleil se lever. Il ne perce pas tout à fait les nuages qui continuent de libérer une bruine tiède. Un magnifique arc-en-ciel qui s'étire d'un horizon à l'autre, d'un bout de mer à un autre. C'est en regardant ce magnifique spectacle rempli de couleurs pastel qu'elle prend sa décision. Aujourd'hui sera sa dernière journée dans cette péninsule.

Demain ? Nadine va reprendre la route. Chez soi c'est la sécurité. La sécurité, c'est la grotte. Au Pays de la Terre perdue, la grotte sera son lieu. « Chez eux ! »

Parce que c'est Allie qui l'a découverte et Lou la suivra dans son nouveau repaire.

Elle retrouve son sac de montagne et en sort le poêle à gaz et le briquet. C'est la dernière fois qu'elle va s'en servir, car après, le briquet sera vide, tout comme la bonbonne de gaz du petit poêle. Puis, elle sort l'enveloppe de macaroni au fromage, le dernier repas sec qui vient d'un autre pays lointain appelé Montréal. Elle a de la difficulté à se souvenir de ce pays. Maintenant, elle ne connaît que le Pays de la Terre perdue, une contrée dure où elle doit survivre et vivre, pour retourner un jour vers sa famille.

En mangeant ce repas, qui devrait être un dîner plutôt qu'un petit-déjeuner, elle réalise qu'elle est en train de mettre fin à « une » aventure. Car elle préfère parler d'une aventure. N'importe quel autre mot qui se présente à son esprit, pour décrire ce qu'elle vit, lui donne froid dans le dos. Une initiation forcée à la survie ! Une immersion dans la nature sauvage !

Elle installe la tente sur un petit plateau où pousse de l'herbe qu'Allie a repérée. Elle peut admirer l'immensité de cet océan rendu bleu par les chauds rayons du soleil; il est si beau cet océan qui bloque sa route. Elle passe la journée à se reposer, à manger et à dormir. Ainsi, elle refait ses forces, car la prochaine aventure ne sera pas plus facile que celle qui se termine.

Demain, au lever du jour, elle prendra la route vers le nord. Le sud, elle le sait maintenant, ne mène qu'à la mer. Sans personne d'autre qu'elle. Alors elle doit explorer une autre direction; parce qu'elle ne lâchera pas. Elle cherchera sans relâche la façon de retourner chez elle. La grotte sera son pied-à-terre. Elle y commencera une nouvelle aventure. Celle de sa nouvelle vie qui lui permettra un jour de trouver le chemin de sa maison, où Alex et les siens l'attendent.

Elle fera en sorte que chaque pas, chaque moment, chaque journée de cette nouvelle aventure au Pays de la Terre perdue deviennent autant de petites étapes qui marqueront le long chemin vers Montréal pour retrouver son monde, sa famille et ses amis.

Chapitre 31

Jour 35 — 18 août

— Tu vois Lou ? La grotte est par là-bas, sous ces gros rochers, à l'ouest.

Nadine venait de grimper la rocaille, celle-là même qui longe la cascade de la rivière aux brochets. Pour se donner un point de vue plus large sur cet immense domaine qu'elle avait choisi d'habiter pour quelque temps, elle fit un lent 360°. Lou l'avait suivie en trottinant sur ses petites pattes qui devenaient de plus en plus fortes. Elle le regardait cabotiner en souriant. Un vrai petit clown !

L'angle du soleil indiquait presque midi, mais pas tout à fait. « J'ai assez de temps.» Elle choisit une roche en bordure de la rivière pour s'asseoir. Elle enlève son chapeau pour laisser le vent jouer dans ses cheveux. Elle les ébouriffe joyeusement en utilisant ses doigts en guise de peigne. Elle aime cette sensation de liberté et elle prend plaisir à respirer en offrant tout son visage à la caresse du soleil, ses cheveux volant au vent. Elle ferme les yeux. La paix qui monte en elle semble une réponse à ses heures d'angoisse passées. Se laisser mourir aurait été une erreur. Même dans un instant de désespoir, l'humain doit donner une autre chance à la vie. Lou et Allie ont eu cette deuxième chance, pas vrai ! Nadine a donc rescapé, non seulement le loup orphelin, la jument isolée de son troupeau, mais tout autant cette humaine désespérée dans son errance sans fin.

Elle savoure l'air, le vent et le soleil qui caresse en ce moment ce corps endolori, ce véhicule de marche assez malmené par sa propriétaire. En un mois, personne n'aura vraiment pris soin de ce corps féminin pourtant si sensible à l'affection. Depuis son retour de la péninsule sud, Nadine a fait un grand bout de chemin. Elle l'a fait lentement, retrouvant le bonheur par petites doses. Une lente rééducation se produit; un sevrage.

Nadine aura mis trois journées pour revenir jusqu'à sa grotte. De la péninsule sud, elle s'est rendue rapidement à la clairière au milieu de la forêt des érables. Elle a marché dans cette forêt merveilleuse et pleine de vie alors que la lumière du soleil percolait au travers du feuillage dense, devenu plus réconfortant que menaçant. Elle interroge son cœur : pourquoi a-t-elle peur que les siens l'oublient ? Lui en veulent-ils d'être absente ? Comprennent-ils qu'elle n'a pas choisi d'être ailleurs ? Le sens de ses questions a changé. Elle s'est arrêtée de marcher, dans une clairière illuminée, pour prendre le temps de vivre ce moment de compréhension. Nadine y passe la nuit sans craindre d'être en retard sur « son temps », puisque sa vie est neuve, en quelque sorte.

Humaine plus consciente de sa nature, elle se donne la chance de récupérer ses forces. Elle veut aussi explorer cette forêt pour découvrir ce qui pourrait lui servir. Elle a chassé la perdrix avec sa fronde et elle a bien mangé. Elle s'est baignée sous l'eau cristalline de la cascade et elle a senti son énergie revenir.

Le deuxième jour, elle a traversé la grande forêt d'érable à sucre et parcouru le grand plateau au sud de la rivière aux brochets. En début d'après-midi, elle a traversé le cours d'eau sur son pont, faisant l'aller-retour à quatre reprises. Encore une fois, Allie l'a émerveillée. Elle a sauté d'une rive à l'autre avec une légèreté déconcertante. La pouliche a attendu que Nadine fasse les trois premiers voyages puis, quand la femme a placé le petit loup dans son sac de transport, la jeune jument s'est élancée sautant tout près de la roche qui coupe le cours d'eau en deux. Allie avait attendu pour sauter que Nadine vienne chercher Lou; elle avait veillé sur lui pendant le transport du matériel d'une rive à l'autre. Anticipant les évènements,

Allie faisait preuve d'une réaction qui dépassait le simple instinct : elle ressentait les choses et sans doute devinait-elle ce que Nadine attendait d'elle. Une amie ferait de même.

Le trio aurait pu facilement atteindre la grotte ce jour-là. Même bien avant la tombée de la nuit, hier. Le décor agréable et l'herbe fraîche l'ont envahi. Il y a encore les copeaux de bois au sol, qui alimenteront le feu du soir. Elle en profite pour explorer la forêt et y récolter ses herbes précieuses. Puis son sommeil a été pacifique comme si l'air entrait en elle chargé de particules revitalisantes. Ainsi est arrivé le troisième matin. Partie dans la brume, au petit matin, elle a marché de la rive nord du pont vers le lac aux brochets. Pour qu'Allie puisse la suivre vers la grotte, comme pour l'aller vers le sud, Nadine a mené le trio par le sentier qui passe un peu plus au nord, pour contourner la rocaille et le boisé.

Nadine porte son regard à l'ouest. Elle reconnaît l'amoncellement de rochers où elle retrouvera la grotte et la sécurité. À son départ de la péninsule, elle n'avait presque plus de provisions. Le Pays de la Terre perdue est un garde-manger bien rempli. Le long de la route, elle a rempli ses sacs, ramassé des racines utiles et des fruits délicieux. Elle revient avec quelques lièvres qui s'ajoutent à ses menus, sans oublier les peaux qu'elle va utiliser pour différents usages. Oui, la nature est généreuse !

Elle pourrait pêcher dans le lac aux brochets et chasser dans la petite forêt autour. Mais elle ne le veut pas. Après un repos réparateur, ce troisième jour lui permettra d'atteindre la grotte, pour mettre un point final à cette aventure de 35 jours. Elle sent monter en elle le goût amer de cette difficile expérience. Elle a l'impression d'avoir ramé contre le courant, avec une sorte d'entêtement qu'elle porte en elle depuis son enfance. La belle rebelle, dirait son père, en philosophant. Née de cet épuisement profond, qui a mis son existence en danger de mort, la nouvelle humaine aimerait commencer sa quête de sagesse en s'adaptant aux éléments plutôt que de les combattre.

Demain elle habitera la grotte. Aujourd'hui, elle marche sans se presser vers sa destination, comme une voyageuse qui rapporte dans ses bagages quelque chose qui ne s'explique pas. Elle repense à ce phénomène des départs et des retours. Nadine, faisant ses bagages en vue d'une excursion, rêve de ce qu'elle va y découvrir, anticipe le plaisir, mais aussi les dangers possibles. Elle se déracine, se propulse hors de sa zone de confort pour mieux se mesurer à la chimie de l'exploration. Il se produit une réaction interne dans ce laboratoire du voyage. Ainsi, lorsque Nadine revient et range ses vêtements, partage ses souvenirs, retrouve son décor habituel, elle a changé. Elle s'est enrichie d'une expérience de plus. Comme si chaque voyage ajoutait à sa vie un mince manteau invisible, fabriqué à partir d'un mélange de fibres précieuses : la découverte, le plaisir, la beauté, la sensation d'exister, l'appropriation de connaissances, l'accomplissement, l'ouverture sur la vie dans ce qu'elle a de meilleur. Nadine transporte sur elle de nombreuses couches d'exploration humaine autant que géographique.

La grotte n'est donc pas qu'un refuge. Elle s'y installera. C'est tout dire ! Elle va reconstruire ici son humanité. Elle va prendre soin d'elle. Le désarroi, qui a failli lui coûter la vie sur la péninsule sud, s'est transformé, au fil des derniers jours, en une détermination sans borne. Elle veut plus que survivre, dans ce Pays de la Terre perdue, elle veut habiter ici, jusqu'à ce qu'elle trouve le moyen de voyager à nouveau vers sa terre natale, Montréal.

Dans sa tête libérée des appréhensions inutiles, Nadine regarde les images de son grand voyage de vie, sur terre, avec sa famille. Imaginez à quel point un voyage de 55 ans peut générer d'émerveillement, de moments magiques... Elle sourit en pensant à ceux et celles qui hésitent à partir pour une semaine. S'ils pouvaient voir leur quotidien par l'autre bout de la lunette, chaque jour serait leur voyage de vie !

Nadine retrouve une part de douleur en revoyant défiler sa vie. L'éloignement et l'absence d'échanges lui font regretter ce temps pétillant où elle était parmi eux. Les larmes embrouillent sa vue. Personne ne peut être à deux endroits au même moment, n'est-ce pas ? Un certain 23 avril, elle s'était endormie comme à l'habitude dans cet univers familial si agréable, aux côtés de son irremplaçable Alex. À son réveil, le 24 avril, elle se trouvait au Pays de la Terre perdue, dans un lieu qui ressemblait au mont Logan. Elle croit avoir voyagé en une nuit, mais les indices saisonniers sont imprécis. « Je pourrais être arrivée sur la montagne à la mi-juillet, puisque les paysages de plein été m'ont étonnée au départ. » Avec son journal de bois, si Nadine refait le décompte à partir d'un 15 juillet plausible, aujourd'hui, son calendrier donnerait la date du 18 août.

Son cœur de mère déborde, en pensant à son fils. Sous l'eau de la cascade où elle se douchait, Nadine a réalisé qu'elle a manqué l'anniversaire de Dominique, le 18 juin. Alex lui a-t-il remis, sans sa présence, le magnifique couteau basque qu'ils lui ont rapporté de leur dernier voyage, pour ajouter à sa collection ? Est-ce que son fils, ce grand sensible, a pleuré l'absence de sa mère? Elle a laissé couler ses larmes chaudes que la cascade a mêlées aux gouttelettes glacées qui enveloppaient son corps fatigué. Jamais elle n'avait manqué l'anniversaire de ses enfants et petits-enfants. Parce que pour elle, la naissance est un cadeau si précieux, que chacun était souligné avec affection évidemment, mais aussi dans une effusion de joie et de reconnaissance envers le cadeau qu'est la vie.

Nadine est vivante. Elle reverra son fils pour un autre anniversaire. Elle lui expliquera. Il comprendra. Elle est en voyage dans ce Pays de la Terre perdue depuis 35 jours. La femme n'a pas renoncé à trouver la civilisation; c'est sa quête la plus importante. Elle doit cependant se consacrer à vivre d'ici là. Elle va un jour retrouver Alex et sa famille. C'est clair. Elle fera tout ce qui est nécessaire pour y arriver « en un seul morceau, car la santé est essentielle » dirait son ami médecin.

Elle regarde autour. Elle tente d'imaginer cette terre riche recouverte de neige. Elle frissonne. Pourtant, elle est persuadée qu'elle s'y promènera avec des raquettes qu'elle inventera. Bientôt. Elle soupire. Cette prochaine aventure, une page importante de sa vie, sera remplie de défis difficiles à relever. Elle devra affronter des dangers qu'elle ignore encore. Elle aura besoin de force, d'énergie et de détermination. Le courage aussi…

Ce sera bientôt l'automne. Elle devra se préparer à passer l'hiver au Pays de la Terre perdue sans en connaître d'avance la rigueur. Pour survivre à la saison froide, elle devra faire des réserves. Sa tête anticipe déjà les actions à poser. Côté nourriture, elle récoltera des fruits, des racines, des herbes, de la viande et du poisson en grande quantité, des graines, des noix. Elle les fera sécher et elle construira un garde-manger dans la grotte. Côté sécurité… Le feu et l'eau, le bois à récolter et les prédateurs à éviter.

Quand l'hiver commencera-t-il ? Quand finira-t-il ? Elle sera prête. Elle apprendra à chasser, tendre des collets et pêcher sous la glace. Elle devra apprendre à se confectionner des vêtements, des chaussures pour remplacer les loques actuelles qui viennent de Montréal et qui sont inappropriées pour l'hiver. Elle fera un feu sans briquet, qui ne devra pas s'éteindre de nuit comme de jour. D'ailleurs, le petit poêle, la bonbonne de gaz ainsi que le briquet, tous les deux vides, sont restés sur la péninsule, enfouis sous un tas de cailloux, un cairn. Par souci du détail, elle a dessiné une flèche pointant vers le nord, avec des roches noires, des obsidiennes, trouvées sur la plage. Peut-être que quelqu'un verra son message et partira à sa recherche ?

Elle a rapporté une petite roche avec elle. Ce caillou noir de la péninsule, mémoire du désespoir qui l'a saisie un moment, est dans une petite pochette qu'elle a confectionnée avec un bout de la peau d'un lièvre. La petite pochette pend à son cou, retenue par deux lanières d'orignal. Un mémento qui lui rappellera sa décision de vivre pour retrouver les siens. Un porte-bonheur aussi. La pierre lui rappellera aussi qu'une nouvelle étape de sa vie commence, là, maintenant.

Elle continuera son journal de bois. Cela lui permettra de mesurer le temps qui passe, les saisons, le temps d'un automne, d'un hiver, d'un printemps. Sa conscience du temps fait partie de son humanité.

Nadine est maintenant convaincue que, si civilisation il y a, cette dernière a autant de chance de la trouver à sa grotte qu'elle. Inutile de courir au-devant puisque ce qu'on espère vient souvent au-devant de nous.

Avec son bagage, elle redescend de la rocaille, le loup sur les talons, pour retrouver Allie qui l'attend patiemment en broutant. « En avant, les amis ! Terminons au plus vite cette aventure pour qu'une autre, plus riche d'apprentissages, commence. » Perdue dans ses réflexions, sans s'en apercevoir, elle s'est arrêtée au bord de la rivière. Allie l'observe de ses grands yeux bruns et approche son nez de l'épaule de Nadine. Lou l'examine de ses yeux gris et tristes. Ses deux amis se demandent-ils si Nadine sombre à nouveau dans la déroute comme sur la plage du sud ?

Un grand rire sonore, qui fait fuir les oiseaux, constitue sa réponse. Ses amis sont rassurés. Les oiseaux le sont moins. Elle les regarde s'envoler dans le ciel.

« Vous êtes mieux de vous habituer à mon caractère ! Je vais rester ici tout le temps qu'il faudra ! Si vous ne voulez pas finir dans mon chaudron tout bossé, garde à vous ! » La nature elle-même prend note de ce changement. Nadine fait partie de cet univers, maintenant.

Sa voix a fait vibrer l'air, les feuilles ont frémi, les lièvres ont détalé dans le sous-bois d'habitude si paisible. Elle ajoute un rire, comme un éclat de liberté qui se répercute au-delà des prés et des monts. Comme un baume sur son âme, l'écho de sa voix pénètre en elle, rassurante preuve de sa confiance retrouvée.

Elle éclate à nouveau d'un rire franc. D'une voix forte et enjouée, elle leur dit :

— Allons! Nous sommes presque chez nous. Nous avons un hiver à affronter, tous les trois !

Lou jappe avec excitation, Allie hennit et s'ébroue de contentement. Nadine laisse fuser son rire d'adolescente rebelle au grand vent. Les voilà de retour à la maison. Un voyage se termine et un autre va pouvoir commencer.

À suivre !

Vous avez aimé ce livre ?

*Pour découvrir la suite de
ce roman fantastique,*

Le Pays de la
Terre perdue

Tome 2

VERSION IMPRIMÉE
Demandez-le à votre libraire
Commandez-le sur le site
www.editionsveritasquebec.com

VERSION NUMÉRIQUE
Téléchargez-le sur www.enlibrairie-aqei.com
Aussi disponible auprès des libraires
en format E-Pub

*Suivez Nadine dans sa quête de survie
en vous procurant la collection*

Le Pays de la Terre perdue
qui contiendra six volumes.

Achevé d'imprimer au Québec
Février 2013